Clovis

ÉDITION DU CLUB QUÉBEC LOISIRS INC.
© Avec l'autorisation des Éditions Pierre Tisseyre
© Éditions Pierre Tisseyre, 1992
Dépôt légal — Bibliothèque nationale du Québec, 1994
ISBN 2-89430-123-5
(publié précédemment sous ISBN 2-89051-493-5)

Jacques Gauthier

Chroniques d'Acadie

TOME I

Clovis

roman

«Je vous prye par mesme moyen, me maintenir en la bonne grâce d'une si très excellente Royne, et la pryer commander au chevalier de Drac (Francis Drake), de m'envoyer le recueil et discours de ce qu'il a remarqué en son grand voyage, duquel le dict Sr. de Ségur m'a parlé, et qui m'est fort nécessaire pour **l'éxécution de mes desseins *.»**

Henri IV

* Lettre du 12 mars 1585 à sir Francis Walsingham, secrétaire d'État de la reine Élizabeth I d'Angleterre, citée par Y. Cazaux in Henri IV, Les Horizons du Règne, Albin Michel 1986, p. 284

À Jacqueline-Anne Sorel
veuve d'Abbadie d'Arrast

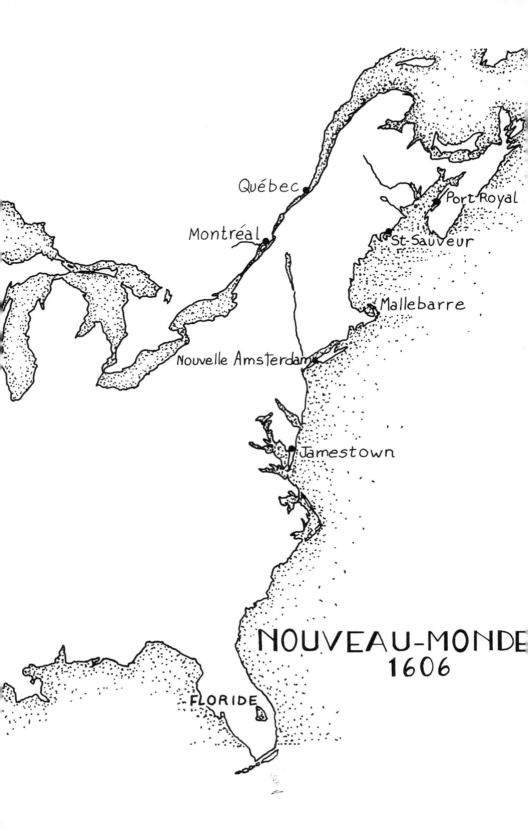

Québec

Montréal

Port-Royal

St-Sauveur

Mallebarre

Nouvelle Amsterdam

Jamestown

NOUVEAU-MONDE
1606

FLORIDE

PRÉFACE

Voici un roman historique et ambigu — Oh! combien!... Cependant d'une totale originalité. S'il tient d'Alexandre Dumas par la trame historique solidement bâtie, on n'y voit tournoyer ni capes ni épées, ou si peu... Si l'angoissante ambiguïté du roman noir à l'anglaise y mène son jeu infernal, la tragédie romanesque ne résulte pas ici de l'horreur et du sadisme, et laisse même passer dans ses ombres des rayons de tendresse et des clartés rafraîchissantes.

L'originalité de Jacques Gauthier est d'avoir su jouer des ambiguïtés du mystère et d'avoir, avec l'habileté d'un magicien, brodé sur la trame historique de son roman, à la fin du règne d'Henri IV, les arabesques des mystères de l'époque: il les enchaîne avec une logique toute naturelle; il tisse du «mystère», comme les Algonquins enfilaient les coquillages nacrés de Long Island au détroit de Manate pour en faire des colliers ou des ceintures — leurs trésors de paix et de guerre — après les avoir polis et percés avec art.

Le mystère premier, le mystère-clef du roman, est celui de la naissance de son héros. Qu'est donc ce

7

Clovis issu de son imagination? Ne comptez absolument pas sur moi pour vous le révéler. Contentons-nous, pour l'instant, de savoir que ce personnage eût pu exister si...

Pourquoi tout le roman est-il fondé sur les successifs accidents ou attentats qui menacent la vie de l'enfant, de l'adolescent et de l'adulte? Mystères, mystères en tout genre, en série! À peine l'enfant est-il né, et mystérieusement parvenu entre les mains d'une pauvre petite paysanne boiteuse, que celle-ci mène au château de La Roche-Guyon où elle est employée. Là, un hasard providentiel permet à ce mystérieux bébé d'échapper à la mort qui lui était destinée: le biberon qu'a goûté la jeune paysanne tombe; celle-ci, bientôt, meurt comme le lévrier qui a lapé de ce lait répandu. La châtelaine est la marquise de Guercheville, qui défraie les conversations de la cour d'Henri IV, parce qu'elle refuse ostensiblement les pressantes avances du roi et, ce soir-là encore, fuit sa présence.

Nous sommes à l'époque ou la célèbre Gabrielle d'Estrées, maîtresse en titre, se croit assurée d'être bientôt épousée par son royal amant, assurée de devenir reine de France et de faire de César de Vendôme, son fils légitimé, le dauphin de la dynastie bourbonienne. C'est alors un sujet de scandale sur le terrain politique car, autour de Gabrielle d'Estrées, tout un parti s'est formé pour parvenir au pouvoir. Les polémiques dans le royaume vont leur train, au point qu'un peintre de talent, Antoine Caron, trace sur une de ses principales toiles dite «Le Carrousel de l'éléphant», l'image parlante de cette «affaire». On sait que Gabrielle d'Estrées mourra sous peu dans des douleurs atroces. Maladie ou empoisonnement? Mystère. César de Vendôme ne sera pas dauphin, mais reste prince du sang.

Existera-t-il une rivalité entre Clovis et César de Vendôme? Mystère.

Une chambrière mourra pour avoir tenté, sur les ordres de Mme de Guercheville, d'avertir le gouverneur du jeune Clovis, qui est élevé à Coarraze en Béarn, qu'un attentat doit être commis contre l'enfant... De dangereuses aventures se succèdent ainsi.

Devenu adolescent, Clovis, comme beaucoup de jeunes gens de sa génération, est attiré par l'Amérique septentrionale, la Nouvelle-France. Sa mère adoptive, Mme de Guercheville s'y oppose, mais finit par céder aux exigences du jeune homme.

Désormais, c'est en Acadie, péninsule et terre ferme, que la scène du roman se déplace.

Jacques Gauthier voit, dans l'amour de la châtelaine de La Roche-Guyon pour son fils adoptif, les raisons de l'intérêt subit qu'elle porte, après l'assassinat d'Henri IV, aux affaires acadiennes et celles qui l'amènent à imposer des Jésuites dans cette région où ils n'avaient pu pénétrer jusqu'alors.

Observons aussi que César de Vendôme s'intéressera à l'Amérique septentrionale, puisqu'il en deviendra le vice-roi.

Sur ce terrain, Jacques Gauthier est chez lui. Il est, à la neuvième génération, de la lignée de Joseph-Nicolas Gautier qui a joué un rôle de premier plan en Acadie, entre Port-Royal et la Gaspésie où Joseph le deuxième, après le drame du XVIIIe siècle, a jeté l'ancre à Bonaventure, où Jacques, notre romancier est né dans la vieille maison familiale, Acadien-normand de la meilleure souche, Acadien de naissance.

Néanmoins, pour son roman, Jacques a visité, photographié, filmé, notamment le «cours» de la Saint-Jean. Il n'a rien négligé pour se pénétrer du «cours» de l'histoire, en France, en Amérique, à cette époque avec une probité scrupuleuse.

Il en est de même de la langue française qu'il manie avec talent, avec scrupule et ce «rien» de différence qui dénote avec charme son acadianité vivace.

Puissent Jacques Gauthier et son éditeur, mon vieil ami Pierre Tisseyre, obtenir pour ce roman du mystère, le succès qu'il mérite et permettre à la saga qu'ils méditent de la prolonger longtemps encore.

Yves Cazaux
Pampou, Le 26 janvier 1992

Sicambre né de Vendosme et Ponese
Race à derrain en Arcadie genèse,
Mise en desfaulx, quatre cents ans pasra;
César l'agnat pointera Franc loyal,
Mépris fau voir dans l'engeance royal,
Cap inocent, par le peché Casra.

Michel Nostradamus

1

Le jeudi 7 juin 1590, Henri IV, à la chasse avec une douzaine de gentilshommes de ses amis, chevauche tranquillement, dans la forêt de Moisson, aux côtés de son compère, Antoine de Loménie. Soudainement, sans doute à cause de leur conversation ribaude, le roi éprouve une agréable sensation à l'aine.

— Ce soir, si tout se passe comme prévu, je perdrai ce chatouillement, dit-il à son compagnon, tout en empoignant son sexe, de la main droite, à travers sa culotte.

Le roi n'a aucun complexe, celui de la pudeur moins que tout autre. Il use d'une langue fort verte avec ses compagnons. Leur parler est rude, souvent vulgaire et largement inspiré du bivouac ou ils passent le plus clair de leur temps, soit qu'ils chassent, soit qu'ils fassent la guerre. Élevé loin de la cour, Henri a peu connu les habitudes de vie raffinée qui avaient marqué le règne des derniers Valois. Les plaisirs de l'amour et la recherche des choses du sexe reviennent avec une verdeur éhontée dans ses propos.

— Si vous m'en croyez, sire, vous ferez bien de vous laver, avant d'entrer ce soir dans le lit de Mme Guercheville, suggère Loménie.

— Je n'aime pas ces manières, réplique le roi avec agacement. Je préfère que mes femmes exhalent les effluves de la proie que l'on poursuit, lorsque je les prends. Ces riches fumets m'aident tant à pointer mon mousquet.

Henri éclate d'un grand rire à ses propos lubriques.

— D'où tiens-tu que je doive me laver? demande-t-il.

— De ma belle Anne d'Aubourg, sa demoiselle d'honneur que je prendrai pour la première fois en même temps que vous ferez l'assaut des derniers remparts de la vertueuse comtesse.

— Pourquoi ne m'aime-t-on plus pour ce que je suis, donc pour ce que je sens? se plaint Henri. Le pouvoir, tout comme l'argent, n'a pas d'odeur.

— Je dirais plutôt, sire, que le pouvoir, tout comme l'argent, devrait aider à supporter toutes les odeurs.

Et le roi, avec Loménie, de s'esclaffer en se tapant bruyamment sur les cuisses. Ils appellent leurs compagnons qui chevauchent à plusieurs pas derrière eux et leur répètent leurs derniers propos qui les amusent aussi.

Ce soir, si rien ne vient chambarder ses plans, le roi va enfin attirer dans son lit Antoinette de Pons, seigneuresse de Guercheville, l'appétissante veuve du comte de La Roche-Guyon. Par la même occasion, et en même temps, Anne d'Aubourg, la dame d'honneur de la comtesse, doit céder aux avances pressantes de son beau chevalier, Antoine de Loménie.

Henri connaît trois grands plaisirs, les femmes, la chasse et le jeu. Ses efforts sont souvent consacrés à les satisfaire tous les trois. À trente-sept ans, Henri IV est un homme dans la fleur de l'âge et encore plein de verdeur. À cause des soucis que lui apporte la conquête de son royaume, ses cheveux et sa barbe grisonnent déjà, son front se plisse et son dos se courbe légèrement. Son costume est souvent fatigué et élimé. Il est presque toujours à cheval, soit qu'il chasse ou soit qu'il guerroie. Comme la plupart des hommes de son époque, il ne se lave jamais et toute sa personne dégage une forte odeur de bouc en rut. Lorsqu'on réussit à aller au-delà de la senteur, on découvre un être bienveillant, simple, généreux et tolérant.

À moins d'une lieue de là, et au moment même où le roi et ses amis échangent des propos si folâtres, Mme de Guercheville s'entretient avec des invités en son château de La Roche-Guyon, sis sur la rive droite de la Seine, à quinze lieues en aval de Paris.

Antoinette se tient debout, au milieu de ses invités qu'elle domine de sa haute taille. À vingt-neuf ans, elle commande l'attention, avec son air altier, son regard franc et droit, son beau visage souriant et attachant. Henri a été séduit par son teint éclatant, ses cheveux blonds, son front haut et son nez légèrement busqué. Il admire surtout les lèvres pincées de sa jolie bouche qu'il rêve, depuis des mois, de dévorer avec gourmandise. Mais rien ne l'enivre davantage que de deviner, sous les plis de la robe de la comtesse, son petit ventre bombé, la rondeur de ses hanches et la ligne sensuelle et douce que dessine sa croupe, à l'endroit ou elle rejoint ses fortes cuisses.

Malgré la volupté de ses préoccupations, les qualités d'âme de Mme de Guercheville ne sont pas
passées inaperçues auprès du roi. La marquise est
fort intelligente et curieuse de tout ce qui est nouveau. Tout comme Henri, elle s'intéresse aux découvertes, aux explorations et aux sciences. Au cours
de leurs brèves rencontres, le roi a admiré son jugement sûr, quêtant même ses avis sur des questions
de gouvernement. Catholique fervente, la comtesse
de La Roche-Guyon se réfugie fréquemment dans la
prière et recherche les avis de son confesseur, le jésuite Pierre Coton. Bref, si Henri a trouvé en elle une
amie, il voudrait bien qu'elle soit en même temps sa
maîtresse. Voilà pourquoi il a bien l'intention de ne
pas laisser s'échapper un oiseau si rare.

Pendant que les invités d'Antoinette, des en-
thousiastes du Nouveau Monde, parlent voyages et
explorations, celle-ci s'est laissée distraire par Anne
d'Aubourg qui lui chuchote des secrets.

— C'est pour ce soir, madame!

— Votre cœur est donc prêt, Anne?

— Toute ma personne est prête.

— Faut-il que vous soyiez sûre de vos sentiments,
pour vous donner tout entière, réplique Mme de
Guercheville qui tolère aisément chez les autres ce que
ses principes religieux lui interdisent à elle-même.

— Antoine est à la chasse avec le roi, dans la forêt de Moisson.

— Quelle chance pour vous, puisqu'il n'a que la
Seine à traverser pour venir jusqu'ici.

Anne d'Aubourg, âgée de dix-neuf ans, est la
plus ravissante petite créature qui se puisse rencontrer. Un visage d'ange, de grands yeux bleus, un
teint frais et velouté comme la pêche et un corps de
déesse. Avec cela, une intelligence éveillée, un juge-

ment sûr et une discrétion qui ont attiré l'attention de la châtelaine de La Roche-Guyon.

Donc, ce jour-là, Antoinette de Guercheville est entourée d'une douzaine de gentilshommes, dont Pierre du Gua de Monts[1], gouverneur de la ville de Pons en Saintonge, Jean de Biencourt de Poutrincourt[2], et François du Pont-Gravé[3]. Ces trois gentilshommes tentent d'obtenir du roi le privilège exclusif d'exploiter les richesses du Nouveau Monde. Elle a invité en plus trois ecclésiastiques, le père Pierre Coton[4], un jésuite récemment ordonné prêtre, André Thevet[5], un franciscain octogénaire, rentré récemment d'un voyage d'explorations au Canada et Richard Hakluyt[6],

1. Monts: Pierre du Gua, sieur de Monts; élevé dans le calvinisme, il passa sa jeunesse dans les armées de Henri de Navarre. Gentilhomme ordinaire de la chambre du roi, il dirigera une expédition à Tadoussac, dans le Saint-Laurent en 1600 et commandera la première expédition en Acadie en 1604, avec Jean de Poutrincourt et Samuel de Champlain.
2. Poutrincourt: Baron Jean de Biencourt de Poutrincourt et de Saint-Just, gouverneur de Méry-sur-Seine.
3. François du Pont-Gravé: Capitaine de la marine, il sera commandant à Tadoussac en 1603, avant de faire partie de la première expédition d'Acadie en 1604.
4. Pierre Coton: Jésuite né à Néronde, il deviendra plus tard confesseur d'Henri IV, puis de Louis XIII.
5. André Thevet: Prêtre franciscain, né à Angoulême en 1502, premier historien français qui ait donné une description de l'Amérique. Il était venu au Canada dès 1550.
6. Richard Hakluyt: Ministre de la religion réformée, il s'intéressa aux voyages dans le Nouveau Monde. En 1589, il avait terminé un séjour de cinq ans comme aumônier de l'ambassade d'Angleterre à Paris. Il y avait été agent de renseignements, surtout à propos des voyages dans le Nouveau Monde et de la traite des fourrures.

l'ancien aumônier de l'ambassade d'Angleterre à Paris.

Tous les yeux sont rivés sur le père Thevet qui raconte avec adresse ses nombreuses aventures chez les Sauvages. Malgré le palpitant récit du franciscain, la comtesse et sa demoiselle d'honneur continuent leurs bavardages.

— Par quelque stratagème, je verrai mon amoureux ce soir, chuchote Anne.

— Qui vous l'a dit?

— Antoine m'a fait savoir que le roi cherche à se faire inviter ici, madame.

— Puissiez-vous dire...

— Je reparlerai de la chose à Mme la comtesse en d'autres temps, interrompt Anne, car notre franciscain regarde de ce côté.

Antoinette, aussitôt, se tourne vers le père Thevet qui, s'étant arrêté de parler, la regarde avec attention. Un silence total est tombé sur l'assemblée.

— Madame la comtesse me pardonnera mon audace, mais j'ai une question brûlante à lui poser.

— Faites, mon père, je vous en prie, répond aussitôt Mme de Guercheville pour cacher son embarras.

— On raconte partout que le roi s'intéresse aux découvertes et aux explorations des Terres Neuves. Sa Majesté a-t-elle déjà manifesté devant vous, madame, quelque intérêt pour le Nouveau Monde?

Tous les invités se regardent avec une certaine gêne. Cette question suggère que le roi fait des confidences à la ravissante veuve. Le père Coton, voyant la châtelaine légèrement ennuyée par la question du religieux, vient à sa rescousse.

— Que ne posez-vous cette question au roi lui
même, puisqu'il chasse tout près, dans la forêt de
Moisson? suggère-t-il au franciscain.

Celui-ci, peu rompu aux mœurs de la cour, reçoit
la réponse avec une certaine surprise, et se tait pendant que le père Coton, le prenant à part, l'entraîne
dans un coin de la pièce, loin des oreilles indis-
crètes.

— J'ai donc dit quelque bêtise? s'enquiert le père
Thevet.

— Ne vous en faites pas pour si peu, mon père.
Ce n'est pas dans les forêts du Nouveau Monde
qu'on apprend les plus récentes chroniques de la
cour, lui répond le jésuite avec une compassion
feinte.

Pierre Coton, qui vient d'être ordonné prêtre à
vingt-six ans, est issu d'une famille noble du Forez.
Après une jeunesse assez dissipée, sa santé a soudainement chancelé. Bouleversé par cette épreuve, il
est entré dans la Compagnie de Jésus qu'il avait déjà
dénoncée comme ennemie de l'État. C'est un homme
ambitieux qui a d'heureux contacts à la cour.
Antoinette de Pons est sa première pénitente noble
et le fait que le roi recherche ses faveurs ne peut
qu'aider à sa carrière. Sa soutane, par ailleurs fort
bien coupée, flotte drôlement sur des épaules trop
maigres. Son teint est blanc, son visage glabre, ses
yeux profonds et perçants. Son regard vous pénètre
jusqu'au plus profond de l'âme et vous donne
l'impression qu'il ne vous reste plus qu'à vous livrer,
car le religieux sait déjà tout de vous.

— Je ne demande qu'à m'instruire et rattraper le
temps perdu, révérend père. Je vous prie, rensei-
gnez-moi afin que je ne commette plus de maladresse, à l'avenir.

— Soit. De toute façon, vous finiriez bien par apprendre la vérité. Autant que vous sachiez les faits par moi, donc sans calomnie. Depuis bientôt un an, le roi fait, sans succès, une cour assidue à Mme de Guercheville. Cela a commencé à Dieppe, à la fin du mois d'août l'an dernier. On dit que Sa Majesté, à cette occasion, éprouva une émotion si forte, qu'elle n'eut plus qu'un désir, revoir la comtesse le plus tôt possible. Elle fut servie à souhait, puisque le lendemain soir, un grand souper, chez le Gouverneur de la ville, les mit en présence l'un de l'autre. Mais, hélas! comme on était en nombreuse compagnie, le roi ne put plaider sa cause auprès de la comtesse autant qu'il l'aurait voulu. Il en fut quitte pour sa peine, car, le lendemain, elle rentra, sans avertir, dans ses terres de La Roche-Guyon.

— Il n'y a pas là de quoi faire tout ce plat, mon père.

— Je n'ai pas fini, révérendissime. Les choses n'en restèrent pas là, car ce premier échec attisa, plutôt qu'il ne refroidit, l'ardeur du roi. Celui-ci écrivit à Mme la comtesse des lettres enflammées dans lesquelles il exprima la passion qui le dévorait. Je dois dire que la réponse de Mme de Guercheville fut à la hauteur des sentiments chrétiens qui l'animent. Dans sa lettre, elle assura le roi de sa loyauté et de sa fidélité, mais lui rappela qu'étant catholique dévote, son sens moral lui interdisait toute familiarité hors du mariage. Elle espérait que, malgré son refus, Sa Majesté lui conserverait son amitié et sa considération.

— C'est une très noble réponse, qui honore Mme la comtesse, dit le franciscain, mais était-elle bien avisée?

— Je laisse à Dieu le soin de juger les âmes, mon père, rétorque le jésuite qui ne laisse pas échapper cette occasion de faire la morale au franciscain.

— Je ne comprend pas les réticences de Mme de Guercheville, reprend Thevet, tout en ignorant le ton du religieux. Le roi est encore jeune et fait preuve d'une grande vigueur de corps et d'esprit. On me dit qu'il aime les femmes autant qu'il adore la chasse. N'est-il pas comme tous les gentilshommes de notre temps? En cédant aux avances du roi, Mme de Guercheville ne ferait là rien de bien extraordinaire, Le contraire étonnerait plutôt.

— J'en conviens, mon père, reprend le jésuite sur le ton patient qu'on emploie avec les âmes simples. Mais rappelez-vous que Mme la comtesse, dont je suis le directeur de conscience, fait montre d'ambitions spirituelles élevées. Je ne puis que l'y encourager.

— Enfin, je ne vous suis plus, révérend père. Mme de Guercheville a-t-elle, oui ou non, découragé les avances de Sa Majesté?

— Elle a essayé, mais n'a pas encore réussi, car le roi qui, dans ces affaires, ne baisse pas facilement pavillon, revint à la charge encore une fois. À la fin de septembre dernier, il décida de marcher sur Paris dans le but de soumettre sa capitale à la volonté royale. Il espérait qu'en se rapprochant de La Roche-Guyon, il pourrait plus aisément faire avancer sa cause auprès de notre hôtesse. Il s'était persuadé qu'une fois sur place, il saurait présenter ses arguments avec une telle force, que la comtesse finirait par céder à ses avances. Mais c'était mal connaître la vertu de cette noble femme qui, alertée par les chaudes missives du roi, eut la force de se trouver ailleurs lors de son passage. Comme vous voyez, mon père, les intrigues les plus ingénieuses, les machinations les plus savantes n'ont pas réussi à fléchir la volonté d'une si grande âme.

— Je m'incline devant tant de vertu, mon père, répond enfin Thevet.

Le jésuite regarde le franciscain avec suspicion, en se demandant si l'octogénaire vient de lui servir du sarcasme ou de la naïveté.

— Mais la présence du roi, dans la forêt voisine, continue le père Thevet avec la même componction, n'est-elle pas le signe d'une nouvelle offensive?

Le père Coton doit interrompre sa conversation avec le franciscain, car Jean de Poutrincourt le réclame pour trancher un débat entre les gentils-hommes.

— Aucun d'entre nous, mon père, ne prend comme l'effet du hasard que le roi de France soit à courir le cerf alors qu'il a sûrement à l'esprit la poursuite d'un tout autre gibier. À votre avis, demande-t-il au jésuite avec une certaine hardiesse, Sa Majesté investira-t-elle La Roche-Guyon et prendra-t-elle la châtelaine par force, ou bien tente-ra-t-elle encore une fois de lui faire entendre raison?

Cette question embarrasse le père Coton plus qu'elle ne le choque. Aussi, éprouve-t-il un grand soulagement, lorsqu'un valet annonce l'arrivée d'un officier du roi, et qu'aussitôt après, entre d'un pas vif, un homme jeune, de belle allure, et à l'uniforme fatigué. En guise de réponse, le jésuite regarde ses interlocuteurs en souriant.

Le nouveau venu est de taille moyenne, il a le corps bien fait, le visage doux, mais énergique. Sa chevelure ondulée descend jusqu'aux épaules, qu'il a larges et carrées. Il s'avance vers la comtesse et s'incline profondément.

— Madame, dit-il en se redressant, je suis le chevalier Antoine de Loménie, officier de Sa Majesté. J'ai l'honneur de remettre à la comtesse de La Roche-Guyon une lettre de mon maître, le roi de France.

Pendant l'annonce du messager, Anne d'Aubourg, debout aux côtés de sa maîtresse, tressaille légèrement. Celle-ci s'en aperçoit et regarde le jeune envoyé avec attention, tout en prenant le billet qu'il lui tend. En souriant au jeune homme, elle brise le cachet de la missive, l'ouvre et lit le message royal tandis que ses invités se réfugient dans un silence inquiet.

Pendant sa lecture, Antoinette ne laisse rien paraître qui puisse trahir ce qu'elle ressent, Après avoir terminé, elle referme le pli et regarde ses invités en souriant, laissant peser un lourd silence d'anticipation.

— Mes amis, dit-elle enfin, Sa Majesté, à la chasse dans la forêt voisine et surprise par la noirceur, demande l'hospitalité pour la nuit.

Chacun est suspendu avec intérêt aux lèvres de la comtesse. Que va-t-elle dire? Rejettera-t-elle la demande du roi encore une fois, ou bien va-t-elle faire ce qu'on attend d'elle?

— Monsieur de Loménie, répond enfin Antoinette, dites à votre maître que la comtesse de La Roche-Guyon ne peut connaître de plus grand honneur que celui de mettre à la disposition de Sa Majesté tout ce dont sa bonté lui accorde la jouissance.

Les invités, ravis, poussent, sans retenue, un soupir de soulagement et se mettent aussitôt à converser, tous en même temps, avec beaucoup d'animation.

— Vous voyez bien, révérend père, chuchote le franciscain à l'oreille du jésuite, le bon sens l'emporte.

Coton jette à son confrère un regard dédaigneux. Au même moment, le messager esquisse une autre révérence.

— Anne, dit Antoinette en s'adressant à sa demoiselle d'honneur, reconduisez M. de Loménie.

La jeune femme regarde la comtesse avec gratitude et rougit en acquiesçant. S'inclinant à nouveau profondément, le messager se retire en compagnie de sa bien-aimée.

— Je me dois de retourner tout de suite auprès du roi qui attend avec impatience la bonne nouvelle que je lui apporte, dit Loménie à Anne, lorsqu'ils sont seuls. Je ne puis donc vous voler qu'un baiser, à l'instant. Ce soir, nous ne serons pas aussi pressés par les événements.

Anne regarde son beau chevalier en souriant et ne dit mot. Le jeune homme se penche sur les lèvres gourmandes qui se taisent avec tant d'éloquence et y dépose un long baiser. Puis, avec regret, il se détache de sa belle, marche vivement vers la cour d'honneur, enfourche sa cavale et s'élance vers le bac qui l'attend pour le ramener sur l'autre rive de la Seine.

Pendant ce temps, le roi et ses compagnons ont continué d'avancer à bonne allure, en direction du fleuve. Henri est si sûr de son fait qu'il n'a pas attendu la réponse à son message avant de se mettre en route. Il est sept heures et demie du soir, lorsque Loménie immobilise sa monture près de celle du roi et lui répète, mot pour mot, le message de Mme de Guercheville.

En entendant ces paroles, Henri pousse un grand cri de joie et lance en l'air son chapeau qu'un de ses compagnons, Roger de Bellegarde[7] attrape lestement.

— Garde-le, mon ami, lui dit le roi. Je ne vais pas le remettre, car je veux de suite me dévêtir.

Le soir commence à baisser lorsque la petite troupe débouche sur les bords de la Seine et s'arrête net à la vue d'un spectacle qui la remplit d'admiration. Droit devant, sur la rive d'en face, se dresse le majestueux château de La Roche-Guyon qui a pris un air de conte de fée. C'est une grande demeure Renaissance, percée de hautes fenêtres sur trois étages et flanquée d'une tour à chaque extrémité. Toute sa façade est brillamment éclairée; dans chaque fenêtre, la comtesse a fait allumer un flambeau à cinq branches, dont la chaude lumière éclaire comme en plein jour la route qui y conduit.

Près de l'entrée principale, au centre du mur d'enceinte, un petit ensemble joue des airs dont les échos parviennent jusqu'aux oreilles du roi et de ses compagnons. Ceux-ci se hâtent vivement de monter sur le bac, de passer sur l'autre rive et de marcher rapidement vers le château. Au moment même où le cortège arrive à la grille de la cour d'honneur, Mme de Guercheville, qui a savamment calculé le moment de sa sortie, paraît entourée de sa cour, sur le perron qui domine l'entrée.

La belle Antoinette porte un vertugadin de satin blanc-argent avec traîne et manches bouffantes, ornées de petits crevés. Il est surmonté d'une collerette de fines dentelles en rangs doubles et relevé à l'arrière de la tête. Son cou est dégagé et le décolleté en demi-lune de sa robe, est large et profond. Le

---

7 .   Bellegarde: Roger de Saint-Lary, duc de Bellegarde était Grand Écuyer, de là le surnom de M. le Grand.

busc fait bomber ses seins et donne à sa gorge une appétissante rondeur. Sa coiffure est fort simple et ne comprend aucun ornement. Ses cheveux sont relevés en forme de cœur, par un arcelet, et enveloppés dans une coiffe de satin assorti.

La comtesse a ostensiblement éliminé toute parure qui diminuerait l'éclat du seul bijou qu'elle porte. En effet, sur la blancheur de sa poitrine, brille un saphir d'un bleu lumineux et de la grosseur d'un œuf. Des griffes en or, semblables à celles d'un oiseau de proie, retiennent la pierre, taillée en brillant. Sous la lumière des flambeaux, portés de chaque côté de la comtesse, le saphir jette mille feux et attire l'attention sur sa voluptueuse personne.

— Je le savais, dit le roi à Loménie, pendant que son cœur bondit de joie dans sa poitrine. Me voilà maintenant rassuré. Je pourrai rôtir le balai dès ce soir.

L'apparition d'Antoinette cause une grande sensation chez les courtisans comme chez les paysans. Tous restent bouche bée pendant un moment en la voyant et s'écrient enfin: «Vive la comtesse», «Vive le roi.» En entendant ces acclamations, le visage d'Henri s'éclaire d'un grand sourire.

— J'aime ces cris qui mêlent déjà nos deux noms, dit-il à son compère, pendant que leur petit cortège approche du perron. Enfin, la monture royale s'arrête et Henri IV met pied à terre au bas des marches que vient de descendre la comtesse. Elle s'incline profondément devant son souverain qui ne manque pas d'admirer la pierre précieuse et surtout la gorge généreuse qu'elle illumine.

— Que vois-je, madame, lui dit Henri tremblant, est-ce bien vous et suis-je ce roi méprisé?

— Sire, je suis votre servante, répond Antoinette toujours inclinée.

Henri, qui continue à admirer la veuve aux magnifiques attraits, pense qu'il voit beaucoup plus d'amour que de mépris.

— Madame, que je vous dise toute ma reconnaissance à être reçu avec tant de grâce et d'éclat, reprend le roi en aidant Antoinette à se relever.

— Votre Majesté est ici chez elle. Elle commande à tout ce qui est dans son royaume.

— Voilà bien une parole qui vous honore, madame, dit Henri qui pense que, justement, il va, ce soir même, faire usage de ce droit.

— Nous espérons que Votre Majesté a fait bonne chasse et qu'elle est aussi heureuse en cela qu'elle l'est à la guerre.

— Ce n'est qu'après la chasse que je puis juger de son succès, madame. Il est encore trop tôt pour savoir si j'ai effarouché le gibier, continue Henri avec bonne humeur.

— Permettez, sire, reprend vivement la comtesse, pour cacher son embarras, que je fasse connaître mes invités à Votre Majesté.

Mme de Guercheville présente au roi chacune des personnes qui l'accompagnent, après quoi elle l'invite à entrer dans le château. Un petit groupe d'intimes suit le couple à une distance respectueuse, mais sans perdre aucun geste, aucune parole échangés. En peu de temps, le roi, la châtelaine et les courtisans s'engagent dans le grand escalier d'honneur. Une fois à l'étage, ils débouchent dans la salle à manger. Peu après, commence le somptueux repas que la comtesse a fait préparer en l'honneur d'Henri. Pendant plus de deux heures, celui-ci s'empiffre, boit, rit, taquine tout le monde et fait des allusions peu voilées au plaisir qui l'attend dès la fin des agapes.

— Eh bien, madame, dit Henri qui croit l'heure arrivée de cueillir ses lauriers, n'avons nous pas autre chose à faire que de rester assis à rire et bavarder?

— Dans ce cas, sire, reprend Mme de Guercheville en rougissant, permettez que je conduise Votre Majesté aux appartements que j'ai fait préparer pour elle.

Sur ce, Henri se lève, offre son bras à la comtesse qui y pose la main et ils quittent la salle à manger, suivis de leurs gens. Arrivés devant la chambre du roi, les portes s'ouvrent toutes grandes. Henri entre aussitôt dans la première salle où flambe un feu de cheminée et se dirige sans hésitation vers la chambre à coucher attenante. Antoinette l'accompagne jusqu'à l'entrée, mais une fois parvenue sur le pas de la porte, elle s'arrête court.

Ce que voyant, le roi s'arrête aussi. Il regarde la comtesse avec des yeux qui semblent dire: «Madame, après avoir accepté l'inévitable, vous n'allez pas encore hésiter à la dernière minute.»

— Votre Majesté désire sans doute se rafraîchir, à la suite de ces jours de chasse où elle n'a logé qu'au bivouac, dit Antoinette en s'inclinant.

Elle se relève puis disparaît rapidement avec ses dames de compagnie. Le roi, déconcerté par le départ inattendu de son hôtesse, reste à l'entrée de sa chambre, les bras pendants et la bouche ouverte.

— Ah! non, sacrebleu, la diablesse ne va pas me glisser encore une fois entre les doigts, s'écrie le roi revenu de sa surprise.

Loménie et ses compagnons entraînent vivement Henri dans sa chambre et referment les portes derrière eux.

— Ai-je mal compris les intentions de la comtesse? demande-t-il à son entourage.

— Sire, lui répond son compère, Mme de
Guercheville est allée se préparer à vous recevoir
pour la nuit. Vous devez faire de même.

— Comment, me préparer? Je t'assure, mon ami,
qu'on ne peut être plus prêt que je le suis.

— Sire, il vous reste encore un geste à accomplir
avant de monter dans le lit de Mme de Guercheville.
Elle laisse ce temps à Votre Majesté pour qu'elle se
lave. Vous l'avez entendue. Son allusion au bivouac
ne pouvait être plus claire. Je vous suggère donc,
sire, de prendre un bain.

— Prendre un bain? s'écrie le roi choqué. Tu sais
que cela peut être fort dangereux pour la santé.

— Sire, vous n'en fîtes jamais d'abus. Une fois ne
peut vous nuire. Et puis, rappelez-vous que la comtesse de La Roche-Guyon a grandi sous les Valois
qui, comme vous le savez, se lavaient pour un oui ou
pour un non. Voire plusieurs fois au cours de la
même année.

— D'Aubigné[8] m'a dit l'autre jour qu'un vrai noble
doit avoir l'aisselle surette et les pieds fumants.

— Évidemment, sire, si vous ne recherchez pas la
victoire auprès de Mme de Guercheville...

Après quelques objections supplémentaires, le
roi enfin se laisse fléchir. Loménie donne les ordres
et bientôt, un grand bassin en cuivre, rempli d'eau
chaude, est placé a proximité de la cheminée.
Pendant les préparatifs, l'humeur du roi reste
sombre. Mais, lorsque deux jeunes servantes bien

---

8 .   Aubigné: Agrippa d'Aubigné, né près de la ville de Pons en
        Saintonge, est protestant et compagnon d'armes d'Henri
        IV. C'est le grand-père de Mme de Maintenon.

potelées et au teint frais se présentent, serviettes et brosses en main, en attendant que Henri veuille bien se mettre à l'eau, sa bonne humeur revient tout à fait.

— Pardi, dit-il soudainement convaincu des vertus de la propreté, je ne demande pas mieux que de me préparer de cette façon à l'amour.

Henri se dévêt avec tant d'enthousiasme, que les deux jeunes filles ont à peine le temps d'attraper les pièces de son costume qu'il jette en l'air après les avoir retirées.

— Dans ce cas sire, si votre Majesté n'a plus besoin de mes services...

— Va, mon ami, cours auprès de ta belle qui doit se languir de ne pas te voir arriver.

Loménie se retire en remerciant le roi qui monte aussitôt dans sa baignoire en se tournant vers les deux jeunes servantes.

— Je suis à vous, mes belles, faites moi propre comme un nouveau-né.

Pendant qu'elles se mettent au travail, Henri bavarde nerveusement avec ses compagnons, à la façon d'un adolescent à la veille de se faire dépuceler. Il les interpelle en s'amusant de tout et de rien.

— Enfin, dit-il à la ronde, c'est la conclusion de l'affaire de cœur la plus longue et la plus difficile que j'aie jamais eu à mener.

— Mais les fruits que vous allez cueillir, sire, lui répond Bellegarde, seront d'autant plus savoureux qu'ils ont été difficiles à cultiver.

Les deux baigneuses lui lavent la tête, non sans plusieurs objections du roi et de certains gentils-hommes qui tiennent cette pratique pour dangereuse. Mais, bien entraînées à ce genre de travail elles ignorent ces craintes puériles et continuent en frottant avec vigueur le cou, les bras et le torse du roi.

— Cet instrument-ci surtout doit être bien propre, dit en riant le roi à celle qui vient de prendre son sexe dans ses mains pour le laver.

— Sire, dit Bellegarde, si elle le retient trop longtemps, elles devront se mettre à deux pour le rendre propre, tant il prend du volume.

— Qu'elle le tienne encore plus longtemps et elle n'aura presque plus rien à laver, reprend Henri, pendant que tous éclatent de rire.

Le roi n'est jamais aussi détendu et heureux que pendant ces échanges graveleux entre hommes. Tout à coup, interrompant ces bavardages licencieux, surgit dans la pièce Antoine de Loménie, hors d'haleine.

— Sire, Mme de Guercheville vient de donner l'ordre qu'on attelle son coche. Elle va de ce pas quitter les lieux.

Stupéfait, Henri dévisage son compère. Les deux laveuses s'arrêtent pareillement en observant avec inquiétude le nouveau venu. Il y a, dans la chambre un moment de silence. Puis, tout le monde se tourne vers le roi.

— Comment? Je ne comprends pas. Pourquoi quitterait-elle sa propre demeure?

— Sire, reprend Loménie, la comtesse a déclaré qu'elle allait coucher chez une amie, à plusieurs lieues d'ici.

— Enfin Loménie, dit le roi en se redressant vivement, cela ne se peut pas.

Henri regarde autour de lui, comme s'il cherchait une aide qui se dérobe. Il se ressaisit aussitôt et prend le ton qu'exige les nouvelles circonstances.

— Ah que je suis bête, dit-il à haute voix. J'ai péché par excès de confiance.

Henri est complètement transformé. C'est le général désespéré qui voit la victoire lui échapper.

— Aide-moi à passer ma culotte, Bellegarde. Et toi, Loménie, fais retenir la voiture de la comtesse, pour que je puisse au moins la saluer avant son départ, comme il me semble seyant.

Sans prendre le temps de se chausser et de mettre une chemise, Henri sort d'un pas vif, suivi de ses compagnons. Il se dirige vers l'escalier qu'il dégringole au pas de course. Arrivé sur le perron, il voit le coche déjà avancé, la comtesse qui y monte, la portière qui se referme.

— Arrêtez! crie-t-il en levant la main.

Tout le monde se retourne vers la porte en entendant le commandement. Lorsqu'il constate que sa sortie inattendue dans un pareil attirail a figé sur place tous les assistants, Henri en profite pour se diriger rapidement vers le carrosse de son hôtesse. Avant même qu'il ne l'ait atteint, Antoinette passe la tête à la portière, comme pour dire quelque chose, mais elle n'en a pas le temps, car Henri la devance.

— Madame, est-ce ma présence qui vous chasse de votre maison? S'il en est ainsi, permettez que je me retire aussitôt.

— Sire, reprend Antoinette, d'une voix assez forte pour être entendue de tous, Votre Majesté m'a fait grand honneur ainsi qu'à ma maison en voulant bien s'arrêter pour y passer la nuit. Mais un roi doit être le maître partout où il se trouve. Pour moi, je suis bien aise d'avoir quelque pouvoir en ma propre maison. Puisque Votre Majesté m'a ainsi comblée, la maîtresse de céans doit s'effacer devant le roi de France.

Henri ouvre la bouche pour protester, mais Antoinette l'en empêche. D'une voix plus basse, avec l'intention de n'être entendue que de lui, elle adresse au roi une dernière remarque. Elle n'est sans doute pas assez discrète car, plus tard, tout le monde répétera les paroles de la comtesse:

— Sire, je suis de trop humble naissance pour être votre femme et de trop bonne maison pour être votre maîtresse.

L'imprévu de la répartie fige Henri sur place, pendant qu'Antoinette fait signe à son coche. La voiture démarre aussitôt, laissant le roi de France, debout, au milieu de la cour d'honneur, les bras ballants, le visage décomposé, sa poitrine se soulevant, comme s'il tentait de maîtriser une émotion trop forte. Enfin, ne pouvant plus se contenir, Henri explose en une litanie de jurons qu'il débite rapidement et avec grande énergie. Puis, brusquement, il tourne les talons et regagne le château au pas de course, suivi de ses fidèles compagnons. Grâce à leur sollicitude, il retrouve peu à peu ses esprits, entre dans ses appartements et se dirige vers sa chambre à coucher, où il se retire avec Loménie et Bellegarde.

— Il est peut-être trop tôt pour parler à Votre Majesté d'un tel sujet, lui dit le Grand Écuyer, mais je voudrais bien lui faire voir le plus ravissant minois qui se puisse trouver. Cela la consolerait de bien des peines.

Le roi regarde Bellegarde sans mot dire, l'œil encore sombre, mais où pointe déjà une légère interrogation.

— Elle s'appelle Diane, sire, et possède toutes les qualités dont vous auriez tant besoin dans des moments comme celui-ci.

— Je ne suis pas sûr de vouloir jamais faire bonne mine à de jolies minois, répond enfin le roi.

Les deux hommes se regardent droit dans les yeux pendant quelques instants. Ils se comprennent parfaitement.

— Où donc se trouve cet oiseau rare, monsieur le Grand, je vous prie?

— Au château de Cœuvres, à peine une heure de cheval d'ici, sire. C'est la sœur de la jeune Gabrielle d'Estrées, ma maîtresse du moment, dont je vous ai déjà parlé. Ces deux trésors habitent avec leur tante, qui est la maîtresse du chancelier de Votre Majesté.

— Tout cela me paraît fort intéressant, compagnon, dit le roi après un long silence. Mais, pour l'instant, j'ai l'esprit trop en feu pour m'engager si tôt dans une autre aventure. Laissez-moi seul, j'ai besoin de réfléchir. Je ne comprends rien à ce qui vient de se produire, conclut-il en s'étendant sur son lit.

Les compagnons d'Henri obtempèrent à son désir et retournent dans l'antichambre pour attendre ses ordres. Après une vingtaine de minutes, le roi les rappelle pour leur annoncer qu'il va se retirer pour la nuit et les prie d'en faire autant.

— Loménie, cours vite retrouver ta belle et fais de cette nuit une réussite ou moi, j'ai failli. Il ne sera pas dit que cette aventure n'aura connu que des échecs.

Après avoir vu à ce qu'il ne manque de rien, les compagnons du roi sortent et le laissent seul. Loménie part enfin vers le deuxième étage du château où loge la demoiselle d'honneur de Mme de Guercheville. Quand il la rejoint, son accueil prouve au jeune chevalier que sa belle n'est pas moins ardente que lui. Il semble aux deux amoureux que les événements qu'ils viennent de vivre les incite à faire ce qu'ils n'ont osé jusqu'ici. Les dernières paroles du roi, qu'Antoine répète à Anne, emportent ses dernières résistances comme si Henri leur avait donné comme mission de s'aimer. Bien qu'un nuage ait occulté la lune, les jeunes amoureux peuvent quand même apercevoir, vers l'est, la masse sombre d'une grande demeure, qui n'est éclairée qu'à une seule fenêtre.

— Peut-être y a-t-il derrière cette croisée, des gens qui s'aiment comme nous, dit Antoine.

La jeune fille se met à rire, d'un rire perlé, rempli de bonheur. Au même moment, la lune sort des nuages et comme elle est pleine, elle jette une grande lumière sur toute la vallée tranquille de la Seine. Il apparaît alors aux jeunes gens que la lumière à la fenêtre a vacillé puis, soudainement, s'est éteinte. Les amants se regardent alors avec tendresse, avant d'échanger un baiser long et passionné, prélude de l'ivresse qui va suivre. Quelques heures plus tard, lorsque le jour commence à poindre à l'horizon, les deux amoureux, épuisés mais heureux, s'endorment dans les bras l'un de l'autre.

Pendant ce temps, le roi, levé tôt, remonte en selle et, suivi de ses compagnons, quitte précipitamment La Roche-Guyon, avant même le retour de son hôtesse. Il se dirige aussitôt vers Paris pour reprendre le commandement du siège de sa capitale récalcitrante. Henri a laissé Bellegarde à La Roche-Guyon, avec la mission de faire connaître sa volonté à la comtesse, lorsqu'elle rentrera chez elle.

Selon les instructions reçues, M. le Grand informe Mme de Guercheville que le roi lui enjoint de s'exiler ce jour même à Pons, en Saintonge. Elle doit résider chez le gouverneur de la ville, Pierre du Gua de Monts, avec interdiction formelle de reparaître à la

cour tant que le roi ne lui aura pas accordé son pardon.

Antoinette, revenue à La Roche-Guyon vers midi,
reçoit la nouvelle avec grand calme. Ses amis,
consternés par la sentence d'exil, font montre d'une
grande déconfiture. Mme de Guercheville leur procure réconfort et encouragement. Elle ne peut
s'empêcher de trouver bien étrange le tableau de la
victime, répandant le baume sur les plaies de ceux
qui ne peuvent supporter de la voir partir. Antoinette
choisit, pour l'accompagner dans son exil, sa demoiselle d'honneur, Anne d'Aubourg et son confesseur,
le père Coton.

Puis, vient le moment pour la comtesse de La
Roche-Guyon de monter en voiture. Lorsque ses
amis voient passer le carrosse du gouverneur de
Monts qui l'emporte vers l'exil, ils songent aux
beaux rêves qu'ils ont voulu réaliser par
l'intermédiaire du pouvoir qu'elle allait acquérir sur le
roi. Hélas! ils se sont évanouis à tout jamais, ainsi
qu'il arrive souvent aux fortunes de ce temps.

2

La barre du jour commence tout juste à paraître, pendant que la brume, qui recouvre la campagne le long de la Seine, se lève rapidement, laissant de grandes plaques vaporeuses accrochées aux arbres et aux collines. L'air calme et plein de mystères est déjà gonflé des bruits du jour à venir. De temps à autre, cette fragilité se brise, lorsqu'un cri, un rire éclate dans le matin. Sur l'écran naissant de l'horizon, surgissent des ombres mouvantes qui se dirigent vers la grande masse sombre du château de La Roche-Guyon. Il est quatre heures du matin et la valetaille rentre au travail.

Les domestiques vont à pas lents, interpellent les nouveaux venus. Sortis de l'ombre, ceux-ci se joignent au groupe qui grossit à mesure qu'il approche du but. Absorbés dans leur conversation, ils n'ont pas vu qu'une silhouette claudicante les précède, plusieurs centaines de pas en avant.

C'est Liette Prévost, une jeune servante de dix-huit ans, aux cheveux couleur carotte, aux membres maigres, au teint blanc, à l'air souffreteux et inquiet. Elle porte une robe de grosse toile bleue et, sur la tête, un bonnet de même tissu. Ses épaules sont enveloppées d'un châle de laine jaune pâle, tandis que ses pieds, fourrés dans des sabots de bois, sont chaussés de bas de laine grise écrue. La première à atteindre le château, elle se faufile derrière les hautes arcades où sont situées les cuisines, la lingerie, et les pièces occupées par les domestiques.

Une fois entrée dans les communs, Liette retire son châle et se dirige vers la lingerie sans l'aide d'une bougie, car elle connaît les lieux par cœur. Elle n'est plus qu'à quelques pas de cette pièce, lorsque la porte s'ouvre brusquement et la silhouette d'une femme, portant un bougeoir, en sort vivement. Dans un grand bruissement de satin, accompagné d'un cliquetis de bracelets, la forme s'engouffre, en grande hâte, dans l'escalier qui monte à l'étage, comme ferait une personne, fuyant un danger. Liette, surprise par l'apparition soudaine, reste clouée sur place, jusqu'à ce que la lumière ait disparu en haut de l'escalier et que la porte soit refermée derrière elle.

Toujours dans le noir, Liette pénètre dans la lingerie et, à tâtons, elle dépose son châle sur la première table qu'elle rencontre. Sans s'attarder davantage, elle se dirige vers les cuisines et allume les chandelles de suif plantées dans des bougeoirs suspendus le long des murs, ainsi que deux gros chandeliers de potin où sont fixées une dizaine de bougies. Leur lumière révèle une immense pièce ornée de deux grandes cheminées qui se font face à chaque extrémité, Sur la première, à crémaillère de fer et chenets de cuivre, pendent des marmites de toutes dimensions, grils, broches, lèche-frites et poêles à frire. Près de l'autre, sont suspendus deux grands chaudrons d'airain et des cuillers à pot.

Pendant qu'elle prend connaissance de tout cet étalage, Liette entend une porte s'ouvrir, puis le bruit de voix des autres domestiques qui entrent à leur tour. Grâce à la lumière des cuisines, ils viennent tout droit dans cette pièce, en riant et en bavardant. Ils aperçoivent aussitôt l'infirme qui s'est réfugiée timidement dans un coin.

— Regardez donc ce qui nous arrive aujourd'hui, dit une domestique en montrant Liette du doigt.

— Laisse-la donc tranquille, suggère une autre. C'est une pauvre d'esprit.

Rapidement, leurs propres affaires retiennent toute l'attention des nouveaux venus et, à son grand soulagement, la boiteuse est oubliée aussi vite qu'on l'a découverte.

Tout à coup, la conversation bruyante des domestiques est interrompue par un cri strident, venu de la lingerie. Ils se regardent d'abord avec étonnement et sans comprendre, puis en masse, ils se ruent vers l'endroit d'où est parvenu le cri. Une jeune lingère se tient debout, près d'une table, au centre de la pièce, la bouche grande ouverte. Elle fait face à ses compagnes, l'air hébété, désignant de la main le contenu d'une manne en osier posée sur la table, devant elle. Les domestiques, ne sachant à quoi s'attendre, s'approchent avec prudence. Dans le panier, dort un nouveau-né que tout ce charivari n'a pas réussi à éveiller. Il est enveloppé de langes et posé sur une pile de draps au fond de la manne. Personne n'est encore revenu de sa surprise quand, dans la porte d'entrée, une voix sévère se fait entendre.

— Quel est donc l'objet d'un pareil vacarme?

C'est la gouvernante qui, attirée par le bruit, est venue aux renseignements. Mme Josephte est une femme dans la quarantaine, courte et forte, aux sourcils épais et au visage dur, dont les traits contrastent avec la douceur de ses beaux grands yeux bruns. Ses cheveux légèrement grisonnants sont ramenés en arrière en une toque soigneusement formée. Elle est accueillie par le silence d'abord, suivi bientôt du tintamarre des voix qui parlent toutes en même temps. Elle lève la main et fait taire tout le monde, ce qui ne réussit pas du premier coup, car les domestiques sont dans un état d'excitation extrême. Le centre d'attraction apparaît alors à Mme Josephte qui s'approche aussitôt de la table, découvrant à son tour l'enfant qui y est posé. Elle examine le bébé avec attention pendant quelques instants, puis relève la tête et promène son œil interrogateur sur l'assemblée devant elle.

— Raconte-moi ce qui se passe, dit-elle à la jeune domestique qui a trouvé l'enfant.

— Madame Josephte, commence celle-ci d'une voix encore tremblante, je suis entrée dans la lingerie il y a quelques instants et j'y ai découvert ce bébé.

— À qui donc est cet enfant? questionne la gouvernante.

— Il n'est pas à moi, madame, répond la jeune fille.

— Qui a réponse à cette question? demande la gouvernante.

Ils se regardent les uns les autres en haussant les épaules et en secouant la tête pour manifester leur ignorance.

— Pourtant, reprend Mme Josephte, cet enfant n'a pas plus d'un mois ou deux. Il n'a pas pu venir ici de lui-même.

Quelques petits rires nerveux précèdent un silence qui se prolonge quelques instants.

— Devrai-je utiliser la bastonnade pour obtenir la vérité?

— C'est Liette Prévost, dit une voix, après que le silence est rétabli.

— C'est Liette Prévost, Mme Josephte, dit encore une autre. Elle était déjà là, quand nous sommes entrés, ce matin.

— Oui, c'est Liette Prévost, reprennent en chœur d'autres voix.

— Allons, reprend la gouvernante en touchant légèrement sa coiffure de la main droite, j'ai déjà vécu cette scène des douzaine de fois. Une assiette est-elle cassée, un objet est-il égaré, une tâche est-elle mal faite, que vous accusez Liette Prévost. Vous savez bien qu'elle n'est pas venue travailler depuis trois mois, au moins, puisqu'elle a été malade, ajoute Mme Josephte.

— Elle est là, ce matin, madame, reprend la jeune lingère.

— Où est-elle donc? Je ne la vois pas.

— Elle est aux cuisines, madame.

— Eh bien, qu'on me l'amène, ordonne la gouvernante.

Aussitôt, Liette est traînée, devant Mme Josephte, le visage plus blême que jamais. Dès qu'elle arrive en sa présence, elle éclate en sanglots. Au même moment, le bébé s'éveille et se met à pleurer et à crier. Toute discipline cesse au même instant.

— Elle est venue plus tôt ce matin dans le but de dissimuler le bébé dans la lingerie, dit une voix.

— Sa maladie, c'était pour cacher sa grossesse, j'en suis sûre, dit une autre.

La situation, pour Liette, est fort confuse et bien qu'elle soit habituée aux agressions verbales, elle n'a pas prévu une pareille hostilité. Soudain, au-dessus de tout ce tapage, Mme Josephte ordonne le calme et le silence. Elle a parlé avec tant d'autorité, que rapidement toutes les voix se taisent.

— Calme-toi mon enfant, lui dit-elle en lui prenant la main. Viens t'asseoir près de moi, personne ne te fera de mal.

Sans comprendre, la jeune fille prend place sur un banc, à côté de Mme Josephte.

— Qu'on m'apporte l'enfant, commande la gouvernante.

Elle prend alors le nouveau-né dans ses bras et se tourne vers Liette.

— Tu vois ce bébé?

Le regard toujours apeuré, la pauvre boiteuse fait oui de la tête.

— Fort bien. Je ne t'accuse de rien, mon enfant, poursuit-elle en plaçant une main sur le bras de la jeune fille, comme pour la rassurer. Je veux seulement savoir si tu sais quelque chose à son sujet.

Toujours muette de frayeur, Liette secoue la tête de gauche à droite pour indiquer son ignorance. Ses yeux expriment à la fois la crainte de ce qui l'attend et la reconnaissance pour la protection accordée.

Mme Josephte regarde longuement la jeune fille, puis, comme si elle a enfin réponse à sa question, elle tourne son regard vers l'enfant. Après un moment, elle lui retire ses langes pour l'examiner. Le bébé a les cheveux roux et il porte au cou un pendentif en cuivre, sur lequel est gravé un dessin naïf représentant le pis gonflé d'une vache laitière.

— Madame, dit une servante, le père de Liette a charge du troupeau laitier de La Roche-Guyon. De plus, celui qui trait les vaches est le bon ami de Liette.

Malgré ces renseignements, Mme Josephte hésite encore un moment.

— Es-tu la mère de cet enfant? lui demande-t-elle avec une grande douceur dans la voix.

— Je n'ai jamais vu ce bébé auparavant, finit-elle par articuler péniblement à travers ses larmes et ses hoquets.

— Il faudrait alerter madame la comtesse, suggère une des domestiques.

— Mme de Guercheville n'est rentrée qu'hier de sa longue absence en Saintonge. Il ne faut pas l'ennuyer avec nos problèmes de domestiques. C'est une affaire à régler entre nous, rétorque la gouvernante sur un ton final.

Soudain, la jeune lingère qui a trouvé l'enfant, pousse encore un cri qui fait sursauter tout le monde, arrête net les larmes de Liette et fait recommencer celles du bébé.

— C'est à Liette, dit-elle en tenant à bout de bras un châle en laine jaune qu'elle vient de retirer de la manne où repose l'enfant.

Ce disant, la lingère tend la pièce incriminante à la gouvernante. Même devant cette évidence, Liette Prévost continue de nier avec la même énergie. Les autres domestiques n'ont pas besoin de preuve plus convaincante pour la condamner sans autre forme de procès.

C'est à ce moment précis que la porte de la lingerie s'ouvre brusquement. Dans l'embrasure apparaît Mme de Guercheville la tête haute, l'œil interrogateur. Elle promène lentement son regard altier sur le personnel assemblé dans la pièce, pendant que le bruit des voix s'éteint rapidement pour faire place à un silence embarrassé. La comtesse ne manifeste ni colère ni irritation; elle a simplement l'air surpris.

— Mes nombreux appels étant restés sans réponse, je suis venue aux explications. Hélas, je n'y trouve que cris et fracas.

Mme Josephte, en quelques phrases met la comtesse au courant des événements. Elle termine en racontant les détails qui ont fait porter les soupçons sur Liette Prévost, qu'elle ne croit toujours pas coupable.

— Josephte, dit enfin la comtesse, examine la jeune Prévost pour voir si elle a eu des couches récentes. Cela mettra fin à toute discussion sur sa maternité.

Aussitôt, la gouvernante se retire avec Liette dans la pièce d'à côté pour procéder à l'examen. Pendant leur absence, Mme de Guercheville se fait apporter l'enfant, le prend dans ses bras et lui retire ses langes pour l'examiner avec la plus grande attention.

— Cet enfant paraît être en fort bonne santé. Il fera un brave et bon soldat pour le roi de France, déclara-t-elle avec bonne humeur.

À ce moment, Mme Josephte revient dans la lingerie, suivie de Liette qui marche la tête baissée, le visage encore tout baigné de larmes.

— Cette jeune fille est vierge, madame, annonce la gouvernante sans le moindre ménagement pour la pudeur de la servante.

— Je me réjouis de cette nouvelle, déclare la comtesse, qui se laisse maintenant émouvoir par les malheurs de la jeune fille.

La gouvernante ordonne aux domestiques de retourner au travail. Ceux-ci, maintenant calmés, quit-

tent la lingerie en silence et referment la porte derrière eux.

— Je pense, madame, que les domestiques
croient encore que Liette est la mère de l'enfant. À
cause de cela, je crains fort qu'à l'avenir, ils lui fassent un mauvais parti.

À l'énoncé de son nom, l'infirme sent instinctivement que son sort est en train de se jouer. Elle relève la tête et du revers de la main, elle essuie ses
larmes qui ont maintenant cessé de couler.

— Je m'emploierai à la protéger tant que je le
pourrai, continue la gouvernante. Si madame le désire, je trouverai une famille qui voudra bien se char-
ger de l'enfant.

— J'ai une solution qui répondra à tous tes problèmes, ma bonne Josephte, reprend la comtesse.
Liette et l'enfant quitteront le quartier des domestiques et habiteront dans les pièces voisines de ta
chambre. Fais les aménager aujourd'hui même à cette
fin. Mon fils François, qui a maintenant cinq ans, n'a
plus d'usage pour tout ce qui est nécessaire aux
soins d'un jeune enfant. Tu les mettras à la disposition de Liette, et du bébé.

Les deux femmes s'étant mises d'accord, Mme de
Guercheville prie Liette de prendre le nouveau-né
dans ses bras et de l'accompagner à ses appartements. Encouragée, la jeune fille assèche ses yeux et
rétablit un sourire sur son visage.

La comtesse, suivie de Liette portant l'enfant, retourne auprès de ses invités qu'elle avait laissés à
déjeuner. En approchant de la salle à manger,
l'infirme entend, derrière elle, un bruissement
de jupes de satin, accompagné d'un cliquetis de
bracelets. Elle allait se retourner, lorsque le bébé se
met à pleurer et requiert toute son attention. Quand

enfin, elle tourne la tête, la personne a déjà disparu.

En entrant dans la salle à manger, Mme de Guercheville raconte en deux mots les événements qu'elle vient de vivre et fait voir le nouveau-né à ses invités. Par la plus extraordinaire coïncidence, se retrouvent chez elle les mêmes amis qui étaient à La Roche-Guyon, le jour où le roi avait envoyé la comtesse en exil, un an plus tôt. Après l'émoi causé par l'apparition de l'enfant, les conversations reprennent le ton habituel.

— On nous apprend, madame, que le roi approche avec son armée. Il passera aujourd'hui devant La Roche-Guyon, annonce Pierre de Monts.

— Il était à Chartres qu'il vient de soumettre à sa volonté, ajoute Pont-Gravé.

— C'est plutôt le roi qui vient de se soumettre à la volonté de quelque autre, reprend Poutrincourt.

— De quelque autre? demande Mme de Guercheville. J'ai été si longtemps absente que je ne sais pas de qui vous voulez parler.

— Madame, s'il vous était donné de pouvoir refaire le passé, donneriez-vous encore la même réponse à Sa Majesté? demande Poutrincourt.

— Pour quelle raison ne le ferais-je pas? dit la comtesse.

— Parce que, madame, celle qui occupe aujourd'hui les pensées du roi, n'en a que pour elle-même. Elle a à ce point ensorcelé Sa Majesté, que celle-ci a perdu tout intérêt hors de sa nouvelle flamme.

— Mais qui donc est cette créature qui a un tel pouvoir sur le roi? demande Antoinette.

Pendant que parle la comtesse, on peut entendre au loin la trompette du héraut qui annonce l'approche de l'armée du roi. Les invités interrompent aussitôt leurs bavardages et sortent sur la grande terrasse qui longe les pièces du premier étage. Le ciel est sans nuages et pas le moindre vent ne vient troubler le calme paresseux qui a envahi la vallée de la Seine. Le soleil de midi tombe comme une masse lourde sur les colonnes de soldats qui s'avancent lentement le long de la rive gauche.

Au même moment, Mme de Guercheville et ses amis voient au loin un des carrosses qui suit l'armée, se détacher des autres, et courir au devant des troupes, accompagné d'un groupe d'officiers à cheval. Parmi eux, on peut voir se balancer, au rythme de la course, les hautes plumes du panache blanc du roi. En peu de temps, l'équipage est en face de La Roche-Guyon et réquisitionne le bac pour le transporter sur la rive droite.

— Madame, dit Pierre de Monts, le roi vous vient visiter, mais ses intentions ne semblent pas être les mêmes que l'an dernier.

— À quoi voyez vous cela? demande la comtesse.

— Par le carrosse, madame, qui transporte sans doute celle qui occupe toutes les pensées de sa Majesté, dit Pont-Gravé.

— Allez-vous enfin éclaircir le mystère et me dire le nom de cette nouvelle favorite?

— Elle s'appelle Gabrielle d'Estrées, madame, continue Poutrincourt.

— Elle a dix-neuf ans et certains disent qu'elle est la plus belle créature de ce royaume, ajoute Pont-Gravé. Le roi l'a rencontrée, il y a quelques mois seulement, par les bons offices de son Grand Écuyer, Roger de Bellegarde, dont elle était la maîtresse.

— C'est pendant que vous languissiez à Pons, madame, que Sa Majesté est tombée sous le charme de cette ravissante enfant. Elle a envoûté le roi au point qu'il ne peut rien lui refuser.

— C'est une ambitieuse qui lui tient la dragée haute, dans l'espoir de tirer le meilleur prix possible du don de sa vertu, ajoute encore Pont-Gravé.

— Sa Majesté, qui ne regarde jamais à la dépense, quand elle convoite un aussi tendre fruit, dit le gros Poutrincourt, vient de s'emparer de Chartres, afin d'y nommer à sa tête l'oncle de Gabrielle. J'ai appris, madame, que le lendemain de la prise de la ville, le roi obtint de la nièce le plein prix pour le poste de l'oncle.

— Il est tout à fait dans la nature de Sa Majesté d'amener son nouveau triomphe sur les lieux mêmes d'une défaite, dit gauchement Pont-Gravé en rougissant.

Antoinette ne relève pas cette remarque.

Le carrosse et son escorte ont maintenant traversé la Seine et marché jusqu'à l'entrée du château. Henri et son écuyer prennent les devants et conduisent leur monture jusque dans la cour d'honneur.

Mme de Guercheville, qui a déjà quitté le grand salon avec ses invités, sort sur le perron pour accueillir le roi, lorsqu'Anne d'Aubourg paraît soudainement à ses côtés.

— Cette robe de satin blanc vous va à ravir, mon amie, dit Antoinette à sa dame de compagnie. Elle donne des couleurs à vos joues qui en ont bien besoin depuis quelques temps.

— Il me faut jouer de tous les artifices pour me redonner vie, madame.

— Votre beau chevalier s'avance maintenant vers nous, chuchote Antoinette à sa confidente. Il faut lui faire bon visage.

Arrivé devant le perron, le roi descend de cheval, aidé par Antoine de Loménie. Mme de Guercheville lui fait une grande révérence.

— Relevez-vous, madame, pour que l'on sache que le roi de France vous tient en grande estime, dit celui-ci en prenant les mains de la comtesse.

Le pardon est complet.

Pendant cette scène, le carrosse et les hommes d'Henri se sont arrêtés derrière lui. Antoine de Loménie ouvre la portière et abaisse le marchepied, pendant que le roi se recule entre l'équipage et la comtesse. C'est à ce moment-là, qu'un petit pied ravissant, chaussé de satin rose, paraît au bas de la portière. Henri, le panache dans la main gauche, se penche à l'intérieur du carrosse. Il se redresse presque aussitôt et, dans la portière, apparaît une jeune femme d'une éblouissante beauté, au teint radieux et aux longs cheveux blonds frisés, couronnés de myosotis assortis au bleu profond et troublant de ses yeux. Elle est vêtue entièrement de rose, ce qui complimente de fort agréable façon la délicatesse de toute sa personne. De la main droite, et avec une fierté évidente, le roi guide la sortie de la belle enfant et la conduit jusque devant la comtesse.

— Madame, voici Gabrielle d'Estrées qui est aujourd'hui ma maîtresse, dit le roi avec son manque de pudeur habituel.

Mme de Guercheville, accoutumée aux manières d'Henri, fait, sans sourciller la révérence qu'il faut. Après être restée penchée moins longtemps qu'elle n'aurait dû, elle se redresse avec assurance presque arrogante, sans écarter son regard de la courtisane. Lorsque ses yeux rencontrent enfin ceux de Mlle d'Estrées, elle dévisage lentement la ravissante créa-

ture dont le sourire se change aussitôt en petite
moue contrariée.

— Quant à vous, madame, continue le roi en
s'adressant à sa maîtresse, je veux vous présenter la
comtesse de La Roche-Guyon et seigneuresse de
Guercheville, dont je tiens pour fort précieux les
conseils et l'amitié. Ayez pour elle le plus grand respect et les meilleurs égards.

Gabrielle regarde le roi avec étonnement. Il ne lui
a jamais auparavant, fait une telle recommandation.
Elle se tient droite et l'irritation disparaît de son visage pour faire place à un petit sourire pincé qui se
veut aimable.

Après cet encourageant début, le roi et la comtesse entrent au château, suivis des invités. Ceux-ci
sont trop heureux de s'occuper de Gabrielle, pendant que leur maître et la châtelaine montent lentement l'escalier conduisant au grand salon. En même
temps, Loménie, qui a retrouvé Anne d'Aubourg,
l'entraîne derrière les autres à la suite du roi. La
première chose qu'aperçoit Sa Majesté, en entrant
dans le grand salon, est le nouveau-né dans sa
manne, resté sur place. Le roi, qui adore les enfants,
se dirige de suite vers lui.

— Comment, madame, dit-il en riant, vous ne
m'aviez pas fait savoir que votre famille avait grandi
depuis ma dernière visite.

— C'est un cadeau du ciel, sire, commence Mme
de Guercheville. Ce bébé est arrivé ce matin en ce
château. Dans l'attente de connaître sa mère, je l'ai
placé sous ma garde.

Le roi s'étant approché, il prie la gouvernante de
lui faire voir le bébé. Elle lui retire ses langes et le lui
montre dans toute sa splendeur de nouveau-né. À
cette vue, Henri se met à rire et prend l'enfant dans

ses bras, le regarde avec grande attention, puis fait la remarque qu'il est fort bien membré et s'assure que tous ont reconnu ce fait. Il porte ensuite le nouveau-né devant son visage et embrasse son membre. Puis, à sa demande, Mme de Guercheville fait au roi le récit des événements de la matinée qui ont conduit à la découverte du bébé.

— Madame, la générosité que vous manifestez en vous intéressant au sort de ce petit, m'incite à ne pas être en reste avec vous. Avant qu'il ait six ans, je promets d'envoyer cet enfant en Béarn pour y recevoir, à mes frais, son éducation.

— Votre Majesté fait montre d'une belle grandeur d'âme, commence la comtesse...

— Tut, tut, tut, interrompt Henri avec emphase, il n'y a rien là de bien extraordinaire. Il faut d'abord nous intéresser au choix de son nom et à son entrée dans l'Église de Rome. Qu'avez-vous l'intention de faire à ce sujet? demande-t-il en terminant.

— Sire, sa venue chez moi est si récente que je n'ai pas eu le temps de songer à tous ces détails, mais comme Votre Majesté aborde le sujet si fort à propos, pourquoi ne demandons-nous pas au père Coton, ici présent, de donner le sacrement de baptême à cet enfant, en cet instant même, devant toutes ces personnes présentes. S'il plaisait à Votre Majesté, elle en sera le parrain.

— Je le veux bien, madame, si vous consentez à être sa marraine. Qu'en pensez-vous, monsieur le confesseur? demande le roi en se tournant vers le père Coton.

— Sire, Votre Majesté fait fort grand hommage à Dieu en souhaitant l'entrée de cet enfant dans l'Église de Rome. Par ce fait, Votre Majesté songe-t-elle aussi à le faire instruire dans la religion romaine?

— Allons, monsieur, reprend le roi avec une certaine humeur, ne croyez-vous pas que j'ai déjà montré le sérieux qu'il fallait pour que j'entre enfin, moi aussi, dans cette Église dont on me tient les portes si hermétiquement fermées. Je vous fais la promesse solennelle de faire élever cet enfant dans la religion catholique et romaine et faites savoir ce fait au pape Grégoire. Peut-être ce baptême aura-t-il quelque effet sur son intransigeant comportement à mon égard.

— Je verrai, sire, à ce que Sa Sainteté soit mise au courant des événements qui se déroulent ici aujourd'hui.

— Fort bien monsieur, reprend le roi. Dans ce cas, je ne vois pas d'autre raison pour ne pas commencer la cérémonie incontinent.

— Quels noms, sire, dit Mme de Guercheville, allons-nous donner à cet enfant?

— Mes amis, dit le roi à la ronde, n'est-il point coutume que les parrains et marraines donnent leurs noms au nouveau-né? Dans ce cas, je propose qu'on lui donne ceux d'Antoine et Henri. De plus, il y aurait sans doute lieu de lui en donner un troisième s'il veut jamais être connu autrement. Qu'en pensez-vous, monsieur le jésuite?

— Sire, reprend le père Coton, pourquoi Votre Majesté ne lui donnerait-elle pas aussi le prénom de Clovis?

À cette suggestion le roi regarde le jésuite avec une certaine surprise.

— Monsieur le confesseur, lui dit-il en souriant, cette idée vous est-elle venue en ce moment même, ou bien y aviez-vous déjà consacré quelque pensée?

— Sire, c'est la présence de Votre Majesté qui m'inspira ce prénom.

— Je vous le disais déjà, ce jésuite est un jésuite de cour, reprend le roi en riant. Eh bien! soit, que cet enfant reçoive au baptême les prénoms de Antoine, Henri, Clovis. Et qu'on passe à l'instant à la cérémonie.

Mme de Guercheville donne des ordres pour que soient mis en place tout les outils nécessaires au baptême qui doit avoir lieu dans la cour d'honneur, sous le magnifique soleil printanier, en présence de tous les domestiques, puisque l'enfant avait été trouvé chez eux. Il est près de deux heures lorsque, tout étant prêt, on annonce que la célébration va commencer.

Pendant que le silence descend sur la foule réunie dans la cour d'honneur, il se produit un événement qui émeut toute l'assistance. Dès que Mme Josephte, qui porte l'enfant, paraît sur le perron, un vent chaud commence de souffler. Il vient de l'orient, suit le cours de la Seine et descend vers la mer. Ce n'aurait été là rien de bien extraordinaire, si un phénomène étonnant ne s'était en même temps produit. La flamme des cierges allumés dans la cour, pour la cérémonie, ne s'agite pas sous le souffle du vent et reste aussi immobile que si elle avait été placée sous un abri. Les spectateurs ayant remarqué la chose, un murmure s'élève dans la foule et plusieurs fidèles s'agenouillent naturellement devant le prodige, en criant au miracle.

Au moment où l'assistance émue se jette en prière, le père Coton entonne le *Veni Creator Spiritus,* aussitôt repris par les fidèles. L'émotion est à son comble, lorsqu'il prie Dieu de faire descendre sur eux l'Esprit Saint. Le vent chaud et doux, qui commence d'être plus fort, à mesure que la procession avance, souffle dans les robes du prêtre et des acolytes; mais toujours, la flamme des cierges reste droite et immobile.

Quand enfin, paraît la comtesse de La Roche-Guyon, accompagnée du roi de France, la foule éclate en un tonnerre d'applaudissements et de vivats. Cette scène est impressionnante et le vent inattendu donne au rituel un air de Pentecôte.

Dès que le père Coton est arrivé aux fonts improvisés, il met la cérémonie en marche en priant le parrain et la marraine de tenir l'enfant au-dessus de l'eau bénite. Après avoir rappelé la promesse solennelle du roi de faire instruire l'enfant dans la religion catholique, il demande au parrain et à la marraine de faire, au nom de l'enfant, les promesses du baptême. Le père Coton prononce enfin les paroles sacramentelles:

— Antoine-Henri-Clovis, je te baptise, au nom du Père, et du Fils et du Saint-Esprit.

Puis il verse lentement l'eau bénite sur le front de l'enfant.

Au même instant, le vent s'arrête complètement de souffler. Après quelques secondes, tout bruit, tout mouvement cesse et l'air devient figé. Sans le moindre trouble et comme s'il n'a pas remarqué le phénomène que tous les autres ont observé, le roi, qui se tient à côté de Mme de Guercheville, prend l'enfant dans ses mains, et l'élève au-dessus de sa tête, afin que tous puissent le voir et l'admirer.

À ce moment précis, Gabrielle d'Estrées, qui a suivi la cérémonie, debout derrière Henri, se sent mal et perd connaissance. Elle est recueillie, fort à propos, par les courtisans qui l'entourent. L'ayant vu pâlir tout à coup, ils sont trop heureux de l'occasion de tenir dans leurs bras, ne fût-ce que l'espace d'un moment, celle qui passe pour être la plus belle femme du royaume. Au même moment, et pendant que la maîtresse du roi redevient le centre d'attraction, le vent chaud qui a soufflé plus tôt pendant la cérémonie, reprend avec plus de force qu'auparavant, pendant que commencent les réjouissances.

3

*F*ait à La Roche-Guyon, ce troisième jour du mois d'avril de l'an de Grâce 1594.

Au révérend père Bernard Sastory, s.j., supérieur de la province de Lyon.
Révérend Père! Enfin, le roi notre Sire a été sacré à Chartres et fait son entrée dans sa ville capitale après avoir abjuré ses erreurs[1]. Je puis vous dire avec grande joie que Sa Majesté était toute sincérité quand elle nous disait combien grand était son désir d'entrer dans les rangs de l'Église Catholique.
J'ai eu tant de discours avec le roi, aussi bien sur ce sujet que sur ce que d'autres en disent, que je puis vous assurer qu'il n'est pas être plus honnête de pensée que lui dans tout le royaume de France; Sa Majesté m'a bien fait voir tout l'intérieur de son âme.

---

1 .   25 juillet 1593: abjuration d'Henri IV à Saint-Denis
27 février 1594: Henri est sacré à Chartres
22 mars 1594: entrée d'Henri IV à Paris

Votre Paternité aura sans aucun doute entendu raconter avec force détails les événements entourant le mariage de Mme de Guercheville avec M. de Liancourt[2], qui eut lieu le seizième jour du mois de janvier dernier en la Collégiale Notre-Dame de Mantes. L'union entre ces deux personnes a été fort bien vue de tout le monde, surtout du roi qui fut l'instigateur de cette affaire.

Par le passé, Sa Majesté a souvent eu l'occasion, pour des raisons d'État, de faire et de défaire l'union de certains de ses sujets. Pourtant, je ne crois pas qu'elle ait jamais entrepris ce genre d'action pour les seules raisons du cœur, comme dans le cas du mariage de ses deux amis.

Les célébrations de Mantes furent grandioses, tant par le fait que Sa Majesté ajouta l'éclat de sa présence, que par le très grand nombre de courtisans qui se pressaient à la cérémonie. C'est aussi ce jour-là que Sa Majesté érigea en marquisat les terres de Guercheville.

Après le mariage, je suis venu à Paris avec Mme de Liancourt, qui habite, avec son époux, dans un hôtel particulier de la rue de l'Autruche. Elle veut qu'on l'appelle marquise de Guercheville aussi bien pour marquer au roi sa reconnaissance pour son nouveau titre, que son déplaisir à porter le nom de Liancourt que Mlle d'Estrées, la maîtresse du roi, utilise toujours

Sa Majesté a voulu que nous fussions avec elle au Louvre où elle loge maintenant. Mme de

---

2 . Liancourt: Charles du Plessis, duc de Liancourt, gouverneur de Paris et premier Écuyer d'écurie. Le 14 mai 1610, il se trouvera dans le carrosse avec le roi, lorsque Ravaillac infligera à celui-ci le fatal coup de couteau.

Guercheville y est venue avec son nouvel époux lorsque le roi fit son entrée dans Paris le 22 du mois dernier. Nous fûmes dans tant de fêtes si étourdissantes, depuis près de soixante jours maintenant, que nous oubliâmes trop vite les quarante jours où notre Seigneur et Sauveur s'en alla dans le désert pour y jeûner et prier.

Si la rumeur publique a déjà fait entendre l'écho de ces fêtes à Votre Paternité, elle ne pouvait rien lui dire d'un incident survenu dans les cuisines du château de La Roche-Guyon, le jour même du mariage de la marquise avec M. de Liancourt. Je veux parler ici de la mort soudaine de Liette Prévost, une domestique et confidente de Mme de Guercheville. Je n'ennuierais pas Votre Paternité avec le récit de cet incident si, après y avoir été mêlé, je ne lui avais découvert d'étranges et inexplicables aspects.

Afin que vous voyiez bien les fils entremêlés de cette intrigue, il me faut vous raconter les faits tels qu'ils se sont passés. Il y a trois ans de cela, la généreuse châtelaine avait pris Liette Prévost auprès d'elle avec son fils naturel qui avait été découvert, abandonné, dans le quartier des domestiques de La Roche-Guyon, le jour même où Sa Majesté lui rendait visite. À cause de ces circonstances, l'enfant, baptisé Clovis, avait eu pour parrain et marraine, le roi et Mme de Guercheville. Depuis cette époque, celle-ci s'est beaucoup attachée à lui.

Je reviens au jour du mariage lui-même. Donc, ce matin-là, la nouvelle marquise quitta La Roche-Guyon vers neuf heures avec le gouverneur de Monts qui la mena à Mantes. Les domestiques s'affairaient sans cesse après le départ d'icelle pour que le festin fût prêt, dès le retour des nouveaux époux. Le roi allait être présent et, dans ces cas, il y a toujours beaucoup plus de tout.

Avec un si grand nombre de serviteurs, vous imaginez le va-et-vient, depuis les premières heures de la journée. Tant de gens que nous ne connaissions pas et dont nous ne savions ni les visages ni les noms entraient et sortaient en tout temps et par toutes les portes.

Les invités de la fête qui suivit le mariage, commencèrent à arriver vers quatre heures de l'après-midi. Certains, qui étaient venus en voiture arrivèrent plus tôt, car la route n'est que de quelques lieues à peine. Les autres, le plus fort du contingent, arrivèrent vers cinq heures, puisqu'ils étaient venus en bateau, par la Seine, La Roche-Guyon étant en aval de Mantes d'une bonne dizaine de lieues.

Après l'arrivée du roi et des nouveaux mariés, la gouvernante et Liette menèrent François et Clovis à travers les cuisines, jusqu'à la petite salle à manger attenante qui leur était réservée et où, me raconta plus tard Mme Josephte, se trouvaient déjà d'autres enfants, dont le jeune Charles de Biencourt de Saint-Just, le fils de Jean de Poutrincourt et Robert, le fils de François du Pont-Gravé.

Dès que les petits furent assis à table, la gouvernante commença à préparer le repas. Pendant ce temps, Mme Liette s'occupait à mettre le couvert et à verser dans des coupes, les boissons destinées aux enfants, dont le lait de brebis pour Clovis.

Il faut que je vous dise ici, Révérend Père, quelques mots au sujet de ce breuvage. Le roi tenait à ce que son jeune protégé, à chaque repas, but de ce lait dont les vertus lui inspirent la plus grande confiance et pour la production duquel il avait donné à Mme de Guercheville deux brebis qu'il avait fait venir de Pau à cette fin.

Mmes Josephte et Liette furent donc fort affairées pendant que les enfants étaient laissés à eux mêmes. Mais, à partir de ce moment, les choses ne se passèrent plus comme prévu. Les deux femmes avaient à peine tourné la tête, que tous les enfants se faufilèrent, en riant et criant, hors de la salle à manger. Ils avaient été distraits par les pitreries d'un domestique qui s'appelle Antoine Pesquier. Mme Liette rappela en vain ces turbulentes créatures, qui disparurent rapidement parmi le personnel des cuisines. Voyant que personne n'avait répondu à leurs appels, les deux femmes, chacune de son côté, partirent à la recherche des petits diables.

Pendant que se déroulaient ces événements, la fête battait son plein dans la salle des gardes. Cependant, vers la fin du repas, le service commença à se relâcher. Mme de Guercheville me pria d'aller aux cuisines pour rappeler les domestiques à l'ordre. Sur place, je découvris une grande confusion. Je constatai, en entrant, que tous les domestiques étaient rassemblés à l'entrée de la petite salle à manger des enfants. J'eus beaucoup de mal à me frayer un passage parmi la valetaille qui parlait et gesticulait bruyamment.

Lorsque enfin, j'arrivai au cœur de l'action, je découvris un spectacle fort navrant. Mme Josephte était agenouillée auprès de Mme Liette qui était étendue par terre, son corps se tordant sous les convulsions, pendant qu'elle gémissait à fendre l'âme. Les serviteurs qui avaient envahi la pièce, donnaient leur avis sur ce qui était advenu à la pauvre fille. Certains disaient qu'elle était possédée par un esprit malin, d'autres croyaient qu'elle s'était infligé quelque maladie par manque de prévoyance. Tout à coup, une voix se fit entendre, suggérant que la jeune femme était atteinte de la peste. Une épidémie de cette maladie sévissait en effet dans les bourgs voisins, faisant des centaines de victimes. L'effet de ces paroles fut fort heureux, car la petite salle à manger se vida presque complètement.

C'est à ce moment-là que j'aperçus, au bout de la table, un grand lévrier qui léchait avidement du lait répandu par terre. Mme Josephte, qui a l'habitude de prendre en main des situations fort difficiles, agit avec grande autorité. Elle donna les ordres pour qu'on transportât Mme Liette dans une dépendance du château, afin que ses cris ne fussent pas entendus des invités. Puis, je restai seul avec elle après qu'elle eut prié une domestique d'emmener les enfants en un autre endroit et ordonné aux autres de retourner à leur service.

La gouvernante me raconta alors, depuis le début, les détails de ce qui s'était passé jusqu'au moment où les deux femmes étaient parties, chacune de son côté, à la recherche des enfants. Elle en déduisit que Mme Liette, ayant d'abord retrouvé Clovis, le ramena à la salle à manger et, sans attendre, lui servit son repas, dont le fameux lait de brebis. Lorsqu'elle eut retrouvé tous les enfants, Mme Josephte revint à leur petite salle à manger et découvrit avec appréhension

Liette Prévost, étendue par terre, au pied de la table. La gouvernante fut incapable d'expliquer ce qui s'était passé entre temps. La pauvre fille paraissait d'ailleurs trop mal en point pour pouvoir apporter quelque éclaircissement à ce mystère.

En fin de compte, la gouvernante s'excusa, disant qu'elle serait d'une plus grande utilité auprès de la malade. Resté seul, j'observai la scène devant moi. Les aliments étaient dans les assiettes, prêts à être mangés. Tout était en ordre, sauf un objet, un seul, qui n'était pas à sa place. C'était la coupe de Clovis qui était par terre, son contenu étant répandu sous la table. C'est alors que se produisit un autre événement qui me donna beaucoup à réfléchir. Le grand lévrier qui était toujours à lécher le lait répandu par terre, se mit tout à coup à gémir et à se tordre de la même façon que Mme Liette l'avait fait une heure plus tôt. La bête souffrait-elle du même mal que la pauvre fille? Je pensai que oui. La réponse m'apparut claire et nette. Le lait, me dis-je. Ce lait de brebis est empoisonné.

Peu à peu, je reconstituai dans mon esprit les faits tels qu'ils avaient dû se passer. Il est bien connu de tous, que Clovis est seul à boire du lait de brebis à chaque repas. L'enfant n'aime pas cette boisson. À cause de cela, il faut, à chaque jour, force inventions à sa gouvernante pour faire en sorte qu'il en bût. Le jour du mariage de Mme la marquise fut sans doute, à cause des circonstances spéciales, une journée où il fallut avoir encore plus de persuasion qu'en temps ordinaire. Dans le but d'encourager l'enfant à boire son lait de brebis, Mme Liette avait dû en avaler elle-même en présence de Clovis, faisant avec sa langue des bruits encourageants pour celui-ci. Quand elle en eut bu, je suppose qu'elle devint malade. Elle aura ensuite perdu l'éther, sera tombée de sa chaise, heurtant ainsi la coupe de lait qui roula sous la table.

Avec le chien en ce malheureux état, je donnai des ordres pour qu'on le transportât si loin qu'on n'entendit pas du château les gémissements terribles qu'il faisait. Je retournai ensuite auprès de Mme de Guercheville, afin de lui faire part de mes observations.

La marquise reçut un bien grand choc à la suite de cette révélation et n'attendit pas que le festin fut terminé avant d'aller elle-même auprès de Mme Liette. Elle s'assura, par la même occasion, que Clovis était en sûreté avec les autres enfants. La fête se termina sans que les invités apprissent ce qui venait de se passer.

Le lendemain soir, le lévrier mourut en se tordant sous l'effet de grandes douleurs. Le surlendemain, c'était au tour de la malheureuse fille de rendre l'âme, après deux jours d'une horrible agonie.

Je ne suis pas médecin, ni apothicaire ni d'aucune autre science qui guérit les corps. Je suis de la science qui guérit les âmes, quand elles veulent bien nous prêter leur concours. Mais comment voudrait-on soutenir que Liette Prévost mourut de la peste après ce que je viens de vous raconter? Pour ma part, j'ai acquis la certitude qu'elle est morte empoisonnée et que c'est le lait de brebis, destiné à Clovis, qui contenait le poison. Ainsi, j'en suis arrivé à conclure que c'est à cet enfant qu'on en voulait et que la pauvre fille est morte par erreur à sa place.

Ainsi, l'existence de Clovis représente une menace au bonheur de quelqu'un. De qui donc, Révérend Père? Vous voudrez bien me faire tenir toute instruction quant à la conduite que je dois avoir en pareilles circonstances.

Après les événements dont je viens de vous faire part, Mme de Guercheville parla de mes soupçons au roi. Celui-ci ne crut pas bon d'ajouter foi à mes craintes. Cependant, il ordonna que Clovis fût envoyé dans le Béarn, remplissant ainsi la promesse qu'il avait faite à Mme de Guercheville, le jour du baptême de l'enfant. Il habitera le château de Coarraze, où Sa Majesté a passé toute son enfance, et qui est aujourd'hui la propriété de son cousin, le baron de Miossens.

Vous connaissez déjà la grandeur d'âme de Mme de Guercheville. Votre Paternité ne sera pas surprise d'apprendre que le lendemain du décès de Liette Prévost, les époux Liancourt adoptèrent officiellement le jeune orphelin comme leur propre fils. En même temps, la marquise profita de l'occasion pour donner un gouverneur à son pupille. À la suggestion du roi, elle désigna pour cette fonction Christopher Semple, un médecin-chirurgien, officier de la marine anglaise, et compagnon de voyage de Sir Francis Drake. On me dit que cet homme possède des dons remarquables d'éducateur.

Je n'ai pu m'empêcher, Révérend père, de penser que cette jeune femme, qu'on accusa d'abord d'avoir donné le jour à cet enfant, et de l'avoir abandonné à son propre sort aussitôt après, mourut à sa place de façon si atroce. Les desseins de Dieu notre Seigneur et Maître sont insondables et il n'appartient pas à l'homme de deviner Ses Intentions.

Je me recommande instamment aux prières et aux saints sacrifices de Votre Paternité dont je suis le serviteur en Jésus-Christ.

Pierre Coton, s.j.

4

Le carrosse roule à vive allure, sur les routes cahoteuses du sud-ouest, en direction de Pau. L'attelage est en sueur, tant l'effort qu'il fournit est long et ardu. À l'intérieur, le couple d'un certain âge qui occupe une des banquettes, se laisse bercer par les secousses de la voiture. C'est un conseiller au Parlement de Pau, avec son épouse. La dame, un peu grassouillette, sourit aimablement à une jeune femme qui, tendue et rigide, est assise seule sur le siège d'en face. «Vous voyez, je me laisse secouer par le roulis du carrosse. Ça finit presque par être agréable», semble-t-elle lui dire. Tout à coup, un cahot plus élevé que les autres, tout de suite suivi d'une ornière, jette en avant la jeune femme qui vient buter contre les genoux du mari de la grosse dame.

— Vous n'êtes pas blessée, au moins? demande galamment M. Sancerre, en aidant la passagère à se remettre d'aplomb.

— Je vous remercie, monsieur. Grâce à vous, je viens de m'éviter bien des désagréments.

67

— Ne vous en faites pas, madame, nous serons bientôt à Pau et vous pourrez vous reposer quelque peu avant de vous remettre en route.

Les Palois et leur compagne arrivent au terme d'un voyage de cinq jours qui a commencé à Paris.

— C'est mon mari, Henri Sancerre avait dit la dame dès le premier jour, en montrant son compagnon. Je m'appelle Jeanne de Poix.

— Je suis Marie-Thérèse de Lagny, avait répondu la jeune voyageuse.

Malgré l'intimité du carrosse et les nombreuses observations de la grosse femme sur le temps, l'état des routes et les succès militaires du roi qui venait de reprendre La Fère, rien n'avait réussi à faire parler Mme de Lagny. Mme de Poix, qui est bavarde, avait pris un plaisir évident à raconter les moindres détails de la vie sociale qu'ils avaient menée à Paris. Tout au long de la route, Mme de Lagny s'était montrée fort aimable, bien que distante.

De temps à autre, les soubresauts de la voiture finissent par faire taire l'épouse du conseiller. La jeune femme, alors, ferme les yeux, comme si elle allait dormir, et se plonge aussitôt dans ses pensées. Ainsi isolée du monde volubile de Mme de Poix, elle repasse, dans son esprit, ses derniers moments à Paris, et les dernières paroles échangées, avec la marquise de Guercheville, avant de monter en voiture.

— Ma bonne Anne, lui avait dit celle-ci, soyez très prudente. C'est une mission dangereuse, que je vous confie. Hélas, je ne connais personne d'autre que j'oserais mettre dans le secret.

— Que madame se rassure, je ne ferai rien qui puisse me détourner de mon but.

— Surtout, mon amie, ne révélez jamais à quiconque votre identité. Ce sont ceux dont on se méfie le moins, qui sont les plus dangereux.

Anne se demande si le conseiller Sancerre est celui dont elle doit se garder. Tout au long de la route, des hommes et des femmes étaient montés dans la voiture. Pour chacun d'entre eux, elle s'était posé la même question. Heureusement, ils étaient tous descendus, devenant, par le fait même, indignes de ses soupçons.

— J'aimerais bien pouvoir vous décrire le visage de celui ou celle dont il faut se méfier, avait encore ajouté la marquise. Hélas! je sais seulement que Clovis court un grand danger. Pour déjouer ce complot, il faut que vous arriviez avant cette personne. Je vous remets à cette fin, une lettre pour Christopher Semple.

La veille, la marquise avait reçu un pli urgent de Richard Hakluyt. Quelques jours auparavant, dans une taverne de Londres, un Français ivre, qui se disait au service de Gabrielle d'Estrées, s'était vanté de détenir un secret qui valait une grande fortune. Des truands, témoins de sa hâblerie, l'avaient battu pour le faire parler, mais il était tellement ivre, qu'ils n'en avaient rien pu tirer et le malheureux avait succombé à leurs coups. Sur sa personne, ils avaient trouvé une carte, grossièrement dessinée, de la région de Coarraze, sur laquelle le château, où résidait Clovis, était clairement indiqué.

Dès qu'on lui avait rapporté cette nouvelle, Richard Hakluyt avait dépêché à Paris, un courrier porteur d'une lettre, à l'adresse de Mme de Guercheville, dans laquelle il racontait cet incident et la découverte de la carte. Il n'en avait pas fallu davantage pour jeter Antoinette dans les plus grandes inquiétudes. Elle était persuadée que Clovis courait un danger mortel. Il fallait prévenir le gouverneur Semple le plus tôt possible.

Anne d'Aubourg en est là de ses pensées, lorsque le carrosse ralentit sa course. Il est près de six heures du soir et la voiture vient s'arrêter devant «Le Sanglier d'Or», où le cocher espère changer de chevaux.

— Nous nous mettrons en route dans une heure, annonce-t-il à Mme de Lagny en ouvrant la portière. Nous partirons alors pour Mirepoix. Je laisserai madame au château de Coarraze, tel qu'entendu.

Ils descendent tous de voiture et avant qu'Anne se dirige vers l'auberge, le conseiller et sa femme lui font leurs adieux.

— Au revoir, madame de Lagny, prononce Mme de Poix, en faisant une révérence. Nous avons fait un fort agréable voyage en votre compagnie, n'est-ce pas mon ami, dit-elle en se tournant vers son mari.

— Tout à fait, madame, un voyage fort agréable. Si jamais vous avez besoin de secours, à Pau, n'hésitez pas à m'appeler. Vous n'avez qu'à demander où se trouve la maison du conseiller Sancerre. Tout le monde me connaît. Vous n'aurez aucune difficulté à me trouver.

— Croyez bien, monsieur, que j'apprécie votre offre généreuse et je vous en remercie. Je ne manquerai pas de m'en prévaloir, le cas échéant.

Les voyageurs se séparent et Anne entre dans l'auberge, afin de se restaurer. À cette heure, la salle à manger est déjà presque remplie. Les aubergistes sont affairés à servir le souper à une longue tablée de gentilshommes qui font beaucoup de bruit. À cause de l'ambiance qu'ils créent, elle réussit à passer inaperçue et à se faire servir dans un coin sombre de la salle. Elle examine les clients, un à un, avec la même suspicion que ses compagnons de voyage. Elle finit par s'admettre à elle-même qu'aucun des convives n'est au courant ni de son voyage, ni de sa mission. Elle mange rapidement et en moins d'une heure, elle quitte l'auberge et marche jusqu'à la voiture qui attend, attelée à un nouvel équipage. Le cocher lui annonce qu'un autre passager s'est joint à elle pour le reste du voyage.

En entrant dans la voiture, elle aperçoit, assis dans un coin, un homme qui semble dormir profondément, le chapeau rabattu sur les yeux. Elle se souvient de l'avoir aperçu plus tôt, dans l'auberge. Elle reconnaît ses chausses et son pourpoint de velours émeraude. Cependant, elle est incapable de se souvenir de son visage, car elle n'a pas pu l'observer à loisir, puisqu'il était attablé, tout comme elle, dans un coin sombre de la pièce.

Elle a une légère hésitation, en prenant son siège. Elle va être seule, dans le carrosse, avec un inconnu. Mais, elle se raisonne et se dit qu'elle touche au but et n'a plus raison d'avoir peur. Au même moment, le cocher ferme la portière, monte sur son siège et fouette ses chevaux qui s'élancent sur la route de Coarraze.

Le trajet ne dure pas plus d'une heure, mais il fait déjà nuit, lorsque la voiture s'immobilise. Le cocher descend de son siège et ouvre la portière, portant un flambeau dans la main gauche. Il se tient près du marchepied, pour laisser descendre sa passagère. Elle met pied à terre et se penche vers l'intérieur du carrosse pour y prendre son sac. Pendant un très bref moment, grâce à la lumière du flambeau, elle aperçoit le visage de celui qui a voyagé avec elle depuis Pau. Son chapeau est sur le siège, à ses côtés. Il l'a retiré, avant de s'endormir, son identité protégée par l'obscurité. Pendant une seconde, elle voit clairement le visage de l'homme et croît le reconnaître. Au même moment, le passager ouvre les yeux et voyant qu'il est à découvert, il se dissimule rapidement derrière son chapeau.

À ce geste, Anne frissonne de la tête aux pieds, sans trop savoir pourquoi. Son imagination beaucoup trop vive lui joue des tours, pense-t-elle. La voix du cocher la tire brusquement de sa rêverie. Elle lève les yeux et aperçoit des flambeaux qui éclairent l'entrée du château de Coarraze, construit sur un petit promontoire, à quelques centaines de pieds devant elle.

— Vous n'avez que ce champ à traverser, madame, et vous êtes rendue, lui dit le cocher en faisant quelques pas avec elle, pour éclairer le début de sa route.

Sur ces paroles, ils se saluent, le cocher referme la portière, reprend son siège et la voiture s'élance dans la direction de Mirepoix. Anne se met alors en marche vers la demeure du baron de Miossens. La lumière des flambeaux, à la porte du château, est suffisante pour la guider jusqu'à une petite route qui semble y conduire. Elle s'avance prudemment pendant une dizaine de minutes et se trouve tout à coup dans l'obscurité, au pied du promontoire, dont la pente abrupte lui cache soudainement la lumière des flambeaux. Elle éprouve un sentiment de crainte et s'arrête pour regarder autour d'elle. Mais elle ne peut rien voir d'autre qu'une lueur qui dépasse le sommet de la pente qu'elle a à gravir.

Avant de continuer, elle prête une oreille attentive, car elle a l'étrange sensation que quelqu'un marche tout près d'elle. Anne d'Aubourg est brave de nature, mais à la pensée qu'elle n'est peut-être pas seule, un frisson la parcourt de la tête aux pieds. L'image du passager, dans la voiture, lui revient à l'esprit. Elle revoit ses yeux, fuyant les siens, lorsqu'il s'est aperçu qu'elle avait vu son visage. Elle se souvient qu'à ce moment-là, son œil a lancé des éclairs de colère. Elle est figée sur place, et retient son souffle, parfaitement immobile. Elle reste longtemps dans cette position, à épier les bruits de la nuit, mais seul le chant des insectes répond à ses craintes. Il n'y a pas à dire, elle est complètement seule dans cette campagne où personne, absolument personne ne sait qu'elle s'y trouve.

En même temps qu'elle repart vers le château, elle a à nouveau l'impression que quelqu'un la suit. Cette fois, pourtant, elle ne s'arrête pas et gravit avec beaucoup d'effort la petite colline qui mène vers la lumière. Elle s'efforce d'aller rapidement, afin d'être le plus tôt possible en sécurité. Elle voit la lueur des flambeaux se rapprocher rapidement, quand tout à coup, elle sent un objet contre sa jambe et lance un petit cri, avant de trébucher et de s'étendre de tout son long dans l'herbe. Son cœur se met à battre rapidement et elle ne retrouve son calme que lorsqu'elle constate qu'elle a buté contre une racine élevée, sortant de terre.

La pauvre Anne se traite alors de tous les noms, se rendant compte que son imagination lui joue de bien mauvais tours. Elle finit par en rire tout haut, relève ses jupes et repart avec courage. Elle arrive enfin vers le sommet du petit promontoire où se dresse un grand chêne, dont une des racines a dû causer sa chute. Encore un peu et elle va voir, de ses yeux les flambeaux à l'entrée du château. Elle n'aura plus alors que quelques pas à faire, en pleine lumière, avant d'être à l'abri.

Soudain, en passant à côté du chêne, elle sent un bras puissant qui lui saisit la taille par derrière, en même temps qu'une main se pose brutalement sur sa bouche, étouffant le cri qu'elle allait lancer. Ses pieds, alors, se soulèvent de terre et sa tête est violemment rejetée en arrière. Au même moment, ses bras, comme ceux d'un épouvantail, volent en l'air et, dans leur mouvement, frappent l'agresseur en plein visage. Une terreur panique s'empare d'Anne. Elle a beau se débattre, cependant, elle ne réussit pas à s'échapper des puissantes mains qui la retiennent. Plus elle lutte, plus la poigne d'acier qui lui écrase la bouche se resserre sur ses mâchoires.

La frayeur donne à la jeune femme une énergie dont elle ne se savait pas capable. Elle réussit, avec sa jambe gauche, à asséner un coup violent entre les jambes de son agresseur qui laisse échapper un juron et relâche légèrement son emprise autour de la taille de sa victime. Cela est suffisant pour qu'elle puisse répéter son coup au bas ventre. Aussitôt, elle sent la main de l'homme se retirer de sa bouche et tentant de s'enfuir, elle tombe sur le dos dans l'herbe, au pied du chêne.

Au cours de la mêlée, l'homme a perdu son chapeau et, du lieu où elle se trouve maintenant, Anne d'Aubourg peut apercevoir brièvement le visage de son agresseur, dont la tête, dépassant maintenant le monticule, baigne dans la lumière que projette les flambeaux. La jeune femme reconnaît le passager du relais de Pau. Guidée en cela par l'épouvante, elle emplit vivement ses poumons d'air, afin de lancer un cri. Mais l'assaillant, sentant le danger plus qu'il ne le voit, fond sur elle brutalement et, de son poids, écrase sa victime sur le sol.

Les yeux agrandis par la terreur, Anne aperçoit l'éclair d'une lame de couteau que la main de l'agresseur brandit au-dessus de sa tête. Elle n'a que le temps d'amorcer un cri qui s'étouffe dans sa poitrine, car le fer, d'un coup bref et sûr, a tranché le cou de la ravissante demoiselle d'honneur de la marquise de Guercheville. Un silence terrible tombe aussitôt sur la campagne, brisé seulement par le gargouillement du sang qui s'échappe, par pulsations, du corps de la malheureuse. Au même moment, un chien aboie, dans la direction du château. La voix d'un serviteur tente, mais en vain, de le rappeler.

Au bout de quelques minutes, la bête se met à hurler de façon anormale. Le domestique prend alors un des flambeaux suspendus à l'entrée et se rend au bord de la colline, à l'endroit d'où proviennent les cris du chien. L'animal s'est arrêté tout au bord de la pente et gémit en regardant une forme humaine, étendue par terre. Sa tête, renversée par en arrière, est presque complètement détachée du tronc et le sang vermillon de la morte s'échappe encore par bouillonnements dans l'herbe verte.

Secoué d'horreur par la vision, le serviteur court rapidement au château chercher de l'aide. En quelques minutes, le baron de Miossens et Christopher Semple sont sur les lieux. Ce dernier, à la lueur des flambeaux, finit par reconnaître Anne d'Aubourg, qu'il avait rencontrée à La Roche-Guyon, deux ans auparavant. Les deux hommes sont fort surpris de la présence, à Coarraze de la demoiselle d'honneur de la marquise. Plus tard, en faisant la toilette de la morte, des serviteurs découvrent une enveloppe dissimulée dans ses jupes. Elle contient une transcription du message de Hakluyt, avec une lettre adressé au gouverneur de Clovis.

Saint-Germain-en-Laye, ce 9 mars 1599
À Christopher Semple, au château de Coarraze.

Monsieur, ce pli du révérend Hakluyt m'a causé les plus grandes alarmes. Je vous envoie Anne d'Aubourg, pour vous prévenir du danger. Je prie Dieu qu'elle arrive à temps.

Antoinette de Guercheville

Aussitôt après avoir pris connaissance du message, Christopher Semple s'empresse de monter à la chambre de Clovis. Il est aussitôt rassuré: le jeune garçon est bel et bien dans son lit et il dort profondément. Il ne croit pas utile de troubler son sommeil et décide d'attendre le moment propice avant de lui parler.

Le lendemain matin, vers huit heures, le gouverneur fait chercher son élève. Le domestique, parti à sa recherche, revient bredouille, en disant que le jeune garçon a fait seller le cheval le plus difficile des écuries et qu'il galope dans la campagne depuis le lever du soleil. Semple, que les événements de la veille ont grandement alarmé, sort vivement dans la cour du château et s'arrête au sommet du promontoire où le corps d'Anne d'Aubourg avait été découvert. Il aperçoit les palefreniers qui, debout près des écuries, sont tournés dans la même direction. Il suit leur regard et il voit un nuage de poussière sur la route, en même temps qu'il entend le bruit rapide d'un galop.

Le cheval bai court aussi vite que le vent; cramponné à sa crinière, un jeune garçon l'a monté sans selle ni mors. L'animal va sans but, juste pour le plaisir du cavalier qui sent l'air fouetter son visage et ses jambes nues, en faisait flotter sa blonde chevelure. Plus le cheval accélère, plus le garçon rit aux éclats. La vitesse le grise, lui donne une joie telle qu'il n'en a jamais connue de si grande; il voudrait courir toujours, emporté par la bête qu'il sent sous lui musclée et puissante et avec laquelle il ne fait qu'un.

Lorsque le jeune garçon, sur sa cavale, passe à toute vitesse devant les écuries, il aperçoit son gouverneur qui, debout et impassible, le regarde sans trahir la moindre émotion. À cette vue, Clovis ressent en lui un sentiment de bravade. Aujourd'hui est le jour de son huitième anniversaire de naissance et, du haut de sa monture, il domine le monde et se croit invincible.

Enivré par la course folle et la volupté qu'elle lui procure, Clovis continue sa chevauchée dans la forêt attenante au château. Pendant une heure encore, il ignore le gouverneur qui, lassé d'attendre, avait fini par rentrer. Enfin, le cheval vient s'arrêter devant les écuries où les palefreniers lui mettent un mors et l'attachent près de l'abreuvoir. Christopher Semple survient au même moment.

— Étrillez votre bête, monsieur, et donnez lui tous les soins et la considération qu'il convient. Vous venez de lui demander beaucoup pour votre seul plaisir. Quand vous serez prêt, venez prendre votre leçon.

Malgré le ton sévère de l'injonction, Clovis regarde son gouverneur droit dans les yeux, un sourire triomphant sur les lèvres.

— Oui, monsieur.

Semple tourne les talons et rentre au château.

Le cavalier bien dressé s'occupe aussitôt de son cheval, sous la direction d'Emmanuel, un jeune palefrenier d'origine basque, à peine plus âgé que lui. Dès son arrivée à Coarraze, celui-ci s'est attaché à l'enfant et le protège comme s'il était son propre frère. Sous la direction d'Emmanuel, Clovis assèche la sueur qui couvre l'animal, brosse soigneusement son pelage et l'abreuve lentement pour qu'il ne se refroidisse pas trop rapidement.

Après les soins donnés au cheval, Clovis retire tous ses vêtements et entre en grelottant dans une cuve d'eau froide. Avec du crin et de la paille, Emmanuel lui frotte tout le corps pour enlever sueur et poussière accumulées pendant la course. Une fois sa toilette terminée, le jeune garçon enfile des vêtements propres et court vers le château retrouver son gouverneur.

Clovis s'attend à une réprimande, pour n'être pas rentré à l'heure pour sa leçon. À sa grande surprise, il n'en est rien.

— Vous fîtes, monsieur, par cette chevauchée folle, un bel adieu à votre enfance. À partir d'aujourd'hui, je vous considère comme un jeune homme, déclare Semple à son pupille.

Il lui raconte ensuite la macabre découverte de la veille devant le château. Clovis écoute attentivement le récit de son gouverneur.

— Il faut avertir madame ma mère, observe-t-il sans trouble apparent.

— Un courrier court en ce moment vers Paris. Il y sera dans deux jours. Malgré la tristesse de l'événement, je suis d'avis que nous ne devons rien changer à nos plans, conclut-il.

— Oui, monsieur.

— Nous exécuterons donc le jeu que j'ai préparé pour vous, au cours duquel vous devrez exercer le commandement d'une petite troupe. Pendant un combat simulé, vous serez à la fois au cœur de la mêlée et à la tête de vos hommes.

Clovis éprouve un sentiment d'orgueil et de fierté. Il se voit aussitôt, menant ses soldats à la victoire, dans un combat héroïque.

— À partir d'aujourd'hui, lui dit Semple, vous prendrez vos repas avec moi, pendant lesquels, avec quelques-uns de vos maîtres, je continuerai votre instruction.

Le jeune garçon regrette aussitôt de n'être plus à table avec des enfants de son âge, les fils de Semple et ceux du baron de Miossens. Il aime beaucoup les jeux, mais a fort peu de goût pour l'étude.

— Oui, monsieur, dit-il avec une pointe de résignation dans la voix.

— L'exercice de ce jour est le plus difficile que vous ayez jamais fait. C'est aussi celui qui comporte le plus de dangers, mais les précautions ont été prises pour que personne ne soit blessé. Tous les participants sont des gens que vous connaissez et qui vous connaissent.

Les yeux de Clovis brillent d'un plaisir anticipé. Christopher Semple a préparé avec grand soin l'exercice de l'après-midi. À cette fin, il a réquisitionné une vingtaine de garçons qui ont entre sept et quinze ans. Quelques-uns viennent du château de Coarraze, les autres, du village avoisinant de Nay.

Un peu avant trois heures de l'après-midi, Semple réunit les participants devant les écuries pour les instruire des détails de l'exercice. Tous sont à cheval; chacun a comme arme un bâton droit de quatre pieds de longueur et porte un casque cachant le visage et une armure, couvrant la poitrine. Clovis commande les hommes du château de Coarraze et il a l'avantage du choix du site du combat alors que Semple dirige les autres hommes. L'exercice entier ne doit pas durer plus d'une heure et comporte trois engagements.

— Vous disposez de dix minutes pour prendre position dans la forêt, annonce Semple aux participants réunis devant lui. Après cela, moi et mes hommes irons à votre recherche. Pendant le premier engagement, de quinze minutes, les soldats d'un camp tenteront de jeter ceux de l'autre à bas de leurs montures. Le deuxième engagement de même durée, consiste en un combat où les hommes se battront comme si leur bâton était une épée ou une lance que chacun s'efforcera de garder en main. Dans le troisième engagement, chaque équipe tentera d'isoler le chef de l'équipe adverse, de le faire prisonnier et de mettre ses hommes en déroute.

À un signal de Semple, Clovis et ses hommes partent au galop vers la forêt à l'est du château, à l'abri des regards.

— Emmanuel, reste près de moi pour me seconder, ordonne le jeune chef. Antoine, attends ici et, dès que tu connais la manière dont l'ennemi va entrer dans la forêt, tu viens au galop nous prévenir. Nous serons sur le petit promontoire, dissimulés au pied des deux grands chênes que tu connais.

Ceci dit, le jeune garçon conduit sa petite troupe à une centaine de pieds seulement du gave de Pau, sur une élévation plantée de conifères, qui la dissimule complètement aux regards ennemis. Une fois sur place, Clovis cherche le conseil de ses compagnons. Les discussions durent depuis cinq minutes, lorsqu'Antoine survient au milieu du groupe pour dire que l'ennemi approche en passant entre le château et le gave et qu'il marche en demi-cercle, venant par le sud et par l'ouest.

— Dès qu'ils seront au pied de la pente du monticule où nous nous trouvons, dit Clovis à ses hommes, nous foncerons sur eux par surprise, en quittant rapidement notre abri. À cause de la pente, notre vitesse sera plus grande que la leur et nous renverserons chacun un cavalier.

À travers les branches, Clovis et sa troupe peuvent voir l'ennemi approcher avec une lenteur prudente. Il se tourne vers Emmanuel qui lui sourit. D'un geste de la main, le jeune homme signifie à Clovis de ne rien précipiter. L'enfant comprend, car il attend. Son cœur bat à tout rompre dans sa poitrine. Il lui semble que le temps passe plus lentement que d'habitude. Dans le silence et l'attente qui les enveloppent, un chien aboie dans le lointain.

Juste à ce moment-là, Semple et sa troupe sont arrivés au pied de la pente qui conduit au monticule. Lorsqu'ils sont tous entrés dans leur champ de vision, Clovis lève la main droite et l'abaisse rapidement, donnant ainsi le signal de l'attaque. Aussitôt, les jeunes soldats se mettent à crier en même temps et poussent leurs montures à toute vitesse sur les cavaliers ennemis. Ils sont si près, qu'en quelques enjambées seulement, ils sont sur eux. L'effet de surprise et la grande vitesse acquise dans la pente renversent tout de suite trois des douze cavaliers de Semple, tandis qu'aucun de ceux de Clovis n'est désarçonné.

Cependant, cette première charge n'a pas l'heureux résultat escompté car, non seulement neuf des cavaliers ennemis sont encore en selle, mais

Clovis et ses hommes ont perdu l'avantage qu'ils avaient avant l'attaque. La conséquence de cette première escarmouche, c'est que les hommes de Semple sont maintenant en haut du monticule et ceux de Clovis en bas, acculés au gave de Pau.

Les cavaliers encore en selle tentent de se désarçonner les uns les autres. Ceux qui sont à pied cherchent à renverser ceux qui sont encore à cheval, soit en retenant leur monture par le mors, soit en détachant la courroie qui retient la selle en place. Pendant plusieurs minutes, la situation reste inchangée lorsqu'un des hommes de Clovis perd l'équilibre et peu après, un quatrième cavalier ennemi tombe de selle.

Semple annonce alors la fin du premier engagement remporté par l'équipe de Clovis. Tous les hommes sortent leurs bâtons et commencent à l'utiliser, les uns comme une lance, les autres comme une épée. Clovis pousse sa monture au milieu de la mêlée, son bâton dirigé comme une lance vers un cavalier de l'autre camp. Emmanuel, à sa gauche, lui crie de se garder au flanc droit. Mais un guerrier ennemi l'attaque de ce côté si rudement que le jeune chef est renversé de son cheval et s'en va mordre la poussière.

Emmanuel, en tentant de parer à ce coup contre son protégé, tombe de sa monture en entraînant son attaquant dans sa chute. Il se relève rapidement, désarme son ennemi et arrive au côté de Clovis au moment ou celui-ci se relève. Tous deux ayant encore leur bâton en main, continuent à le brandir comme une épée.

Beaucoup plus stimulé par le combat lui-même que par l'idée de remporter la victoire, le jeune chef joute avec beaucoup d'enthousiasme contre les soldats ennemis. Grisé par la vivacité de l'action, il retire vivement son casque qu'il trouve lourd et encombrant. Tête nue, ses cheveux blonds ébouriffés, Clovis se bat avec vigueur en criant des invectives à l'adresse de ses adversaires.

Il ne reste plus que six cavaliers en selle, quatre du groupe de Clovis et deux de l'autre, dont Semple. Des vingt hommes maintenant à terre, huit se battent encore avec le bâton et douze en corps à corps. Juste avant la fin du deuxième engagement, deux cavaliers de Clovis tombent de leur monture. Chaque camp n'a plus que deux hommes qui ont réussi à se tenir en selle.

Lorsque Semple annonce le début du troisième engagement, les hommes de Clovis se rallient autour de leur chef que l'ennemi, pensent-ils, va, cette fois, tenter de capturer. Mais le jeune commandant, trop impulsif dans le feu de l'action, crie à ses troupes d'attaquer Semple pour le jeter à bas de sa monture et le faire prisonnier. En entendant cet ordre, ses vaillants soldats, sauf Emmanuel, se portent tous sur le chef ennemi en même temps et ne se rendent pas compte que par leur action, ils laissent leur propre commandant à découvert, l'exposant ainsi à mille dangers.

Le seul autre cavalier du groupe de Semple, encore en selle, se met en retrait pour éviter l'attaque massive contre son chef et ne fait aucune tentative pour le protéger. Au contraire, il se détourne de la mêlée pour faire face à Clovis, maintenant seul avec Emmanuel et acculé au bord du gave de Pau. On dirait qu'il n'attendait que cette occasion.

Emmanuel pressent tout de suite le danger, beaucoup plus qu'il ne le devine. Au moment où le cavalier lance sa monture à toute vitesse dans la di-

rection de son chef, le jeune Basque se jette bravement au devant de la bête déchaînée. Dans sa tentative, il ne réussit qu'à saisir la jambe du cavalier à laquelle il s'accroche de toutes ses forces avec
l'intention de ralentir sa course. Clovis, voyant venir
le furieux animal et, dans le but de se protéger de
l'attaque, fait tournoyer son bâton au dessus de sa
tête, comme on ferait d'un moulinet. Ce geste a pour
effet d'effrayer la bête qui freine soudainement, se
dresse sur ses pattes arrière et hennit bruyamment.

Dès que l'animal se cabre, Clovis, pris par surprise, recule instinctivement d'un pas, sans même se
retourner. Il n'a pas vu qu'il est au bord du précipice.
En voulant faire encore un pas en arrière, il perd pied
et tombe à la renverse dans le gave bouillonnant qui
coule à dix pieds plus bas. En même temps,
emportés par leur élan, le cavalier et sa monture qui
traîne toujours Emmanuel accroché à l'étrier, sont
incapables de s'arrêter et enjambent la berge de la
rivière à toute vitesse, derrière Clovis. Avec un fracas
du tonnerre et dans un grand éclaboussement, ils
s'écrasent dans le courant, à quelques pas
seulement du jeune garçon, l'évitant de justesse.
Semple, qui a compris en un clin d'œil, donne l'ordre
d'arrêter aussitôt l'engagement. En même temps, il
saute à bas de sa monture, court vers la rive tout en
retirant casque et armure et se jette dans l'eau glacée
du gave.

Tout en luttant contre le courant, Emmanuel a
réussi à se hisser sur le dos de la bête, à retirer son
armure puis à plonger vers Clovis qui vient de couler
tout près du cavalier. Il atteint l'enfant en même
temps que Semple et tous deux le hissent sur le
cheval qui, luttant contre le courant, nage avec eux
jusqu'à la rive. Après avoir tiré Clovis sur le sol,

Semple réalise que ses yeux sont ouverts, mais qu'il respire de façon haletante. Il remarque aussi que l'enfant saigne au bras gauche. À l'examen, sa blessure se révèle superficielle.

Ayant laissé le jeune garçon à la garde d'Emmanuel, le gouverneur plonge de nouveau à la recherche du disparu. Après une première tentative, puis une deuxième, il doit revenir à la surface afin de respirer. Au quatrième essai, il reparaît hors d'haleine, en tirant derrière lui la masse inerte et encore casquée du cavalier. Emmanuel lui tend la main et le tire avec sa charge jusqu'à la rive.

Après avoir étendu le corps inerte du rescapé dans l'herbe, Semple lui retire son casque et son armure. Pendant que les garçons et le gouverneur regardent avec étonnement un homme qu'ils ne connaissent pas, une forte quantité d'eau s'échappe par sa bouche encore béante comme si, dans la rivière, il avait tenté de crier. Ses yeux grand ouverts et exorbités expriment une ultime frayeur. Hélas, personne ne peut plus rien pour le malheureux.

— Non monsieur, nous ne l'avons jamais vu auparavant, répond un des garçons à une question de Semple. Nous croyions qu'il s'agissait d'un de nos compagnons du village de Nay.

C'est à ce moment-là que l'un d'eux attire l'attention du gouverneur sur la main droite du mort. Elle est refermée sur un objet dont l'extrémité pointue brille au soleil. Semple a beaucoup de peine à desserrer les doigts crispés du noyé, mais quand il y parvient, une dague courte au manche noir et rond s'en échappe et tombe sur l'herbe brune et sèche du printemps.

Le mort, délicat et de stature moyenne, avait pu facilement passer pour un garçon d'une quinzaine d'années, dissimulé qu'il était, derrière l'armure et le casque d'un des adolescents que Semple avait recrutés pour l'exercice. Intrigué par cette étrange substitution, Semple envoie aussitôt un des garçons, courir à Nay, pour se renseigner sur les allées et venues de l'absent. Il revient rapidement porteur d'une mauvaise nouvelle. Une heure plus tôt, ce jeune garçon a été trouvé dans le bois, derrière son village, la gorge tranchée, comme la veille, la malheureuse Anne d'Aubourg.

Clovis est maintenant remis de ses émotions et Emmanuel le soulève doucement sur son séant et l'aide à s'asseoir. En peu de temps, les couleurs reviennent sur ses joues et il est prêt à retourner au jeu, comme si rien n'était arrivé. À ce moment-là, il s'approche de ses compagnons qui sont réunis autour du cadavre. En voyant le mort, il a un haut-le-corps. Le gouverneur n'est pas sans remarquer la réaction spontanée de son élève.

— Vous le connaissez, monsieur? lui demande-t-il.

Clovis ne répond pas de tout de suite et continue à examiner le noyé avec attention.

— Oui monsieur, dit-il enfin. C'est Antoine Pesquier, un ancien domestique de madame ma mère.

Le jeune garçon regarde son gouverneur qui le fixe avec attention. Ses yeux se remplissent de larmes et ses mâchoires tremblent légèrement pendant, qu'avec ses dents, il mord sa lèvre inférieure jusqu'au sang.

— Avez-vous autre chose à ajouter? demande Semple à son pupille.

Tout en retenant ses larmes avec difficulté, celui-ci secoue la tête de gauche à droite.

— Emmanuel, accompagne Clovis au château. À partir de ce jour, je ne veux plus que tu le quittes d'une semelle. Tu le suivras comme son ombre et tu préviendras tout danger qui le menacera.

Ce soir-là, Christopher Semple prend la décision de ramener Clovis à Paris le plus tôt possible, car il ne croit plus pouvoir assurer sa sécurité, dans ces conditions.

Le 23 mars au matin, avant même le lever du soleil, un carrosse quitte le château de Coarraze dans le plus grand secret, emportant Clovis, son nouvel écuyer, Emmanuel et Christopher Semple. Le 4 avril, après un voyage de onze jours, l'équipage portant à son bord le fils adoptif de Mme de Guercheville vient s'arrêter devant la porte de Bourbon, l'entrée principale du Louvre. En ce printemps de l'année 1599, le vieux palais est baigné dans une atmosphère d'intrigues et de suspicions qui s'entremêlent à la vie trépidante des mariages et des fêtes royales.

○

Au Révérend Père Claude Aquaviva, général de la compagnie de Jésus, à Rome, en ce jour de Pâques de l'an de Grâce 1599.

Révérendissime, Le royaume de France vient de vivre des jours fort troublants, pendant lesquels la couronne de Saint-Louis faillit choir dans la fange. Heureusement, Dieu, dans Sa Sagesse, intervint pour éviter au pays les affres de la guerre civile.

Permettez, Révérend Père, que je fasse un retour en arrière, pour vous rappeler les faits qui

conduisirent le pays au bord de l'abîme. En 1572,
six jours seulement avant la terrible nuit de la
Saint-Barthélemy, Marguerite de Valois, sœur de
Charles IX et d'Henri III, avait épousé Henri de
Navarre, assurant ainsi à son mari de survivre au
châtiment de Dieu. À la suite du mariage, les
époux n'assurèrent pas de descendant à la
couronne de France. Mme de Valois paraissait
incapable d'enfanter.

C'est pourquoi, aujourd'hui, le Roi, pressé par
son entourage et dans le but d'éviter une crise de
succession, s'est vu dans l'obligation de chercher
une épouse féconde, car il a maintenant quarante-
six ans et les tentatives contre sa vie se
multiplient chaque année. À cette fin, depuis
quelques mois, Sa Majesté avait poursuivi deux
pistes fort opposées, ce qui avait créé, jusqu'à ces
jours derniers, une profonde division dans le
royaume.

Au mois de février passé, le Roi annonça, son
intention d'épouser sa maîtresse, l'ambitieuse
Gabrielle d'Estrées, qui ne rêvait que d'une chose,
devenir reine de France. Son fils aîné, César, né en
1594, était déjà légitimé et, dans les plans de la
favorite, qui était à nouveau enceinte, c'est lui qui
serait le dauphin. Le mardi gras, 23 février 1599,
pressé par Gabrielle, Henri fixa la date de leur
mariage au dimanche de Quasimodo qui tombe le
18 avril. Les intentions du Roi parurent tout à fait
sérieuses, puisque la favorite, au vu et au su de
tous, mit en branle les préparatifs de sa toilette,
de ses appartements du Louvre et de la
cérémonie du mariage lui-même.

D'autre part, et sans qu'il parût le
moindrement troublé par une telle contradiction,

Henri pressait en même temps les négociations avec le grand duc de Toscane, dont on disait que la fille, Marie, était fort apte à donner au Roi de France l'héritier qu'il souhaitait. Votre Paternité doit être au courant que des ambassadeurs français sont à Rome, dans le but d'obtenir l'annulation de la première union.

Or, la Reine Margot, qui s'était d'abord montrée favorable à cette procédure, pourvu qu'Henri convolât avec la princesse toscane, fit montre d'une grande opposition, lorsqu'elle apprit les intentions du volage Béarnais d'épouser la favorite.

Comme c'était la Semaine Sainte, les deux amants, pour donner le bon exemple, décidèrent de vivre séparément jusqu'au jour de Pâques, Henri étant à Fontainebleau et Gabrielle à Paris. Le mardi saint, celle-ci accepta la séparation, assaillie toutefois par les plus funestes prémonitions. Le même soir, la favorite s'en fut souper chez le banquier Sébastien Zamet, dans sa magnifique demeure de la rue de la Cerisaie. Pendant cette visite, elle consomma le jus d'un citron, éprouvant peu après une violente douleur à l'abdomen, Mais le malaise s'atténua et le lendemain, elle alla à confesse, rue Saint-Antoine, puis y retourna pour l'office des Ténèbres. Le jeudi saint, elle eut la force d'aller communier à Saint-Germain-l'Auxerrois, mais revint s'aliter aussitôt. Cette fois, elle ne se releva plus. Le vendredi saint, après un flux de sang, les chirurgiens lui extirpèrent son enfant mort-né, à pièces et lopins. Peu après, la malheureuse entra en convulsions; sa bouche et son cou se déformèrent sous la douleur, devant l'assistance horrifiée. Celle qui avait régné sur le cœur du Roi passa, en quelques heures, du triomphe au tombeau en laissant derrière elle plus de réjouissance que de chagrin.

Le mal qui emporta Mlle d'Estrées, Révérendissime, ressemble étrangement à celui qui entraîna la mort de la jeune Liette Prévost, au château de La Roche-Guyon, le jour du mariage de Mme de Guercheville avec le duc de Liancourt, il y a cinq ans. Dans son cas, je fus le seul à parler d'empoisonnement, tandis que dans celui de Mlle d'Estrées, des rumeurs en ce sens ont, dès le premier jour de sa maladie, envahi les rues de Paris en même temps qu'elles se répandaient dans les corridors du Louvre. Les langues vont bon train, mais aucune accusation n'a été portée contre qui que ce soit.

On m'avait dit que Sa Majesté était fort abattue, mais son désespoir n'était pas si grand que le voulait la rumeur. Lorsque je vis le Roi, ce matin, il m'apprit que les pourparlers avec Florence avaient pris une sérieuse allure. Pareils propos ne sont pas ceux d'un désespéré; je craignais que sa peine fût si grande, qu'il refuserait de songer à quelque mariage pendant très longtemps. Au contraire, si je crois ce qu'il m'a dit aujourd'hui, la France aura bientôt une Reine et, Dieu aidant, un Dauphin.

La mort de la favorite est la réponse à de nombreuses prières adressées dans ce royaume à Notre-Seigneur. Sa Majesté elle-même, n'a-t-elle pas dit, quand elle apprit la nouvelle de sa mort: «Ceci est de la main de Dieu»? N'est-il pas singulier, Mon Père, que j'ai commencé cette lettre en vous parlant de punitions infligées par Dieu et que je la termine en vous parlant des bénédictions qu'Il nous donne?

Je me recommande instamment aux prières et aux saints sacrifices de Votre Paternité dont je suis le serviteur en Jésus-Christ.

Pierre Coton, s.j.

5

Par une journée lourde et chaude de l'été 1603, au cœur de la forêt qui s'étend au sud du château de Saint-Germain-en-Laye, la trompette du maître de chasse sonne l'hallali. Le temps gris et bas renvoie son écho plaintif dans toutes les directions. Pendant que le roi et ses amis se lancent à la poursuite du cerf aux abois, un groupe de six jeunes hommes, à quelques lieues de là, chassent la perdrix et le lapin. Sur un signe de leur chef, le jeune César de Bourbon, duc de Vendôme[1], ils s'arrêtent pour la troisième fois dans une grande clairière.

— Comme après les autres haltes, dit celui-ci, nous nous séparerons encore en trois groupes. Cette fois, je partirai vers le nord avec mon frère Alexandre[2]. Pont-Gravé et Biencourt vous irez vers l'ouest. Quant à vous, Clovis, vous chasserez vers le sud avec Chégumakun[3].

---

1 .   Vendôme: César de Bourbon, duc de Vendôme, premier fils légitimé d'Henri IV et de Gabrielle d'Estrées, né en 1594.
2 .   Alexandre: Chevalier de Vendôme, deuxième fils légitimé d'Henri IV et de Gabrielle d'Estrées, né en 1598.
3 .   Chégumakun: Mot souriquois ou micmac qui veut dire «fracas» ou «petit tambour».

Ce dernier, à la mention de son nom, tressaille légèrement sur sa monture et sourit à ses compagnons. C'est un jeune Souriquois[4], ramené d'Acadie au printemps par le père de Robert, François du Pont-Gravé. Chégumakun est à peu près de l'âge et de la stature de Clovis, mais sa chevelure, longue et droite, est aussi noire que celle de l'autre est blonde et ondulée. Sa peau, sans aucun poil, est brunie par le soleil. Les traits de son visage sont réguliers et fins, ses yeux noirs et perçants, son nez droit, ses dents blanches et ses lèvres pleines et charnues. Sa force physique est évidente, de par les muscles saillants de ses biceps, de sa poitrine, de ses cuisses et de ses jambes.

Clovis et ses deux amis ont adopté ce nouveau compagnon dès son arrivée à Saint-Germain. En quelques mois ils se sont enseigné leur idiome respectif et, lorsqu'ils chassent, les jeunes Français ont adopté le costume souriquois. Ils vont pieds nus, ne portant qu'une culotte en daim, retenue à la taille par une lanière de cuir. Leur front est ceint d'une étroite bande bleue, faite de perles de verre, retenant une plume d'aigle à l'arrière. Un carquois et un arc sont suspendus avec une bretelle par-dessus leur épaule gauche.

Flanqué de ses inséparables compagnons, Robert et Charles, Clovis, sûr de lui, est assis fièrement sur sa monture. Bien qu'il n'ait que treize ans, toute sa personne annonce déjà une grande force physique.

À neuf ans, le jeune César de Vendôme est l'antithèse même du jeune Pons. Il est gras et obèse

---

4 .   Souriquois: Famille amérindienne, aussi appelée Micmac, occupant la Nouvelle-Écosse et le sud du Nouveau-Brunswick, à l'est de la rivière Saint-Jean.

et son menton, comme son cou, s'échappe en bourrelets sur le col de son pourpoint de velours blanc à
passements d'or. Ses mains, potelées et dégantées,
tenant les rênes, sont appuyées sur le pommeau de
la selle. En même temps qu'il aspire fortement, il
pince les narines et bat des paupières deux ou trois
fois avant de prendre la parole.

— Maintenant que nous sous sommes restaurés,
dit-il sur un ton hautain, je vais vous désigner
d'autre secteurs de chasse.

Pour cacher le manque d'assurance qui le caractérise depuis la mort de sa mère, le fils de Gabrielle
d'Estrées et de Henri IV parle fort en rejetant la tête
vers l'arrière tant qu'il peut.

— Jusqu'ici, nous n'avons trouvé ni lapins ni
perdrix aux lieux que vous nous avez désignés,
monseigneur. Ne pourrions-nous choisir le territoire
nous-mêmes? demande Clovis.

— Un chasseur bien né trouve toujours du gibier,
en quelque lieu qu'il soit, surtout dans une forêt
comme celle-ci, monsieur, répond avec arrogance
César de Vendôme en montrant sa gibecière déjà
bien garnie.

Clovis serre les mâchoires et pince les lèvres,
pendant qu'un rose vermillon empourpre ses joues.
Depuis son retour de Coarraze, il a appris à contrôler la colère qui l'envahit au contact du jeune prince.
Il n'aime pas ce garçon qui ne rate jamais une occasion de rappeler sa naissance illustre, tout en humi-
liant ses compagnons.

— Viens, Chégumakun, dit-il enfin au
Souriquois, en lui faisant signe de la tête.

Et sans plus de cérémonies, pendant que les
deux Vendôme, le fusil de chasse en bandoulière,
les regardent s'éloigner, l'air triomphant, les quatre

garçons, avec arcs et flèches, partent en paires, dans la direction qui leur a été désignée. À peine sont-ils à l'abri des regards, que Clovis fait un signe à Chégumakun et les deux cavaliers changent de cap. En moins de cinq minutes, ils ont rejoint leurs amis Charles et Robert qui les voient arriver avec surprise.

— Je ne vois pas pourquoi nous nous priverions toujours du meilleur territoire de chasse, dit Clovis en s'approchant d'eux. Si Vendôme va au nord, c'est que le gibier s'y trouve. Ses gardes-chasse le renseignent bien.

— Tu as raison, reprend Robert, il nous envoie toujours dans les endroits où viennent de passer le roi et la cour. Bien entendu, ils ont effarouché lièvres et perdrix.

— C'est pourquoi je propose que nous allions aussi vers le nord, poursuit Clovis. Si nous nous déplaçons avec prudence, Monsieur[5] n'en saura jamais rien. D'autant plus que nos armes ne font pas de bruit, ajoute-t-il en désignant l'arc accroché a son épaule.

Chégumakun et ses deux compagnons approuvent. Prudemment, les quatre jeunes gens se mettent en route vers le nord à travers la forêt déserte où l'air calme et lourd de cette journée annonciatrice d'orages, est rempli des effluves des sous-bois. Ils ont tôt fait d'oublier César et Alexandre et ils se donnent tout entiers à leur chasse.

Après avoir chevauché quelques minutes en tête du peloton, Chégumakun arrête soudainement sa monture. Les autres s'immobilisent aussi et suivent

5 .   Monsieur: On appelait souvent le jeune duc de Vendôme César Monsieur, ou Monsieur tout court.

des yeux le regard du jeune Souriquois. Pas aussi habitués que lui à scruter les ombrages et les broussailles, ils n'ont pas repéré une perdrix qui se terre au fond d'un taillis. Lentement et avec des gestes sobres, Chégumakun prend une flèche dans son carquois, bande son arc, vise et tire. Avec le bruit du frottement des plumes sur le vent, le projectile va se loger incontinent dans la poitrine de l'oiseau et le cloue au sol, pendant qu'il bat désespérément des ailes, puis s'immobilise. Dans la carnassière, le volatile va rejoindre un lièvre, la seule autre pièce de gibier attrapé jusque là par les quatre chasseurs.

Pendant une heure, ils s'en donnent à cœur joie, car gélinottes et lapins sont abondants. Effrayées par le passage de la chasse du roi, les bestioles s'étaient repliées vers le sentier emprunté par les quatre garçons. Ils n'ont qu'à viser et tirer tant qu'ils peuvent pour arriver au compte de soixante et une bête tuées. À la fin du compte, satisfaits d'avoir désobéi, les quatre garçons, voyant le temps passer, décident de retourner au lieu du rendez-vous. Discrètement toujours, et dans le plus grand silence, ils rebroussent chemin, en prenant bien soin de rester le plus possible loin du sentier principal qu'ont dû emprunter les jeunes Vendôme.

— Ne trouves-tu pas étrange que nous n'ayons pas aperçu, même de loin César et Alexandre avec leur escorte? demande Biencourt à Clovis.

— En effet, reprend celui-ci, nous aurions dû croiser leur route, puisque nous avons chassé dans leur territoire. Cela m'intrigue un peu.

Tout en chevauchant lentement, les bruits éloignés de la meute du roi qui fait la curée, parviennent à leurs oreilles.

— Tu n'aurais pas préféré cette chasse? demande Chégumakun à voix basse, en désignant du menton l'endroit d'où vient le bruit.

— Tu sais bien, mon ami, répond Clovis, que j'aurais préféré courir le cerf, plutôt que d'être soumis aux caprices d'un enfant gâté.

— Tu es trop généreux en ne l'appelant qu'enfant gâté. Je dirais plutôt que c'est, malgré sa naissance illustre, un être méchant qui prend plaisir à blesser ceux qui lui rendent service. Je ne pourrais jamais être de ses amis.

— Je dois avouer que j'ai toutes les peines du monde à essuyer ses insultes. Quand il les profère, je pense aux malheurs que le sort lui a réservés, remarque Clovis.

— Tu badines, reprend Robert. Cet enfant a tout pour être heureux. Des moins bien munis sont plus contents que lui de leur sort. Non, vraiment, il ne mérite pas que tu lui trouves des vertus.

— N'oublie pas qu'il est tombé de bien haut. Ne se considère-t-il pas toujours comme le véritable dauphin? N'est-ce pas lui, l'aîné des fils du roi? Depuis la venue du petit Louis[6], il s'est vu relégué dans l'ombre.

— Tu as peut-être raison, ajoute Charles. Mais cela ne changera jamais, car il ne se passe pas un jour que les courtisans qui l'entourent ne lui rappellent que le roi allait épouser sa mère, lorsqu'un mal mystérieux et encore inexpliqué vint l'arracher cruellement à ses futurs sujets.

— Ce n'est pas la vertu qui m'inspire ces remarques, mes amis, dit Clovis. Je ne vous cache pas

---

6. Louis: Le futur Louis XIII, fils de Marie de Médicis et d'Henri IV, né en 1601.

que je lui veux tout le mal qu'il est possible d'imaginer. Je cherche des points qui militent en sa faveur, car si je ne m'y applique, j'aurai tôt fait de participer à un complot contre lui.

— Tu n'auras sans doute pas à t'en mêler car, reprend Pont-Gravé, s'il continue à ce rythme, il aura bientôt plus d'ennemis que d'amis.

— Chut! interrompt Clovis levant la main droite. Regardez.

À travers les branches ils aperçoivent, à une centaine de pas devant eux, les deux jeunes princes de Vendôme qui attendent sur leurs montures, au milieu du sentier. César mange des dragées qu'il prend sur un plateau en argent que lui tend un domestique. Le petit Alexandre, qui n'a que cinq ans, s'amuse à pointer gauchement son arquebuse, trop lourde pour lui, en direction des serviteurs qui ne semblent pas s'en émouvoir.

— Ce chien ne pense qu'à manger, remarque Chégumakun.

— Attention, mon ami, dit Biencourt, dans la forêt, les arbres entendent. Il pourrait t'en coûter, de dire pareilles choses.

— Je n'en ai cure. Il n'est pas mon Sagamo[7], répond le jeune Souriquois.

Encore une fois, Clovis interrompt d'un geste la conversation. De la forêt viennent de surgir trois gardes-chasse portant sur leurs épaules des dizaines de lièvres et de perdrix qu'ils vont d'abord faire voir au duc de Vendôme, puis qu'ils s'emploient ensuite

---

7 .   Sagamo: Mot souriquois signifiant capitaine, chef. Les premiers explorateurs français comme Lescarbot, le traduisirent souvent par «prince».

à fourrer dans ses gibecières. Les quatre jeunes gens se regardent avec étonnement.

— Voilà qui explique son grand talent pour la chasse, remarque Biencourt à voix basse.

Personne ne dit mot. Dans sa tête, Clovis tente d'éviter les phrases qui pourraient accabler davantage le jeune prince. Il en cherche plutôt qui pourraient l'avantager, mais il n'en trouve pas. Pendant quelques secondes, inconsciemment, il retient son souffle, puis il laisse bruyamment s'échapper l'air par ses narines. Pont-Gravé le regarde d'un air amusé.

— Tu te feras grand mal, mon ami, si tu continues à tant retenir ta colère.

— Attendons un peu avant de les rejoindre, dit Clovis.

Pendant quinze minutes encore, les quatre garçons observent de loin les deux frères qui continuent à manger des friandises. Après un moment, César s'entretient avec un garde-chasse qui s'en va dans la direction opposée, probablement à leur recherche, croyant qu'ils sont allés, comme on le leur avait ordonné, vers le sud et vers l'est.

— Que faisons-nous? demande Pont-Gravé. Nous feignons de lui avoir obéi, ou bien nous avouons notre forfait?

— Comment, quel forfait? Je ne comprends pas que nous ne puissions chasser où nous l'entendons, dit le jeune Souriquois.

— Tu as raison, Chégumakun. Nous n'avons commis aucun forfait. Nous ne nous cacherons pas.

Sur ces paroles, les chasseurs se mettent en marche et débouchent bientôt dans la clairière où se tiennent les deux frères. César, dont la monture est tournée vers le sud, doit faire un rapide volte-face, lorsqu'il entend l'arrivée des quatre cavaliers d'une direction inattendue. Lorsque ceux-ci sont arrivés près de lui, il les regarde d'un œil sévère, le visage outré.

— Que faisiez-vous dans cette direction? glapit le gros garçon.

— Nous étions à la chasse, monseigneur, tout comme vous, répond Clovis d'une voix qu'il se reconnaît agréablement calme.

Le duc de Vendôme reste interloqué par tant d'outrecuidance.

— Non, pas comme moi, car vous avez désobéi, finit-il par dire sur un ton saccadé.

— Nous avons obéi à la loi du bon sens, monseigneur. Nous avons chassé le gibier vers le nord, où il se trouvait. Votre Seigneurie avait aussi trouvé commode d'y être pour les même raisons.

À ce point, le jeune César suffoque de rage devant l'audace de Clovis et de ses amis. Son visage, gonflé par la colère et l'outrage a viré au pourpre, pendant que les serviteurs, bien avisés, restent à une distance respectueuse de leur jeune maître. Ils connaissent les explosions de son tempérament et n'ont guère le goût d'être éclaboussés, le moment venu.

Sans que personne ne s'y attende, Chégumakun dirige sa monture entre celles des deux jeunes princes jusqu'à ce qu'il soit face à face avec eux. Le geste inattendu du Souriquois a un effet surprenant sur le duc de Vendôme, dont le visage passe aussitôt du rouge écarlate au blanc neige. La colère est remplacée par la peur. Que vient donc faire ce Sauvage près de son auguste personne? Clovis regarde la scène avec une certaine inquiétude. Il ne croit pas le jeune prince capable d'évaluer la situation à sa juste valeur. D'autre part, Chégumakun ne comprend pas les règles qui régissent les agissements des personnages de la cour. Il lève la main droite et montre César du doigt. Celui-ci, dans un geste inconscient, agite légèrement la houssine qu'il tient dans la main droite. Les souffles sont suspendus, un cheval piaffe, un autre hennit, comme une musique d'accompagnement au drame qui se prépare.

— Tu as insulté le Mundoo[8]. Dans mon pays, nous te mettrions à mort pour ce crime, prononce enfin Chégumakun, en regardant César de Vendôme droit dans les yeux.

Pendant un moment, il semble que la vie s'est arrêtée. Puis, à nouveau, le visage du jeune prince change de couleur et passe du blanc au pourpre. Sa main qui tient la baguette de houx s'agite violemment et, comme s'il ne peut contrôler son geste, le duc de Vendôme rejette le bras en arrière et le ramenant rapidement vers l'avant, il abat violemment le houssin sur le visage de Chégumakun.

Celui-ci, une balafre rouge en travers de la joue droite, a tôt fait de saisir Vendôme à la gorge. Avec l'autre main, il prend une flèche dans son carquois. En même temps, Clovis bondit avec sa monture entre les deux combattants que son geste brusque sépare aussitôt et envoie rouler par terre de chaque côté de lui. Il saute vivement en bas de son cheval, et avant même qu'il ait eu le temps de se relever, il attrape Vendôme par le justaucorps et emporté par une force qu'il ne se connaissait pas, il soulève d'un coup la masse déjà impressionnante du gros garçon et tire vers lui son visage aux traits tordus par la frayeur. Ils sont nez à nez, lorsque Pons fait entendre un gro-

8 . Mundoo: «Grand-Esprit», en souriquois. Plus tard, le père Biard le traduira par «Satan».

gnement de colère, en levant le poing au-dessus du visage de César. Toute action est aussitôt figée sur place, lorsqu'un coup de mousquet, tiré tout près, suspend le drame. Clovis, étonné, arrête son geste et lève la tête dans la direction du bruit. Sur une cavale blanche, entouré d'une douzaine de gentilshommes, se tient le roi, l'arme encore fumante.

— Relâchez le duc de Vendôme, Clovis, commande Henri sur un ton qui ne souffre pas de réplique.

Lentement, celui-ci desserre l'étau de sa poigne, pendant que César Monsieur, humilié et chancelant sur ses jambes, parvient à se remettre debout.

— Que s'est-il passé, Clovis, pour vous mettre en pareil état? demande le roi d'une voix maintenant radoucie.

— Ce Sauvage m'a menacé de mort, sire, répond, en criant presque, le jeune Vendôme.

— Rentrez tous au palais, commande enfin Henri, quand il voit que les esprits sont encore trop échauffés pour lui raconter calmement les faits.

Peu à peu, l'autorité du roi de France agit. Accompagnés de toute la cour, les garçons retournent en silence vers Saint-Germain-en-Laye.

Quelques mois seulement après cet incident, le roi invite à un dîner plusieurs gentilshommes intéressés par les voyages au Nouveau Monde. Ce sont Pierre du Gua de Monts, Jean de Poutrincourt, François du Pont-Gravé, Samuel de Champlain[9], le jésuite Pierre Coton, devenu depuis peu confesseur du roi, ainsi que la marquise de Guercheville et le

---

9.   Champlain: Samuel de Champlain, né à Brouage en Saintonge, vint pour la première fois au Canada en 1603.

duc de Liancourt. Sa Majesté a aussi convié Clovis de Pons, Charles de Biencourt, Robert du Pont-Gravé et le Souriquois Chégumakun. L'absence du duc de Vendôme est fort remarquée. Le repas est bruyant et animé, comme Henri les aime. Malgré la présence d'Antoinette, les propos prennent une tournure leste et souvent vulgaire comme il s'en tient entre soldats. Habilement, Mme de Guercheville fait dévier la conversation, lorsqu'elle prie Champlain et Pont-Gravé de raconter leur voyage au Canada, l'été précédent. La narration des deux navigateurs, rentrés à l'automne d'un séjour à Tadoussac, le long du fleuve Saint-Laurent, excite l'imagination des convives, surtout celle des garçons que l'aventure des deux hommes fascine au plus haut point.

Vers la fin du repas, Henri IV profite de sa présence devant un auditoire aussi intéressé par ces questions, pour faire un discours d'une grande noblesse. Dans un premier temps, il révèle son dessein d'implanter la France au Nouveau Monde, par l'établissement de postes permanents. Puis, lorsque les applaudissements qui ont accueilli cette déclaration se sont calmés, il poursuit ses propos en révélant qu'il accorde un droit de traite exclusif à son vieil ami, Pierre du Gua de Monts. Celui-ci dirigera une expédition en Acadie, prévue pour le printemps suivant, et dans laquelle l'accompagneront Jean de Poutrincourt et François du Pont-Gravé. L'auditoire est enflammé par la grandeur et l'amplitude des desseins du roi. Pour ce qui est de Clovis, il ne se tient plus d'enthousiasme en entendant de tels propos. Il est prêt à sauter sur sa chaise et à crier son approbation, lorsque Sa Majesté, dans une belle envolée oratoire, termine son discours par une péroraison enflammée.

— Vous irez conquérir un continent, dit-il à ses auditeurs qui boivent ses moindres paroles, et bâtir un empire si fort qu'il tiendra contre toutes forces ennemies pendant les générations à venir. Vous irez, selon que je vous le dis, vous parlerez aux peuples de ces pays, vous leur donnerez votre amitié et vous recevrez la leur. Vous leur apporterez la paix et non la discorde, la richesse et non la pauvreté, le pardon et non la vengeance, le bien plutôt que le mal, la France plutôt que l'Espagne. Allez maintenant et dites à ces nations que vous venez en mon nom et que mes intentions sont les meilleures qui soient. Puis revenez me dire ce que vous avez vu, ce que vous avez fait, afin que je soutienne vos efforts comme il convient.

L'auditoire, touché par le feu et l'enthousiasme du roi, se lève d'un seul mouvement et éclate en applaudissements nourris.

— Vive le roi! crient les uns. Vive la Nouvelle-France! crient les autres.

Pendant que les personnes présentes continuent à manifester leur admiration pour les propos de Sa Majesté, Clovis entraîne sa mère à l'écart, loin du tumulte de la foule.

— Madame, vous ne pouvez rester insensible à un appel aussi vibrant en faveur de la Nouvelle-France.

— Je suis plus touchée que vous ne le croyez, mon fils, répond la marquise. Vous le savez bien, je rêve de convertir les populations sauvages à la religion catholique. Il n'y a pas de plus bel idéal.

— Sans doute, ma mère, mais encore faut-il, pour accompagner les missionnaires, des soldats qui sauront protéger et supporter le rôle évangélique de ces courageux hommes. Permettez que je sois un de ceux-là.

— Mon enfant, je vous le répète pour la centième fois, pour la millième fois, j'en mourrai d'inquiétude de vous savoir si loin, dans un pays sauvage, entouré de mille dangers. Vous savez fort pertinemment que votre vie est en péril, à chaque jour qui passe. C'est inutile de m'en reparler, je n'y consentirai jamais.

— Le roi lui-même vous l'a dit, madame, le danger n'est pas plus grand là-bas...

— Sa Majesté n'a pas eu à traverser les épreuves que j'ai vécues, interrompt la marquise, qui commence à s'énerver. Rappelez-vous qu'à deux reprises, quelqu'un a tenté de vous tuer, mon enfant. Je n'ai pas oublié ces cruelles épreuves.

— Mais, madame, les parents de Charles, qui a mon âge, ont déjà accepté qu'il parte pour l'Acadie, lorsqu'il aura quinze ans. C'est la même chose pour Robert. Pourquoi ne pourrais-je partir en même temps qu'eux? Je vous le répète, madame, c'est là mon désir le plus cher. Après le discours si noble et si éloquent de Sa Majesté, comment pouvez-vous me refuser de répondre à l'appel de mon roi? Je vous promets...

— Mon fils, interrompt Mme de Guercheville avec une certaine brusquerie, pour ce qui est de Charles et Robert, leurs pères seront avec eux, en Acadie. Ce n'est pas la même chose. Quant au discours du roi, j'en ferai ma pâture, je vous le promets. J'enverrai des missionnaires convertir les Sauvages. Il est écrit nulle part qu'il leur faudra être protégés par vous.

— Mais, madame...

— Il n'y a pas de «mais, madame», qui tienne, Clovis, tranche la marquise sur un ton légèrement hystérique. Vous avez entendu le mot final sur ce sujet. Une fois pour toutes, je vous le répète, n'abordez plus cette question devant moi. Ma réponse sera toujours la même.

Clovis ne dit plus un mot, mais il fixe sa mère dans les yeux, avec un regard qui a cessé d'être suppliant. Antoinette de Guercheville, voyant qu'elle perd sa contenance, tourne les talons et prend le bras de son mari qui, debout derrière elle, a suivi le dialogue.

— Rentrons, mon ami, dit-elle au duc de Liancourt.

— Mais Sa Majesté ne s'est pas encore retirée...

— Sa Majesté comprendra, ajoute-t-elle avec brusquerie.

Aussitôt, le couple s'esquive discrètement par une sortie de service, pendant que Charles, Robert et Chégumakun, qui ont compris que leur ami vient de subir un autre échec dans son désir de partir avec eux en Acadie, s'approchent aussitôt de lui.

— Je ne sais plus quel motif invoquer pour la convaincre, leur dit Clovis avec du dépit dans la voix. J'aurais cru que ce discours du roi aurait emporté ses dernières réticences.

— Pourquoi ne demandes-tu pas au roi lui-même d'intervenir? lui suggère Pont-Gravé. Sa Majesté serait fort heureuse de compter un aussi brave soldat que toi en Nouvelle-France.

— Le roi a refusé de se mêler de cette question. Je l'en ai déjà prié par l'intercession du duc de Liancourt, répond Clovis.

— De toute façon, mon ami, commente Biencourt, je ne pourrai pas partir avant 1606, année de mon quinzième anniversaire. J'ai encore trois ans à attendre. Tu sais, tant de choses peuvent survenir d'ici là.

— Je retournerai en Acadie le printemps prochain, avec l'expédition de Monsieur de Poutrincourt, ajoute Chégumakun. De là-bas, je ferai parvenir des messages à ta mère, en la suppliant de te laisser partir. Je saurai la convaincre.

— Je te remercie, mon ami, puisses-tu avoir raison.

Le 15 mars 1606, Clovis célèbre son quinzième anniversaire de naissance, en compagnie de ses parents. Sont également présents ses amis Charles et Robert qui se préparent à partir pour l'Acadie avec leurs pères, au début du mois de mai. L'atmosphère du repas, bien que gaie, a des petits relents de tristesse, car la marquise de Guercheville n'a pas changé d'avis et refuse toujours sa permission de laisser partir Clovis avec l'expédition de Poutrincourt. Sans que personne ne s'y attende, le roi fait irruption au milieu de la fête, en compagnie du dauphin Louis, qui a cinq ans. Malgré leur différence d'âge, Clovis et l'enfant sont des amis. Louis se promène souvent à cheval avec lui.

— Madame, dit le roi avec la voix excitée de celui qui vient de prendre une décision dont l'exécution ne souffre aucun retard, je pars de ce pas pour Sedan ou je ferai baisser la tête à cet orgueilleux Bouillon[10]. J'ai promis à Clovis que je l'emmènerais lors de ma prochaine campagne. Allez vous préparer, soldat du roi. Nous partons dans une heure.

Clovis est ravi et la marquise aussi. Elle trouve que l'idée du roi est une heureuse diversion, et que la campagne de Sedan lui chassera ses idées de partir pour le Nouveau Monde. Vers trois heures de

---

10 . Bouillon: Henri de La Tour d'Auvergne, vicomte de Turenne, duc de Bouillon, prince de Sedan et maréchal de France, un des chefs du parti protestant et partisan dévoué d'Henri IV.

l'après-midi, le jeune homme et son écuyer, Emmanuel, font leurs adieux à leurs amis et se mettent en route avec l'armée composée de seize mille soldats, ce qui est beaucoup pour conquérir une place qui ne dispose pas du quart de ces effectifs pour se défendre.

Les résultats de cette campagne étaient donc à prévoir. L'armée n'était plus qu'à deux lieues de la forteresse de Sedan, lorsque le gros duc de Bouillon avait envoyé au roi une ambassade, avec mission de négocier une reddition. Henri n'avait jamais obtenu satisfaction si rapidement et à si peu de frais. Si l'on ne compte, évidemment, le coût du déplacement d'une pareille armée sur une aussi longue distance. Sa Majesté ne trouvait pas le prix trop élevé, étant donné qu'il n'y avait pas eu de sang versé. Quant à Clovis, qui aurait préféré qu'il y ait un combat, il avait trouvé la randonnée pour le moins monotone. Pendant le mois que l'armée avait mis pour accomplir son misérable fait d'armes, puis se remettre en route vers Paris, il n'a rien de mieux à faire que de cavaler avec Emmanuel qui, depuis l'incident de Coarraze, accompagne Clovis dans tous ses déplacements.

— J'aurais préféré même un engagement que j'aurais perdu, pourvu qu'il y ait eu de l'action, lui dit Clovis au moment où l'armée du roi approche des faubourgs de Paris.

— Vous avez raison, monsieur, lui dit un cavalier qui, marchant à la gauche du jeune homme, a entendu ses propos, moi aussi, j'aurais préféré me battre.

Clovis se retourne vers celui qui lui a adressé la parole. C'est un officier d'une vingtaine d'années, au visage avenant et sympathique.

— Je vous entends bien, monsieur, répond Clovis avec bonne humeur, mais que ne nous proposez-vous quelque entreprise où nous aurons à tirer notre épée de son fourreau où elle risque de se rouiller.

— Il n'en tiendrait qu'à vous pour que cette campagne prenne soudainement un tour beaucoup plus brillant, répond l'officier.

— Et comment cela, je vous prie, monsieur?

— J'ai besoin d'un hardi compagnon comme vous, reprend encore l'officier, pour mettre à exécution un petit plan qui m'est venu en vous entendant plus tôt.

— Une action où mon mousquet parlera plus fort que les mots? demande Clovis.

— Ah! monsieur, croyez-moi, je connais justement le lieu où toute votre ardeur au combat sera mise à l'épreuve, continue l'officier avec un sourire dans les yeux.

— Quel est ce lieu si extraordinaire?

— C'est à moins d'une heure d'ici, ajoute l'autre, à l'abbaye de Royaumont. Je connais l'abbesse qui a déjà rendu de fiers services à l'armée de Sa Majesté.

— Voilà bien la plus heureuse idée de toute cette campagne, répond Clovis avec un grand rire. Mais comment allons-nous pouvoir quitter notre régiment sans nous faire remarquer?

— J'ai déjà pensé à cette question, reprend l'officier en baissant la voix. Je connais un endroit, à moins d'une lieue d'ici, où nous devrons défiler un à un entre des rochers. À un tournant, chaque soldat est seul pendant quelques secondes et peut s'esquiver rapidement par une ouverture étroite, dans la montagne, dissimulée par des arbres. Une fois le régiment reformé dans la forêt, il faudra du temps, avant que quelqu'un remarque notre absence. Nous aurons eu le temps d'aller tirer un coup de mousquet

ou deux chez les nonnes de Royaumont. Que dites-
vous de mon plan, compagnon?

— Je dis qu'il relève de la plus haute stratégie
militaire. En tant qu'officier du roi, soucieux de son
devoir, je ne puis m'y dérober, ajoute Clovis avec le
plus grand sérieux.

Emmanuel n'a pas perdu un seul mot échangé
entre les deux officiers.

— Clovis, il me semble que si nous attendons
d'être arrivés à Paris, nous pourrions faire la même
chose, sans déserter notre poste.

— Peut-être, mais nous n'aurions pas le même
plaisir, reprend Clovis avec conviction. À
Royaumont, nous transformerons cette morne
campagne en victoire éclatante.

Emmanuel n'est pas convaincu par cet argument.
Cependant il sait, par expérience, qu'il est inutile de
s'opposer aux désirs de son maître et ne dit plus un
mot. Pendant que ses compagnons continuent à
deviser à voix basse, il s'enferme dans ses pensées.
Depuis les événements de Coarraze, il n'y a pas eu la
moindre alarme contre la sécurité de Clovis. Mme de
Guercheville, cependant, ne veut pas que la surveillance se relâche. Après sept années pendant lesquelles rien n'est venu menacer la vie de son jeune
maître, Emmanuel pense bien que celui qui en veut à
Clovis, ou bien est mort, ou bien que le jeune
homme ne représente plus pour lui un danger.
Pourtant, cette perception n'a en rien diminué sa
vigilance et il décide de garder l'œil ouvert.

Les deux jeunes officiers bavardent à voix si
basse qu'Emmanuel n'arrive plus à saisir leurs propos. Ils vont à bonne allure pendant près d'une
heure encore, alors que le mouvement des troupes
se met à ralentir peu à peu. Les soldats sont arrivés

dans une étroite vallée, à l'endroit que le jeune officier a indiqué comme le lieu propice pour s'échapper.

— Sois prêt, Emmanuel, lui glisse Clovis à l'oreille. C'est le moment.

Les montures marchent maintenant l'une derrière l'autre, tant le passage entre les rochers est étroit. Emmanuel voit le jeune officier se retourner vers eux et leur sourire, avant de disparaître au tournant d'une énorme pierre toute en hauteur. Puis, après un moment, Clovis disparaît de la même façon. Aussitôt, Emmanuel dirige sa monture avec hâte et franchit le passage. À sa droite, se dressent des arbres d'où une voix appelle son nom. Il se souvient à l'instant que la fameuse sortie est dissimulée derrière les feuillages. Il pénètre rapidement sous les taillis où il retrouve Clovis et leur nouvel ami.

Les trois hommes se faufilent discrètement jusqu'au lieu où les rochers se séparent à nouveau. Au-delà de cette passe, ils débouchent dans une plaine et se dirigent aussitôt vers l'ouest, pendant que l'armée poursuit sa route vers Paris. Après une demi-heure de cette course, les cavaliers aperçoivent l'abbaye de Royaumont, dont les clochers se dessinent devant eux, dans la plaine, à moins d'une lieue.

— Ne perdons pas de temps, encourage Clovis. Il nous faut faire vite.

— Il faut quand même prendre le temps de bien s'amuser, répond le jeune officier en riant.

Quinze minutes plus tard, ils frappent à la porte des moniales ou la sœur tourière les prie d'attendre pendant qu'elle fait chercher la supérieure. Comme si elle avait attendu leur arrivée, la porte s'ouvre au bout de quelques secondes seulement et la mère abbesse paraît.

— J'avais fini par penser que vous ne viendriez
plus, dit-elle au jeune officier.

Les deux autres cavaliers se regardent aussitôt
avec surprise.

— Comment, vous étiez attendu, monsieur? demande Clovis.

— Je suis toujours attendu en ces lieux, répond
leur ami en riant, tant est grande l'hospitalité de ces
charmantes nonnes.

Emmanuel regarde plus attentivement le jeune
homme qui les a conduit jusqu'ici.

— J'espère, ma mère, que vous n'allez pas me
faire mentir et que vous prouverez à mes amis que je
n'ai pas vanté en vain les mérites de vos filles.

L'abbesse s'incline et fait signe aux trois hommes
de la suivre. Ils pénètrent d'abord dans un long corridor qu'ils suivent pendant un bon moment. Ils traversent ensuite une cour carrée, entourée d'arcades
et sont conduits dans une grande pièce, au milieu
de laquelle sont disposés une dizaine de fauteuils.
Tout autour s'ouvrent quatre alcôves, dont les rideaux sont ouverts. Dans chacune, on peut voir un
lit dont les draps ouverts, présentent un aspect ac-
cueillant.

— Monseigneur, dit la religieuse en s'inclinant encore devant le jeune officier, veuillez attendre
ici.

Sur ces paroles, l'abbesse sort et les visiteurs
restent seuls. Dans le silence qui suit, Emmanuel retrouve le même sentiment de méfiance qu'il a éprouvé
plus tôt, à leur arrivée au couvent. Mais ses sombres
pensées sont interrompues au bout de quelques minutes par le retour de la mère abbesse, accompagnée
de trois jeunes nonnes qui ne doivent pas avoir plus
de quinze ou seize ans.

— Ah! ma mère, dit l'officier en apercevant les ravissantes moniales, je vois que Dieu est toujours aussi exigeant dans le choix de ses filles. Je ne puis que me réjouir de la constance de Notre-Seigneur.

Sans répondre, l'abbesse s'incline encore une fois, sort et referme la porte derrière elle. Aussitôt, chaque religieuse se dirige vers un des hommes, sans qu'aucune discussion au préalable ait établi les préférences de chacun. À nouveau, Emmanuel regarde Clovis qui, ravi de ce qui lui arrive, sourit à son écuyer.

— Mon ami, lui dit-il, en riant, il ne faut jamais refuser les grâces que Dieu nous envoie. Abandonne-toi à sa bonté et reçois avec reconnaissance les dons qu'il te fait.

Pendant qu'une nonne entraîne Emmanuel avec elle vers une des alcôves les deux autres font de même avec leurs compagnons.

— Au revoir au ciel, lui dit Clovis en riant encore, pendant que la jeune religieuse tire les rideaux.

Emmanuel éprouve un sentiment confus. Il veut se laisser aller aux joies qui l'attendent, mais il en est empêché par une culpabilité envahissante. N'a-t-il pas négligé son devoir envers son maître? Les caresses habiles de la nonnette lui enlèvent ses derniers scrupules et il glisse, sans autre arrière pensée sur la pente du plaisir. Des alcôves voisines, lui parviennent les soupirs d'extase de ses deux compagnons et de leurs compagnes.

À partir de ce moment-là, Emmanuel se donne tout entier à la jouissance et oublie le temps qui passe si rapidement. Absorbé par les délices que lui procurent les talents nombreux et variés de sa compagne, il ne s'aperçoit pas qu'une main a tiré violemment les rideaux de son alcôve.

Avant qu'il ait pu seulement réagir, quatre hommes se sont saisis de sa personne, l'ont bâillonné et lui ont lié solidement les mains et les pieds. Quand ils le tirent hors du lit, il a le temps de voir que Clovis est dans le même état que lui. On place un bandeau sur ses yeux et il sent qu'on l'enroule dans une lourde couverture, qu'on le transporte hors du couvent et qu'on le place dans une voiture.

Peu après, l'équipage se met en route. L'écuyer de Clovis est au bord du désespoir. Les pires craintes de la marquise de Guercheville se sont réalisées. En plus des souffrances morales qui l'assaillent, il est brisé physiquement, au bout de quelques heures, par le roulement du carrosse. Sans ménagement pour ses passagers, le cocher file à vive allure sur une route cahoteuse et remplie d'ornières. Emmanuel tente, pendant longtemps, de tenir le coup contre une pareille torture. En fin de compte, sans savoir qui les a enlevés, ni où on les emmène, le jeune écuyer perd connaissance, écrasé sous le poids effroyable du sort.

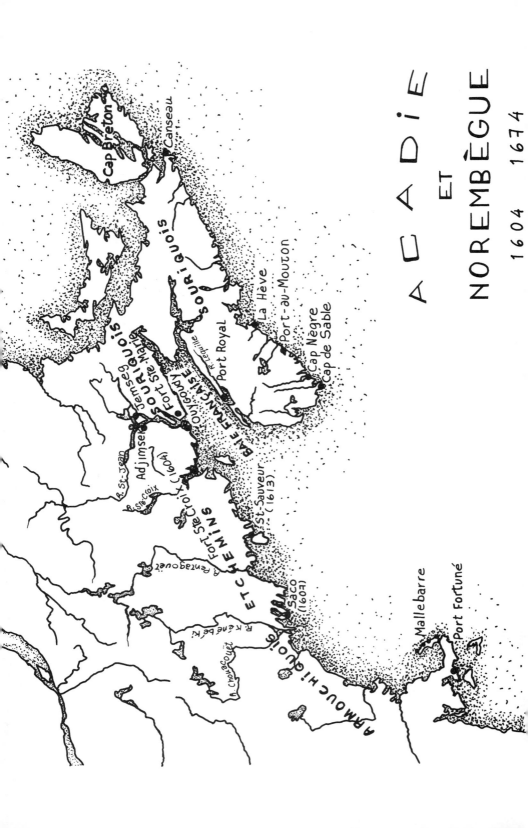

ACADiE
ET
NOREMBÊGUE

1604 1674

Cap Breton

Canseau

SOURIQUOIS

La Hève

Port-au-Mouton

Cap Nègre
Cap de Sable

Port Royal

R. Lequille

BAIE FRANÇAISE

Fort Ste-Marie

SOURIQUOIS

Jemseguois

Adjimseg

R. St-Jean

Ste-Croix

Fort Ste-Croix (1604)

OUIGOUDY

ETCHEMINS

St-Sauveur
(1613)

R. Pentagouet

R. René bé K.

Saco
(1607)

R. Chouacouet

ARMOUCHIQUOIS

Mallebarre

Port Fortuné

6

*F*ait à Port-Royal, en Acadie, ce vingt-
neuvième jour du mois de juillet, de l'an de grâce
1606.

À Madame la marquise de Guercheville, au
château de Saint-Germain-en-Laye.

Madame, je vous demande pardon de la peine
qu'a dû vous causer la nouvelle de mon enlève-
ment, ce printemps, au retour de la campagne de
Sedan. Vous le savez peut-être déjà, j'avais
simulé ma disparition et organisé mon départ
clandestin pour l'Acadie, le 13 mai dernier.

Seul à l'écart, sur le pont du Jonas, j'ai regardé
s'éloigner les tours du port de La Rochelle. Je ne
savais pas quand je les reverrais, mais je n'étais
pas triste; je pensais seulement. Je ne sentais
plus, dans mon dos, la présence constante et
occulte de l'ennemi et je n'avais plus peur. À cette
prise de conscience, une immense joie m'inonda et
je remplis avidement mes poumons d'air, tant que
je pus. Puis, dans le vent qui soufflait vers la
France, je criai de toutes mes forces, pendant que

des larmes me montaient aux yeux: «Libre! Je suis libre!». Mes sanglots se changèrent en rires, lorsque seul le cri plaintif et aigu des mouettes répondit à mon allégresse.

Puis, un jour que le Jonas était ballotté fortement par la tempête et que nous étions presque tous accrochés au bastingage, la tête vers la mer à nous vomir le cœur et les entrailles, je crus que j'allais mourir. Après deux terribles journées de ce traitement, la mer se calma et je revins lentement à la vie. Cette épreuve m'avait tant secoué que je fus assailli par des doutes et des angoisses. Qu'allais-je trouver, à mon arrivée en Acadie? Un pays ami, ou un pays hostile? Pourquoi avais-je abandonné une famille qui m'aime, pour aller vers l'inconnu, dans un pays où tout m'est étranger? Ces questions me préoccupèrent tout le reste du voyage, jusqu'au jour où nous abordâmes la terre nouvelle. Ce jour-là, je sus que j'avais choisi la bonne part.

Nous fîmes notre première escale au Nouveau Monde, dans un port qui s'appelle La Hève[1], pour nous ravitailler en eau fraîche et en viande dont nous manquions, après deux mois de voyage en mer. Je fus désigné, avec Robert et Charles, pour aller à terre, chasser le gibier. Lorsque notre barque approcha de la rive, quelques Sauvages sortirent des bois et vinrent à notre rencontre. Celui qui était au devant des autres entra dans l'eau jusqu'à mi-jambe. Je le regardais venir vers nous, lorsque je reconnus mon ami Chégumakun. Ne pouvant contenir mon excitation, j'enjambai le

---

1 .   La Hève: Ainsi nommé par Champlain en mai 1604. Aujourd'hui, La Have, en Nouvelle Écosse.

rebord de la pinasse et me jetai dans la mer en criant et en riant, pour aller à sa rencontre. En approchant, je vis qu'il avait bien profité depuis Saint-Germain. J'admirai sa poitrine et ses bras musclés, sa peau brunie par le soleil et son sourire éclatant. Comme les autres Souriquois, il était presque nu. Il ne portait qu'un petit vêtement en peau de daim autour des reins et son front était ceint d'une bande de cuir où étaient plantées deux plumes d'aigle.

Chégumakun était accompagné de six autres Souriquois, dont le Sagamo Messamouët[2]; ils étaient armés d'arcs et de flèches. Pendant trois jours, nous chassâmes avec eux tout en marchant vers le sud en direction d'un point appelé Cap-de-Sable[3], où nous attendait le Jonas. Au terme de notre expédition, nos garde-manger furent remplis à pleine capacité. Chégumakun monta à bord et nous accompagna pour la dernière étape de notre périple.

Le vingt-septième jour de juillet, le Jonas parut enfin devant Port-Royal. De l'habitation, on tira du canon pour saluer notre arrivée. Nous fîmes accueillis par le prince des Souriquois, Monsieur de Membertou[4], un grand seigneur, à la barbe et aux

---

2. Messamouët: Chef de la Sagamie de La Hève.
3. Cap-de-Sable: Un des premiers établissements d'Acadie sur la pointe sud-ouest de la Nouvelle-Écosse.
4. Membertou: Sagamo des Souriquois. Son aspect physique rappelait beaucoup celui d'un Européen. Il avait un système pileux abondant. Né probablement vers 1510, il avait rencontré Jacques Cartier, lors de sa venue à Gaspé en 1534. Il était peut-être le fils d'une Souriquoise et d'un Européen, qui fréquentaient déjà ces côtes au début du XVIe siècle.

cheveux gris. C'est une chose bien extraordinaire, pour un Sauvage d'avoir une barbe car, depuis notre arrivée, je n'en vis point d'autre que lui ainsi orné. Il habite un village formé d'une quarantaine de ouaguams[5], situé à quelques centaines de pas seulement de Port-Royal et qui porte le nom d'Akkada[6]. Le Sagamo nous reçut avec la plus grande cordialité, manifestant des signes d'amitié à tous les Normands, ainsi que les Souriquois appellent les Français.

Le château de Port-Royal est dressé à quelques centaines de pieds de la rive, sur un petit promontoire élevé d'une dizaine de pieds au-dessus de la mer. Il a été construit d'après un plan dressé par Champlain qui a prévu, à la façon des fermes normandes, un ensemble de bâtiments à un ou deux étages, disposés autour d'une cour centrale, avec au milieu, un puits pour l'eau potable.

À part Membertou, il n'y avait que deux Français à Port-Royal, Jean Duval[7] et Marc Lescarbot[8]. Les autres, dont Samuel de Champlain, étaient à l'intérieur du pays, travaillant à la construction d'un moulin. Le lendemain, ils étaient tous de retour, après qu'on les eut avertis de notre arrivée;

---

5.   Ouagam: Habitation des Souriquois, en forme de cône, faite d'écorce de bouleau.

6.   Akkada: Mot souriquois qui veut dire «abondance de toutes choses». Peut-être est-ce là l'origine du nom Acadie.

7.   Jean Duval: Toujours un fauteur de troubles; il sera pendu à Québec, en juillet 1608, après avoir fomenté un complot contre Champlain.

8.   Marc Lescarbot: Avocat, voyageur et écrivain, il avait comme client Jean de Poutrincourt qui l'invita à se joindre à l'expédition de 1606.

sauf François du Pont-Gravé, le père de Robert
qui, lassé d'attendre notre venue, était parti vers
la mer à notre rencontre, Ayant croisé notre route
sans nous voir, il fut averti de notre passage par
Messamouët et revint à Port-Royal le lendemain.

Depuis que j'ai quitté la France, il m'arrive sou-
vent, madame, de penser au petit dauphin Louis.
Le bon peuple croit sans doute que son roi est le
plus libre qui soit, puisque, tout puissant, il peut
en faire à sa guise. Si cela était, je serais plus roi
que Louis en ce pays d'Acadie, où il y a si peu de
contraintes et si peu de règles.

Tout ce que je découvre en ce pays, depuis que
j'y suis arrivé, est encore plus beau, plus grand
que je ne l'avais imaginé. C'est la forêt de Saint-
Germain, que dis-je, ce sont toutes les forêts de
l'Europe mises ensemble, et qui s'étendent à perte
de vue et à l'infini, car si on sait où commence ce
continent, on ne sait pas encore où il finit.

Contrairement à Paris, qui dégage sans répit
des relents de pourriture et d'excréments, l'Acadie
vous jette à la tête les parfums résineux de ses
forêts, les exhalaisons capiteuses de ses sous-bois
qui se mélangent divinement à la fraîcheur de ses
alizés et aux douces émanations de ses lacs et de
ses cours d'eau. Vous ne pouvez vous empêcher
de succomber à l'enivrement de ces effluves,
d'ouvrir toutes grandes la bouche et les narines,
de boire et de humer à la fois et de respirer, avec
votre peau même, l'éther qui vous enveloppe de
toutes parts.

Ne gardez pas rancune à Charles de Biencourt
et Robert du Pont-Gravé de m'avoir aidé dans
mon entreprise. Ils l'ont fait par amitié pour moi
et parce que je les en avais priés. J'espère

qu'Emmanuel, que je n'avais pas mis dans le secret, parce qu'il est votre lige, m'a aussi pardonné d'avoir été berné. Dites lui comme je garde un souvenir reconnaissant des soins qu'il a mis à assurer ma protection.

Le gouverneur prépare une expédition vers le sud, le long des côtes de l'Amérique, afin de trouver un lieu au climat plus propice à un établissement permanent. M. de Poutrincourt m'a promis que je ferais partie de cette excursion, qui est à la demande de M. de Monts.

Le mois prochain, le Jonas retournera en France, ramenant des colons qui ont déjà passé plusieurs hivers dans ce pays. François du Pont-Gravé vous apportera la lettre de votre fils qui vous aime tant.

Clovis de Pons

Par un matin gris de la mi-septembre, le Sagamo Onéméchin, chef des Armouchiquois[9], debout, sur la proue de la petite barque, ancrée à l'embouchure de la rivière Pentagouët[10], parle avec animation. Son auditoire, assis en face de lui dans l'embarcation, est composé du gouverneur Poutrincourt, des Sagamos Messamouët et Chkoudun[11], de Champlain, Clovis, Charles, Robert, Jean Duval et de neuf autres Français. Ils sont entourés d'une quinzaine de canots portant chacun six guerriers de la tribu d'Onéméchin.

9 . Armouchiquois: Peuplade amérindienne de la confédération abénaquise, habitant à l'est de la rivière Kénébéki.
10 . Pentagouët: Rivière du Maine, appelée aujourd'hui Penobscot.
11 . Chkoudun: Chef de la Sagamie de la rivière Saint-Jean.

Les hommes ont le visage peint et portent carquois et flèches qu'ils ont déposé en bon ordre au fond de leur embarcation.

La voix gutturale du Sagamo paraît belliqueuse à Poutrincourt. Pourtant, ses paroles, que traduit Charles à son père, suggèrent le contraire.

— Je te remets cet homme en signe de paix et d'amitié, dit-il à Messamouët en terminant sa harangue. Je l'avais fait prisonnier dans ton pays.

Onéméchin fait avancer jusqu'à lui un jeune guerrier souriquois d'une vingtaine d'années, dont les mains et les avant-bras sont posés l'un sur l'autre, derrière lui, et ficelés soigneusement autour d'un bâton. Il est complètement nu; son dos et ses fesses sont marqués de lacérations profondes, qui commencent à peine à se cicatriser. Malgré l'évidence de la torture, le jeune homme porte la tête haute et affiche un sourire méprisant pour ses bourreaux.

— Quel courage, chuchote Clovis à Robert. Que j'aime cet homme.

— Mais il ne sait pas tirer du mousquet, réplique son ami.

Messamouët tire le prisonnier vers lui, pendant que Chkoudun, avec son couteau, tranche ses liens et lui libère les mains. En même temps, Poutrincourt se lève gauchement dans la barque et manque de tomber à la renverse. Sa rondeur et son poids rendent ses gestes malhabiles. Il se penche avec difficulté, prend dans ses bagages un pourpoint et tente de couvrir le corps nu du jeune homme. Celui-ci regarde son bienfaiteur avec étonnement et incompréhension.

Onéméchin, surpris également par le geste du gouverneur, s'empare du pourpoint de velours vert émeraude, avec parements de dentelle, qu'il admire visiblement, et le revêt aussitôt. Champlain, qui a suivi la scène avec intérêt, offre les autres pièces du même costume au Sagamo. Celui-ci, avec l'aide des Français, les revêt toutes pour se regarder ensuite dans une glace que lui présente Poutrincourt. À cette vue, Onémechin éclate d'un grand rire. Ses guerriers sont pliés en deux par l'hilarité et peu après, Messamouët, Chkoudun et les Français en font autant.

— Onémechin, dit Messamouët à son compère, une fois le calme revenu, voici des offrandes pour toi et ton peuple.

En même temps, il remet au chef armouchiquois des seaux de toutes dimensions, des haches, des couteaux, des robes, des capots, des camisoles rouges, des pois, des fèves et des biscuits. Messamouët choisit ce moment pour se lancer dans une harangue qui dure une heure.

— Par le passé, Sagamo Onémechin, nous avons été des amis, conclut-il enfin. Nous pourrions facilement dompter nos ennemis, si nous voulions nous entendre et nous servir de l'amitié des Français, ici présents, qui sont là pour reconnaître notre pays et nous apporter toutes sortes de commodités nouvelles et nous secourir en cas de besoin.

Pour donner plus de force à ses paroles et encourager Onémechin à participer avec lui à une alliance contre leurs ennemis, Messamouët, dans un élan de générosité, jette dans le canot du Sagamo de Pentagouët toutes les marchandises qui lui restent et qui valent plus de trois cents écus. Or, celui-ci, en réponse, n'offre que du blé d'Inde, des citrouilles et des fèves du Brésil.

Puis, sans qu'aucune autre parole ne soit échangée, les canots des Armouchiquois s'écartent et l'embarcation des Français, toutes voiles dehors, reprend la haute mer et se dirige vers le sud.

La semaine suivante, l'expédition fait escale dans une petite baie que Champlain surnomme le Beau-Port. À peine ont-ils jeté l'ancre que s'amène à nouveau le fameux Onéméchin. Il suit les Français dans leurs déplacements, en empruntant la route des bois qu'il semble parcourir plus rapidement qu'une barque, par voie de mer.

— Cet homme est un fourbe et ne nous veut que du mal, dit Messamouët à Clovis, lorsque reparaît le chef armouchiquois.

— Comment peux-tu dire une chose pareille? lui demande le jeune homme. Pour ma part, je n'ai vu que désir de nous secourir en cas de besoin.

— Tu ne connais pas cette race de vipères, surenchérit Chkoudun qui a suivi la conversation. Crois-moi, il faut se méfier de lui.

— Tu as vu les misérables cadeaux qu'il m'a faits, après que je lui ai manifesté ma générosité, reprend Messamouët. Il se devait de m'offrir au moins la même valeur. Je te le dis, c'est un fourbe.

— N'as tu pas entendu son discours en réponse à celui de Messamouët? demande Chkoudun à Clovis. Il était beaucoup moins long et certainement moins enflammé que le sien. N'est-ce pas assez pour voir que ce chien nous cherche querelle?

— Pour moi, son message est clair, conclut Messamouët. Je sais maintenant qu'il ne reste qu'à détruire cette race de serpents.

Clovis, étonné par la violence des propos des deux Sagamos, reste muet, pendant que Champlain et Poutrincourt, qui ont suivi le dialogue sans comprendre, s'approchent de lui pour en connaître le sens.

— Je suis sûr, monsieur, dit Champlain au gouverneur, que Messamouët cherchera l'occasion de faire la guerre à Onéméchin. Partons au plus vite en direction de Mallebarre[12] où nous aurions dû commencer ce voyage.

Poutrincourt lui jette un regard sombre, mais ne dit mot et donne le signal du départ. L'expédition reprend la mer et deux semaines plus tard, la petite barque croise enfin devant Mallebarre.

— Faisons ici une halte, suggère Poutrincourt.

— Rappelez-vous, monsieur le gouverneur, lui fait remarquer Champlain, que lors du voyage précédent, nous avons abîmé la barque de façon si sérieuse sur ces bas-fonds, que l'expédition y perdit trois jours.

— Je n'ai pas oublié, monsieur de Champlain. Nous nous arrêterons quand même à Mallebarre, mais notre expérience passée nous rendra plus prudents, ajoute Poutrincourt avec un petit sourire condescendant.

Champlain dévisage Poutrincourt avec attention et, tout en réfléchissant, il caresse sa petite barbiche. Son visage ne trahit aucune émotion mais, dans son for intérieur, il trouve que le gouverneur fait preuve d'un bien mauvais jugement. Le signal est aussitôt donné de se rendre à terre. Comme pour donner raison à Champlain, la barque touche fortement un fond de sable et le gouvernail du bateau se brise de haut en bas.

— Nous sommes partis depuis un mois déjà, fait remarquer Champlain au gouverneur, sur un ton qui

12 . Mallebarre: Péninsule du Cape Cod, dans l'État du Massachusetts.

se veut calme, et nous ne sommes rendus qu'au lieu où l'expédition aurait dû commencer. Tout ce beau temps perdu, monsieur; avec cet accident, la saison sera trop avancée pour pouvoir aller beaucoup plus loin.

— Monsieur le cartographe, lui réplique sèchement Poutrincourt, ce temps n'a pas été perdu, puisque nous avons pris contact avec le Sagamo Onéméchin.

— La belle affaire, monsieur, que ce Sagamo. Il nous colle aux fesses depuis notre départ et nous a causé plus d'inquiétudes que de bienfaits.

— Nous sommes aujourd'hui dans sa province, monsieur. Je me dois d'entretenir avec lui des relations cordiales.

— Les relations ne sont pas cordiales, puisque Messamouët et Chkoudun ont été insultés par sa conduite. Mais là n'est pas la question. Il reste que nous devrons rentrer à Port-Royal avant l'hiver et que nous n'avons pas encore exploré de nouveaux territoires. M. de Monts serait bien déçu de savoir que nous avons ignoré ses consignes.

— Ignoré ses consignes? réplique Poutrincourt avec une voix où perce une irritation mal contenue. Contentez-vous de tracer la carte de ces côtes, monsieur de Champlain, quant à moi, je continuerai de gouverner comme je l'entends.

— Le vent se lève, monsieur le gouverneur, interrompt Clovis fort à propos.

— Dans ce cas, allons vers la terre ferme, répond Poutrincourt, heureux de la diversion. Je veux explorer le pays.

— Explorer le pays, monsieur? demande Champlain, légèrement ironique. Vous aurez de la compagnie pour ce faire.

Au bord de la grève, ont surgi quelques centaines de guerriers, tandis que des dizaines d'autres sont visibles à travers les arbres de la forêt.

— C'est le pays des Armouchiquois, observe Messamouët, sur le ton de l'avertissement.

— Je veux savoir quelles sont leurs intentions, déclare hardiment Poutrincourt.

— Il nous faut aussi cuire du pain et réparer le gouvernail, monsieur, rappelle Jean Duval au gouverneur.

— Très bien, lui répond celui-ci, toi et tes compagnons, faites cuire du pain et les autres répareront le gouvernail. Quant à moi, j'irai avec mon fils Charles, M. de Champlain et les deux Sagamos explorer le pays et rencontrer ses habitants. Robert, tu commanderas en mon absence.

L'excursion s'organise rapidement. Une heure plus tard, ils se sont mis en route et Clovis commence à réparer le gouvernail. Dès le lendemain, du Pont note que les Sauvages abattent leurs maisons et peu à peu envoient leurs femmes dans les bois, les éloignant le plus possible de l'endroit où ont débarqué les Français. Cette agitation des indigènes commence à prendre des proportions alarmantes.

Malgré cela, les travaux continuent et le gouvernail, au bout de quelques jours, est enfin réparé et remis en place. Le lendemain, cinq hommes, sous le commandement de Jean Duval, construisent un four à pain sur la plage et la cuisson commence aussitôt. Mais, afin de ne prendre aucun risque, du Pont leur donne l'ordre de remonter chaque soir dans la barque, pour y passer la nuit.

Enfin, le gouverneur et ses compagnons reviennent, après une absence de neuf jours. Ils constatent que la situation commence à s'envenimer, car les Sauvages se déplacent maintenant à travers les bois, en troupes de vingt ou trente guerriers, portant carquois et flèches. D'autres encore se blottissent dans les hautes herbes, afin de ne pas être aperçus des Français. Les femmes, pendant ce temps, remplissent les canots de leurs bagages, comme si toute la tribu allait déguerpir.

— La cuisson du pain en est à sa dernière fournée, rapporte Champlain à Poutrincourt.

— Très bien. Dans ce cas, nous reprendrons la mer demain, répond celui-ci.

— Les agissements des indigènes m'inquiètent, reprend l'autre. Prenons les mesures qui s'imposent, monsieur le gouverneur.

— Je suis de votre avis, répond Poutrincourt sur un ton étonnamment conciliant. Que tous les hommes remontent à l'instant dans la barque avec tout ce qui est à terre.

— Le pain n'a pas fini de cuire, monseigneur, intervient Duval.

— Dans ce cas, reste à terre avec deux hommes et faites diligence.

Le soir venu, Poutrincourt constate que les trois boulangers n'ont pas encore réintégré la barque. Il envoie son valet de chambre avec deux autres hommes dans une chaloupe, pour les ramener à bord. Mais nos boulangers, ayant bu plus que de coutume, pour se donner du courage, sont dans un état d'ivresse fort avancée et refusent de revenir à la pinasse. Ils font tant et si bien que les émissaires décident de rester avec eux pour faire la fête; sauf le valet de Poutrincourt, qui revient seul à la barque et ne souffle mot à personne des hommes qu'il a laissés sur la plage. Pendant ce temps, nos joyeux lurons, maintenant au nombre de cinq et armés de gourdins et de mousquets, ne craignant ni Dieu ni diable, continuent de boire toute la nuit. Aux petites heures, ils s'endorment à l'entour du feu, inconscients de fatigue et d'ivresse.

Sur le point du jour, les Sauvages qui, dissimulés dans les bois, n'attendent que ce moment, sautent à l'improviste sur les cinq Français qui ronflent bruyamment. Avant qu'un seul d'entre eux n'ait pu prendre conscience de ce qui leur arrivait, ils sont criblés de flèches sans avoir le temps de réagir. Deux d'entre eux sont tués sur le coup, cloués au sol par les projectiles; les trois autres, bien que percés de plusieurs dards, réussissent à se relever et à courir vers la mer, poursuivis par les Sauvages et en criant comme des putois.

Clovis, qui est de garde, dans la barque, voyant accourir vers lui ces pelotes d'épingles, crie à l'aide en disant qu'on tue leurs gens. En quelques instants Poutrincourt, Champlain, Biencourt, du Pont et les autres Français sont sur le pont avec leurs mousquets. Pendant que Champlain tire sur les Sauvages, les autres marchent vers la terre, dans l'eau jusqu'à la poitrine. Clovis et Robert sont d'un côté, Poutrincourt, Biencourt et trois Français de l'autre, dans le but d'encercler l'ennemi.

Robert du Pont, que toute cette action excite au plus haut point, crie à la façon des Sauvages qu'il a déjà aperçus dans des combats. Dans sa hâte, il charge son mousquet d'une manière si malhabile qu'à la seconde salve, l'arme lui explose dans les mains. L'impact est d'une force telle que Robert est projeté violemment dans les bras de Clovis.

Du Pont tourne son regard étonné vers son ami et, dans un geste d'automate, il lève sa main gauche

devant son visage, qui devient aussitôt d'une blancheur de neige. Dans ses yeux apparaissent tour à
tour la surprise et l'incrédulité. Dans la lumière du
matin, Robert contemple sa main éclatée, qui n'est
plus qu'une masse de chair écarlate, éclaboussant le
paysage.

Cette dernière salve a fait fuir les Sauvages dans
les bois et laissé aux survivants le temps de porter
secours à leurs gens. Pendant que Clovis transporte
son compagnon dans la pinasse, Biencourt et
Poutrincourt qui n'ont pas eu connaissance de
l'accident, continuent leur marche vers la plage où ils
ont vu tomber quelques Armouchiquois. Mais
comme ceux-ci sont habiles à ramasser leurs morts,
ils ne retrouvent pas les cadavres et reviennent vers
la barque.

En route, ils s'approchent des corps hérissés de
flèches de deux des boulangers, que bercent doucement les vagues de la marée montante. L'un est
étendu sur le ventre et a succombé à ses blessures.
L'autre, sur le dos, respire encore, mais avec peine.
Biencourt le traîne jusqu'à la barque où le chirurgien
s'occupe à retirer les flèches qui sont heureusement
toutes logées dans ses cuisses. Jean Duval, le troisième boulanger, n'a qu'une seule flèche à la jambe
droite et il ne s'en trouve pas trop mal. Pour ce qui
est de Robert du Pont, l'explosion de son mousquet
lui a emporté trois doigts de la main gauche.

Après les blessés, on s'occupe des morts, afin de
leur donner une sépulture décente. Sur la plage,
près du feu dont les braises rougeoient encore et où
s'étaient endormis les boulangers, deux corps sont
étendus, visage contre terre. Ils ont été fixés au sol
par les dizaines de flèches qui les transpercent de
part en part. L'un d'eux, couché sur le ventre, a son

petit chien cloué sur le dos, l'animal ayant pris l'habitude de dormir sur son maître.

Les Français enterrent leurs morts au pied d'une croix. Pendant la récitation des prières aux défunts, les Sauvages, à distance, chantent et dansent pour célébrer leur victoire. Chkoudun veut poursuivre sans pitié ces meurtriers. Mais Poutrincourt, qui sait que les forces sont trop inégales pour pouvoir châtier mille ennemis, rejette cette proposition.

Depuis la barque où tous sont maintenant revenus, ils assistent impuissants à la profanation des sépultures. Quelques Sauvages, déterrent l'un des morts pour lui prendre sa chemise, s'en revêtent à tour de rôle, en criant et en dansant. Après avoir dévêtu le cadavre complètement, ils lui tournent le dos vers le bateau et lui jettent du sable entre les fesses, en signe de dérision. Poutrincourt et ses hommes tirent quelques coups de mousquet vers les profanateurs, mais sans succès, car ils sont trop éloignés.

Clovis observe la scène avec un mélange d'horreur et de déception. Les larmes aux yeux et la rage au corps, il ignore les ordres du gouverneur. Le mousquet au poing, il marche vivement vers la terre ferme, en tirant sur les indigènes qui se sauvent rapidement dans les bois. Biencourt et trois autres Français le rejoignent au lieu de la sépulture. Ils enterrent à nouveau le cadavre du malheureux, puis retournent à la barque. Clovis ne pleure plus, son visage est dur et sa bouche tremble par la colère contenue. N'en pouvant plus, il jette un cri rauque et lance contre une pierre, son mousquet qui explose comme le tonnerre et vole en morceaux avec un bruit infernal sous la force de l'impact. Cet éclat calme aussitôt les esprits. Pendant quelques instants, personne ne dit plus un mot, chacun regardant le jeune homme avec un certain soulagement.

— Monsieur le gouverneur, dit Champlain à Poutrincourt, pour relancer le souffle de la vie, je donnerai à ce lieu, sur la carte que je prépare pour le roi, le nom de Port-Fortuné.

— Nous avons trois blessés à bord, ajoute le gouverneur comme s'il répondait à une question, rentrons maintenant à Port-Royal pour leur donner les secours qu'exige leur état.

Mais l'expédition n'est pas encore au bout de ses peines. Il faut attendre au lendemain pour que la marée soit suffisamment haute et quitter un lieu si maudit. Pendant deux jours, on tente, grâce au vent, de reprendre la mer pour se voir refouler par deux fois vers la terre ferme. Enfin, le 16 octobre, le vent devient favorable et l'expédition prend le chemin du retour.

Hélas, lorsque la barque passe devant l'embouchure de la Pentagouët, siège de l'énigmatique Onéméchin, son gouvernail se brise encore une fois. Poutrincourt décide de s'arrêter à cet endroit pour y faire les réparations nécessaires. Cette fois, Onéméchin ne se manifeste pas. Par contre, des Etchemins[13] apprennent aux Français qu'un Sagamo armouchiquois et ses guerriers ont tué plusieurs Souriquois et ont emmené les femmes de leurs victimes à l'île des Monts-Déserts[14] pour les massacrer.

---

13 . Etchemins: Famille amérindienne habitant le territoire compris entre les rivières Sainte-Croix au Nouveau-Brunswick et Kénébéki (Kennebec, dans le Maine).

14 . Monts-Déserts: Groupes d'îles, à l'embouchure de la rivière Penobscot, dans le Maine, où s'élève la petite ville de villégiature de Bar Harbour.

Une fois les réparations au gouvernail terminées, la petite barque reprend la mer et, en quelques jours, elle approche de la baie de Port-Royal. Avant même d'y entrer, un fort vent s'élève et la chaloupe, atta-chée à la barque, d'un coup violent vient se briser sur la pinasse et s'éventrer juste à l'endroit où se tient Poutrincourt qui n'a que le temps d'éviter le coup. Comme le bris est fait au-dessus de la ligne de flottaison, la pinasse continue de tenir la mer pendant que des vents peu favorables la rejettent dans le fond de la baie Française, menaçant à plu-sieurs reprises de la fracasser sur les rochers qui la bordent.

Enfin, le mardi 14 novembre, après tant de mal-heurs de toutes sortes, Poutrincourt et sa pitoyable expédition pénètrent dans la baie de Port-Royal. Ils arrivent vis-à-vis de l'habitation, au moment où la noirceur commence à envahir le paysage et où la pleine lune monte lentement au-dessus de la baie Française. À ce moment-là, une brise gonfle la voile et pousse doucement la barque vers sa destination.

Clovis se tient debout, à la proue du navire, entre Charles de Biencourt et son père, le gouverneur. Son visage est noirci par le cambouis et la fumée et ses cheveux blonds sont hérissés dans toutes les di-rections. Le combat et les accidents ont déchiré et sali son élégant costume de velours grenat.

Son visage est renfrogné. La bonne humeur qu'il a manifesté pendant l'aller, a été absente pendant le retour.

— Ce voyage vous a-t-il appris quelque chose? demande Poutrincourt au jeune homme.

Celui-ci se tourne vers le gros homme, dont les yeux, plantés au milieu de son visage rond et jovial, le regardent avec sympathie. Il ne lui répond pas et continue de le fixer, pendant qu'il serre les lèvres et que sa respiration devient un peu plus rapide.

— Oui, monsieur, dit-il enfin, j'ai appris que je suis bien naïf et que je suis en colère.

Poutrincourt ne dit mot. En guise de réponse, il met la main sur son épaule qu'il étreint légèrement. Sur les joues de Clovis, des larmes coulent lentement, pendant que se vide la rage amassée dans son cœur depuis les événements de Port-Fortuné.

Le navire n'est plus qu'à trois cents pas de la rive, lorsque survient un événement qui transforme l'humeur de la petite troupe. Soudainement, des feux multiples sont allumés simultanément sur les coteaux de Port-Royal. En même temps des coups de canon, tirés de la plate-forme du fort, se renvoient leurs échos dans les collines environnantes. Intrigués, Clovis et Biencourt se regardent avec surprise, en se demandant ce qui se passe. Ils n'ont pas à attendre longtemps avant d'avoir la réponse.

Sur l'eau, à deux cents pas à peine, devant eux, deux autres feux s'allument en même temps sur la proue et sur la poupe d'une barque, tirée par six tritons, qui sont des Souriquois, montés chacun dans un canot, et coiffés d'un casque en forme de trompette qui rappelle le corps du mollusque qu'ils représentent. Des câbles, recouverts de banderoles bleues, blanches et rouges, les couleurs d'Henri IV, les relient à un trône flottant, sur lequel est assis Neptune, qui vient d'éprouver les voyageurs avec tant de férocité.

Le dieu de la mer, au chef et à la barbe blanche, est vêtu d'un long manteau bleu et porte des brodequins d'or; dans sa main gauche, il tient un trident, appuyé sur le sol, les pointes dirigées vers le ciel.

Dans l'air frais de cette calme soirée de novembre, la voix de Neptune se fait entendre pour souhaiter la bienvenue à la petite expédition, Puis il termine ses accueillantes paroles par ce souhait:

Va donc heureusement, et poursuis ton chemin
Où le sort te conduit: car je vois le destin
Préparer à la France un florissant Empire
En ce monde nouveau, qui bien loin fera bruire
Le renom immortel de De Monts et de toi
Sous le règne puissant de Henri votre roi.

— Je reconnais et le style et la voix de Marc Lescarbot, dit Biencourt à Clovis.

— Je ne reconnais pourtant pas encore le florissant empire, répondit celui-ci, la bonne humeur revenue.

La voix du jeune homme est interrompue par l'éclatement d'une trompette, suivi d'une déclaration de chaque triton, aussi glorieuse que celle de Neptune. Sans que Clovis s'en doute le moins du monde, le spectacle est sur le point de lui faire une révélation de la plus grande importance. À la fin du discours du sixième triton, un canot surgit derrière le char de Neptune et s'arrête le long de la petite barque, en face de Jean de Poutrincourt.

Il contient quatre Souriquois, trois jeunes hommes et une jeune fille. Ce sont Chégumakun et son frère Ulnooé[15], avec un guerrier qui s'appelle Membertouchoichis, le fils aîné de Membertou. Chégumakun l'a quelque peu initié, en même temps que son frère, à la langue française, depuis son

---

15. Ulnooé: Expression souriquoise qui veut dire «être un homme».

retour en Acadie. Quant à la jeune fille, ils ne l'ont encore jamais vue.

— Regarde, Charles, dit Clovis à son compagnon, en le poussant avec son coude.

Biencourt, surpris, se tourne vers son ami qui a les yeux fixés sur le canot des quatre Souriquois.

— Que dois-je regarder? lui demande-t-il.

— Là, dans le canot, ne vois-tu pas?

— Oui, je vois bien le canot qui s'avance entre les tritons. Mais qu'a-t-il de remarquable?

— Tu es aveugle, mon ami, réplique Clovis avec chaleur. Ne vois-tu pas cette apparition, cette beauté, debout entre ses frères souriquois?

— Ah oui, je vois maintenant, répond Biencourt qui, cette fois, a compris.

Clovis est assurément conquis par le charme naturel de la jeune Sauvagesse. L'embarcation qui la porte n'a pas de torches pour l'éclairer, mais la lumière que jettent les flambeaux des autres vaisseaux, est suffisante pour que les spectateurs distinguent clairement ses quatre occupants.

La jeune fille est d'une beauté remarquable. Elle ne doit pas avoir plus de onze ou douze ans. Ses cheveux noirs-jais descendent en deux tresses soyeuses le long de son dos. Son visage a un air sérieux et doux. Ses traits sont délicats, ses bras graciles et sous la lumière des flambeaux, son teint jette des reflets dorés. Elle est vêtue d'une longue robe sans manches, en peau de daim.

— Je suis de ton avis, admet Biencourt, après avoir examiné attentivement l'objet qui trouble tant son ami. C'est une des plus belles créatures que j'aie jamais vue.

Clovis est assailli soudainement par une émotion toute nouvelle pour lui. Sans qu'il puisse l'expliquer, il éprouve un attrait irrésistible pour cette étonnante beauté. Ce sentiment est si puissant, que son cœur bondit dans sa poitrine, et que son sang court à toute vitesse dans ses veines. Perturbé par cet assaut inusité dans son corps, il saisit le rebord de la barque, ainsi que l'on fait quand on veut se retenir pour ne pas tomber. Il est passé, en un moment, du désespoir le plus sombre à la joie la plus enivrante.

— Te trouves-tu mal? lui demande Biencourt.

— Non, répond-il après un temps. Je me sens bien. Je me sens même très bien.

Pendant que les deux amis s'entretiennent ainsi, le canot s'arrête juste en face de la barque de Poutrincourt. Les quatre Souriquois, debout l'un à côté de l'autre, sont tellement à l'étroit qu'ils se touchent aux épaules. C'est Chégumakun qui commence le premier en récitant des vers et en offrant un quartier d'orignal à Poutrincourt. Ulnooé fait de même en présentant des peaux de castor. À la fin de son discours, il y a un bref silence qui paraît une éternité à Clovis. La jeune fille va parler à son tour.

Il est si envoûté par sa beauté, que l'univers entier semble se circonscrire à cette jeune personne et que plus rien d'autre n'existe au monde. Aucune pensée cohérente ne vient à son esprit et il lui semble qu'il est devenu prisonnier d'une force qu'il est incapable de contrôler.

La jeune Souriquoise tend ses bras délicats vers le gouverneur pour lui offrir des matachias[16] aux couleurs brillantes et vives et récite les vers de Marc Lescarbot:

---

16 . Matachias: Ornements du corps et des vêtements, faits de coquillages, de morceaux de cuivre ou de perles de verre.

Ce n'est seulement en France
Que commande Cupidon,
Mais en la Nouvelle-France,
Comme entre vous son brandon
Il allume; et de ses flammes
Il rôtit nos pauvres âmes,
Et fait planter le bourdon.

Clovis écoute avec émerveillement les médiocres vers devenir des perles par la vertu de sa bouche exquise. Il lui est facile d'imaginer qu'elle s'adresse exclusivement à lui. Lorsqu'elle termine sa récitation, il se tourne vers Biencourt.

— Connais-tu cette ravissante beauté? chuchote-t-il à l'oreille de son ami, une fois son calme revenu.

— Non, je ne la connais pas, mais je sais que c'est une petite-fille de Membertou.

— De Membertou? Je ne l'ai pourtant jamais vue auparavant.

— Elle n'habite pas Port-Royal. Elle vit à Ouygoudy[17].

— Quel est son nom?

— Je ne sais pas. Je sais seulement qu'elle est la fille de Panounias[18], le gendre de Membertou.

À ce moment, les applaudissements retentissent sur le navire et sur la terre ferme. Le gouverneur, voyant la fin du spectacle, fait un discours dans lequel il remercie les Français pour l'accueil chaleureux fait à l'expédition.

---

17 . Ouygoudy: Village souriquois, situé sur la rive droite de l'embouchure de la rivière Saint-Jean.

18 . Panounias: Sagamo de la tribu de Ouygoudy, à l'embouchure de la rivière Saint-Jean. Il était de la clientèle de Membertou, dont il avait épousé la fille.

— Elle s'appelle Sésip[19], dit Biencourt qui vient d'obtenir le renseignement.

Clovis, qui entend le nom pour la première fois, s'arrête, ému, et ferme les yeux, pendant que dans sa tête, il répète «Sésip... Sésip... Sésip...»

— Quel doux nom, dit-il à Biencourt.

Au même moment, les canons du fort tirent une dernière salve. Puis, le bateau est traîné jusqu'à la rive où des hommes descendent les blessés, couchés au fond de la barque, et les transportent à l'intérieur de l'habitation. Sur la grève et dans la montée vers Port-Royal, des cris de joie et des rires éclatent, effaçant ainsi les mauvais souvenirs de la malheureuse expédition. Une heure plus tard, pendant que la fête se continue à l'habitation, un événement d'importance se déroule à quelques centaines de pas, dans le village souriquois d'Akkada. Le calme et le silence, à peine brisés par les clameurs lointaines de la fête, enveloppe les ouaguams, où quelques torches seulement sont encore allumées. À une vingtaine de pas derrière l'un d'eux, à l'orée d'une odorante forêt de pins, deux jeunes gens s'entretiennent à voix basse en langue souriquoise. Ils sont agenouillés en face l'un de l'autre, sur un moelleux tapis d'aiguilles de pin séchées. Leurs mains sont posées sur leurs genoux et ils se contemplent dans les yeux.

— Je n'ai pas voulu t'effrayer. J'ai seulement désiré te parler, dit enfin Clovis en brisant le silence qui dure déjà depuis plusieurs minutes.

— Qui t'a conduit jusqu'ici? demande enfin la jeune fille en guise de réponse.

— C'est Chégumakun. Je lui ai dit combien j'avais été transporté à ta vue.

---

19 . Sésip: Mot souriquois qui veut dire «un oiseau».

Le cœur de Clovis bat la chamade, mais Sésip ne répond pas à sa déclaration. Dans le noir, cependant, ses yeux brillent vivement sous l'éclat de la lumière du flambeau qui s'échappe par l'ouverture d'un ouaguam.

— Pourquoi n'as-tu pas attendu de me voir à la fête?

Pourquoi me demande-t-elle ces choses, se dit-il, est-ce pour m'éprouver?

— Je savais que tu n'y serais pas, puisque les Souriquoises ne festoient jamais avec les hommes.

Un long silence suit ces paroles pendant lequel Clovis continue de contempler Sésip. Avec une certaine hésitation, il prend ses mains dans les siennes. La jeune fille ne fait aucune résistance. Il sent passer, à travers ce premier contact physique, un torrent de sensations délicieuses, inconnues de lui jusqu'ici.

— Je t'ai vu, ce soir, à côté du gouverneur, dit-elle enfin. Mon cœur alors a tressauté.

Clovis n'en croit pas ses oreilles. Il sent dans ses mains la douceur infinie de celles de Sésip et un nœud tordu d'émotions se forme dans sa gorge. À ce moment précis, il sait qu'il est amoureux de cette incomparable enfant.

Combien de temps restent-ils tous deux dans cette position sans prononcer une seule parole? C'est comme si les mots étaient devenus inutiles pour exprimer ce qu'ils ressentent. Ils sont interrompus dans leur contemplation lorsque quelqu'un éteint la torche dans le ouaguam et qu'ils se retrouvent éclairés seulement par la lumière de la pleine lune. Le moment est magique. Sans qu'il sache ni pourquoi, ni comment, le jeune homme se retrouve debout devant Sésip, qui reste agenouillée. Puis, solennellement, religieusement, comme un grand prêtre officiant à une cérémonie solennelle, Clovis retire un à un tous ses vêtements, les plie soigneusement et les dépose à ses pieds devant lui. Après ce rituel, il se tient debout, se révélant plein de fougue et d'audace devant celle à qui il vient de commettre son cœur.

Après de longues minutes, pendant lesquelles Sésip contemple le corps vigoureux et lisse de ce jeune homme de quinze ans, elle se lève à son tour et avec des gestes gracieux, elle retire, par-dessus sa tête, la longue robe en daim qui la couvre jusqu'aux chevilles. Puis, aussi soigneusement que l'avait fait Clovis, la prêtresse plie la tunique le long de ses coutures et la dépose par terre devant elle, Avec non moins d'assurance et de superbe que son compagnon, elle se laisse baigner pudiquement par la lumière de la lune. Transfiguré, Clovis attache son regard sur ses formes délicates et exquises.

La grâce des deux jeunes corps, révélée dans la demi-obscurité de cette nuit merveilleuse, devient la seule offrande de la cérémonie. L'amour qui les baigne l'un et l'autre ne s'exprime que dans l'admiration qu'ils éprouvent en se contemplant dans leur magnifique nudité. Ils se séparent enfin, sans qu'aucun contact physique ne soit venu briser la perfection de ce moment unique.

Le lendemain matin, à son lever, Chégumakun apprend à Clovis que Panounias, le père de Sésip, est parti très tôt pour Ouygoudy avec toute sa famille. Une douce tristesse envahit le jeune homme mais, en même temps, son cœur est inondé de bonheur, à cause du serment qu'il a échangé, de si extraordinaire façon, avec Sésip, dans la nuit bleu-argent du Nouveau Monde.

7

U n soleil aveuglant éclate sur la neige que le
vent souffle en rafales à l'entour du fort de Port-
Royal. Par cette froide matinée de la fin de février,
deux hommes, chaudement emmitouflés dans des
fourrures de loup, s'approchent de la porte principale de l'habitation et retirent leurs raquettes avant
de les planter dans la neige près de l'entrée. Après
avoir traversé d'un pas vif la cour intérieure, ils
poussent la porte, au centre du mur ouest du fort, et
pénètrent dans la grande salle commune, qui tient
aussi lieu de salle à manger.

Ils sont accueillis par une bouffée de chaleur et
les fumets de chair, provenant de l'immense cheminée où cuit lentement un énorme gigot d'orignal.
L'arôme de la viande sauvage se mêle au parfum âcre
du tabac des Souriquois. À la vue des nouveaux
venus, retentissent les cris joyeux des membres de
l'Ordre de Bon Temps, réunis pour leur deuxième
festin. L'architriclin[1] vient à leur rencontre et les
déleste de leurs sacs.

---

1. Architriclin: maître d'hôtel.

143

— Vous avez fait bonne chasse? demande-t-il aux deux hommes.

— Encore douze lièvres à ajouter à ton menu, Lescarbot. Nous avons grand-faim. J'espère que tu es prêt à satisfaire nos appétits, répond l'un d'eux avec bonne humeur.

— Il y en a assez pour remplir cent estomacs comme les nôtres, leur répondit-il en se frappant le ventre, pendant que Clovis de Pons et Charles de Biencourt se débarrassent de leurs lourds manteaux.

Ces derniers, les joues rougies par le vent, se dirigent vers la cheminée pour se réchauffer. Avant même d'avoir traversé la salle, quelqu'un leur met dans la main une coupe de vin, qu'ils portent aussitôt à leurs lèvres avec une grande satisfaction. Près du feu, Samuel de Champlain et Jean de Poutrincourt conversent avec Membertou.

— Vous arrivez à temps, mes amis, leur dit le gouverneur. Nous tentons d'expliquer au Sagamo, dans notre mauvais souriquois, ce qu'est l'Ordre de Bon Temps.

— Une fois par quinze jours, monsieur, lui traduit Biencourt, nous nous réunissons pour faire bombance et tromper ainsi l'ennui des longues journées d'hiver.

— Un repas n'est pas suffisant pour y arriver, il me semble, réplique Membertou.

— La préparation du festin occupe tout le monde à des titres divers, continue Clovis. Certains font la chasse, d'autres préparent les mets, d'autres encore les font cuire. Ceux qui n'ont rien fait, assurent le service au cours du repas.

— C'est une idée de Monsieur de Champlain. Il est d'avis que l'oisiveté, les hivers précédents, a été la cause de la grande dysenterie qui a fait tant de morts. Il a raison, car cette année, seulement deux personnes en ont été frappées.

— Manger ne suffirait pas à occuper aussi long-temps tous les gens de mon village, observe le Sagamo. Il n'y a que les Normands pour faire des choses pareilles.

Le chef des Souriquois est interrompu par des cris et des applaudissements. La porte des cuisines vient de s'ouvrir pour livrer passage à l'architriclin qui crie:

— Oyez! Oyez!

Marc Lescarbot s'avance solennellement, suivi de cinq hommes, portant qui des plats, qui du vin, qui du pain. Il fait arrêter les porteurs au centre de la salle et présente une à une les pièces préparées par les cuisiniers qui ferment la marche.

— J'ai l'insigne honneur, déclame-t-il, d'offrir à cette auguste assemblée, les chefs-d'œuvre de nos cuisines. Le premier plat consiste en douze estur-geons farcis à la souriquoise, que nous ont offert les guerriers de M. de Membertou.

— Vous voyez, Sagamo, lui dit Clovis à l'oreille, comment nous arrivons à prendre une journée entière pour faire un seul repas.

L'architriclin annonce tour à tour des pâtés d'alouettes, des sarcelles farcies et rôties, des ca-nards en broche, suivis du gigot d'orignal. Enfin, vient le panetier et l'échanson Jean Duval, qui boi-tille encore, à la suite des blessures reçues l'au-tomne précédent à Port-Fortuné. Après le défilé des plats, les gentilshommes, y compris Membertou, prennent place à la table principale et les colons à une autre, pendant que les Souriquois restent assis par terre à une extrémité de la salle.

Après que Poutrincourt a attiré les grâces du ciel sur le repas, les esturgeons sont servis en premier. Les Souriquois pêchent ces poissons en hiver, grâce à des trous qu'ils font dans la glace. Le cuisinier les a farcis de baies et d'amandes sauvages et les a dressés sur des branches de cèdre, reposant dans un plat d'écorce de bouleau.

Il n'est que midi, mais c'est le plat qui reçoit les applaudissements les plus nourris. À mesure que la journée progresse, les autres mets sont accueillis avec un enthousiasme décroissant avec l'appétit. Vers la fin de l'après-midi, le gigot d'orignal, qui est la pièce de résistance, fait enfin son apparition. Les convives font au plat une ovation particulièrement bien méritée. Sur un brancard en branches de bouleau, porté par deux hommes, trône une cuisse d'orignal qui doit bien peser cent livres. Elle dégage un arôme enivrant de viande sauvage et, même si les estomacs sont déjà bien distendus, on trouvera bien la place pour quelques bonnes tranches de ce gibier.

Vers six heures du soir, pendant que les convives se reposent entre deux mets, des Souriquois de l'assistance commencent à s'agiter comme si quelque chose les troublait. L'un d'eux se lève, va vers la porte et l'ouvre brusquement. Les conversations cessent lorsque l'air froid du dehors s'engouffre dans la pièce que le feu de la cheminée et la présence d'une cinquantaine d'hommes, maintenant ivres, a grandement surchauffée.

Par la porte entrouverte, les convives aperçoivent des visages de Souriquois qui gesticulent en grand nombre au dehors. Poutrincourt, brisant le silence, prie Membertou de faire entrer l'un d'eux pour qu'il explique un pareil va-et-vient. Sur l'ordre du Sagamo, un Sauvage pénètre dans la pièce et la porte se referme derrière lui. Dans le silence dramatique des convives, Membertou et le guerrier tiennent un long conciliabule. Enfin, après un temps qui semble interminable, Membertou se tourne vers Biencourt pour qu'il traduise ses propos.

— Panounias, le gendre du Sagamo Membertou, a été assassiné, il y deux semaines par Onéméchin et ses Armouchiquois. Il a été abattu au cours d'une mission de paix qu'il menait dans leur pays, prononce avec gravité le fils du gouverneur.

Un lourd silence accueille cette nouvelle. Après un moment, le choc qu'elle cause, commence à dissiper l'ivresse avancée dans laquelle flottent les convives. Panounias était un guerrier fort bien connu des Français de Port-Royal qui respectaient ses efforts de conciliation entre les diverses nations indigènes.

— Où est Sésip? demande soudainement Clovis, qui n'a cure de la gravité du moment lorsqu'il s'agit de la jeune fille.

— Elle est venue avec sa famille, accompagnant jusqu'ici la dépouille de son père, répond Membertou.

— Permettez, Sagamo, que j'aille lui porter mes consolations.

— Jeune Normand, tu n'écoutes que ton cœur. Si tu écoutais ton courage, ta première pensée serait de venger la mort du père de Sésip, rétorque sèchement le Sagamo.

— Je veux venger la mort de Panounias, n'en doutez pas, monsieur, réplique vivement Clovis, que son impétuosité fait rougir d'embarras.

— Les Souriquois et les Etchemins ont été grandement offensés par les agissements des Armouchiquois, poursuit Membertou, se tournant vers l'assemblée. L'esprit de Panounias ne sera jamais en repos tant que nous n'aurons pas détruit cette race de serpents. Avant qu'il ne se soit écoulé quatre lunes, les Souriquois partiront en guerre contre Onéméchin et le puniront de son arrogance.

— Sagamo Membertou, permettez que je me joigne à votre expédition contre les Armouchiquois, demande encore Clovis.

— Peut-être que le jeune Normand parle avec son courage, cette fois, reprend Membertou après avoir longuement regardé Clovis. Si son Sagamo le permet, il sera l'un de mes guerriers dans cette expédition.

Avant de rendre sa décision, Poutrincourt met un temps, pour réfléchir aux implications qu'elle suppose.

— Clovis, dit-il enfin, songe à ta famille, qui en France t'aime et désire te revoir. Ce que tu proposes peut vouloir dire la mort pour toi à un si jeune âge.

— Monsieur, répond Clovis sans hésitation, je veux prouver ma bravoure aux Souriquois en me battant à leurs côtés. De cette façon, je me rendrai digne d'épouser Sésip. Accordez-moi, je vous prie, votre consentement.

Poutrincourt, tout en réfléchissant, regarde attentivement le jeune homme. Que dirait la marquise, si son protégé était tué en Acadie, alors qu'il en était le gouverneur? Elle avait encore beaucoup d'influence auprès du roi. Ne risquait-il pas de perdre son privilège exclusif de la traite? Si cela était, ce serait la fin de la petite colonie. Non, vraiment, il ne se sentait guère disposé à accorder sa permission à Clovis.

— Si votre réponse tarde encore à venir, monsieur, dit le jeune homme, interrompant les pensées du gouverneur, je devrai m'en passer et suivre la voie de ma conscience.

La déclaration inattendue de Clovis prend les convives par surprise. Leurs yeux se tournent vers Jean de Poutrincourt qui regarde attentivement le jeune homme. Plus il réfléchit, plus sa pensée se métamorphose.

— Clovis de Pons, prononce-t-il enfin d'une voix émue, tu manifestes le courage qu'on peut attendre d'un Français. Soit, je t'accorde le consentement que tu désires et je prie Dieu de te bénir et de te protéger pareillement.

Le gouverneur a-t-il été convaincu par l'héroïsme du jeune homme? ou bien parce que celui-ci a défié son autorité? Clovis n'en a cure; tout ce qui compte pour lui, c'est de prouver son courage et sa bravoure au Sagamo. Lorsqu'il se met au lit, ce soir-là, son cœur bat si fort dans sa poitrine, qu'il a, pour un temps, la crainte qu'il n'explose. Malgré la force de son sentiment, il s'endort du sommeil du juste.

Le lendemain, dès le réveil, le jeune homme s'habille chaudement et sort de l'habitation sans déjeuner et sans attirer l'attention. Après avoir marché quelques minutes en raquettes à travers bois, il débouche dans une clairière où sont plantés les ouaguams du village d'Akkada. Il trouve tout le monde dans une grande effervescence, à cause de l'arrivée, la veille au soir, du corps de Panounias. Il avait été réclamé aux Armouchiquois par le Sagamo de la rivière Sainte-Croix, lui-même de la clientèle de Membertou. Lorsque Clovis s'approche, il voit venir à lui Chégumakun.

— Que va-t-il se passer, maintenant? lui demande-t-il.

— Le corps de Panounias va être préparé pour les funérailles, répond Chégumakun. Viens, allons assister à ces cérémonies.

Clovis suit son ami sans mot dire. Ils pénètrent dans la plus grande tente qui est celle des réunions de la tribu. Il y flotte une odeur nauséabonde qui ne lui est pas inconnue. C'est celle de la chair humaine en décomposition. Au centre de la pièce, des femmes et des hommes s'affairent autour du cadavre de Panounias, déjà détaillé en morceaux. Sur une grande pièce de cuir, ils ont disposé les membres d'un côté, la tête d'un autre. Le ventre du mort est ouvert et on en a retiré les entrailles, pour les déposer dans un vaisseau en bois.

— Les aoutmoins[2] vont maintenant retirer toute la chair du cadavre, jusqu'à l'os, lui explique Chégumakun. Ceci fait, ils conserveront séparément la chair, la peau et les os pour les traiter avec un baume dont eux seuls ont le secret. Ils feront ensuite sécher ces restes au soleil pendant quelques semaines, suspendus à des branches d'arbres, hors de la portée des animaux. Des gardiens funèbres les veilleront aussi longtemps qu'il le faudra. Après cela, ils lieront les os ensemble, par des cordons de cuir et redonneront au corps sa forme originale.

— Que feront-ils de la peau? demande Clovis.

— Une fois qu'elle sera complètement séchée, ils en revêtiront les os.

— Et les entrailles?

— Ils les déposeront, dans un même vaisseau avec les chairs séchées, qui seront placées au pied du mort, lors de sa mise en terre.

---

2. Aoutmoin: Sorcier chez les Souriquois.

— Tous les Souriquois sont-ils inhumés de la
même façon? demande encore le jeune homme.

— Non, répond Chégumakun. On ne fait pas
cette cérémonie pour tous les défunts; ordinairement, le cadavre est simplement suspendu à un arbre
et la nature se charge de le dessécher. Mais comme
Panounias était fils et gendre de Sagamo et lui-même
un grand personnage, il a été détaillé, embaumé et
préparé pour des funérailles solennelles.

Après ces explications, les deux amis quittent le
ouaguam funéraire et Clovis entraîne Chégumakun
en direction de la maison de Membertou.

— Mon ami, lui dit le jeune Français, je ne te
cache pas que le but de ma visite ici, n'était pas de
vénérer le corps de Panounias.

— Je sais, c'est plutôt celui de sa fille que tu
voudrais admirer, répond Chégumakun en riant.

Clovis s'amuse de cette remarque de son ami,
pendant qu'ils marchent jusqu'à un ouaguam, au
bout du village. Sans plus de cérémonie, Chégumakun écarte l'écorce de bouleau qui en recouvre
l'entrée; ils courbent la tête, pénètrent dans la tente
et se trouvent aussitôt en présence de Sésip. Clovis
n'est pas préparé à une apparition aussi soudaine et
il éprouve une forte émotion. La jeune fille se tient
debout au milieu de l'habitation, les yeux fixés sur
son amoureux. Son visage impassible ne trahit pas
la moindre émotion. Pourtant, Clovis détecte dans
ses yeux la même flamme qui l'a enchanté lors de
leur première rencontre, l'automne précédent. Une
chose pourtant est nouvelle. Quatre mois plus tôt, il
a quitté une enfant. Aujourd'hui, il retrouve une
jeune femme. À côté de Sésip se tient une Souriquoise dans la trentaine. C'est sa mère qu'il n'a
jamais rencontré auparavant.

— Madame, lui dit-il tout à coup en souriquois, après des préambule de politesse, je désire épouser votre fille Sésip.

La femme se tait d'abord, puis, tout en regardant Chégumakun, elle s'adresse à Clovis.

— Mon mari avait les Normands en haute estime.

Le jeune homme se tourne vers son ami et le regarde sans traduire. La voix de la Sauvagesse est fort mélodieuse, comme celle de Sésip. La mère et la fille ne parlent pas avec des sons aussi gutturaux que ceux des gens de leur race.

— Le jeune Normand sait-il que le futur mari doit vivre avec la famille de sa future épouse pendant au moins vingt-quatre lunes, poursuit la Souriquoise en regardant toujours Chégumakun, et procurer à celle-ci et sa famille, par la chasse et la pêche, toute la nourriture dont ils ont besoin pour survivre?

— Oui, madame, répond Clovis sans attendre la traduction. J'ai l'intention de me soumettre à ces coutumes.

La Sauvagesse fait un signe et les autres membres de la famille, deux fils et deux filles, sont présentés à leur futur beau-frère. Clovis a accepté d'être leur nourricier, même si les deux garçons, âgés de treize et dix-huit ans sont fort capables d'y pourvoir eux-mêmes.

— Le seul obstacle à cette union, reste l'âge de Sésip, poursuit la mère.

Clovis regarde tour à tour la mère, puis, sa fille. En quelques mois, Sésip a pris beaucoup de maturité. Ses petits seins bourgeonnants poussent déjà sous la légère tunique qui recouvre sa peau dorée. Elle vient d'avoir douze ans et Clovis contemple l'être le plus parfait qu'il lui eût jamais été donné d'admirer. Sésip, malgré son jeune âge, est déjà presque aussi grande que Clovis. Ses longues jambes effilées, rattachées à des hanches étroites, sont surmontées par un torse mince et des épaules délicates que laisse voir sa robe sans manches. Quand elle remue les bras en parlant, Clovis ne peut s'empêcher d'admirer la finesse des attaches. Sésip penche son visage ovale, en regardant son amoureux avec ses grands yeux noirs qui sourient au jeune homme, sa bouche laissant voir les plus belles dents du monde.

— Lorsque vivait son père, il ne voulait pas que Sésip se marie avant qu'elle ait atteint ses quinze hivers. J'ai l'intention de faire sa volonté. À ce moment-là seulement, je permettrai la célébration du mariage.

Après avoir prononcé ces paroles, la Sauvagesse se tait. Clovis regarde son ami.

— Je me soumettrai au désir de Panounias, répond le soupirant qui est prêt à accepter toutes conditions pour épouser Sésip.

— Attendre trois ans parce qu'elle est trop jeune ou bien parce qu'il te faut honorer une coutume, lui dit Chégumakun après avoir quitté le ouaguam de Membertou, cela revient au même. Dans un cas comme dans l'autre, tu ne pourras épouser Sésip avant l'année 1610.

Les deux hommes marchent vers la sortie du village. Mais Clovis n'écoute pas son ami. Dans sa tête, il se répète les dernières paroles de la Sauvagesse: «Je permettrai la célébration du mariage.» Ce sont les seuls mots qu'il a retenus de sa conversation avec la mère de Sésip.

Les funérailles de Panounias ont lieu à la mi-mai, après de bruyantes lamentations. Les bruits du deuil parviennent facilement jusqu'à l'habitation de Port-Royal. En d'autres temps, ces pleurs auraient duré quatre semaines, mais Membertou, par considération pour les Français, a réduit à huit jours cette triste période. Tous les habitants sont dans leurs ouaguams et chaque personne pleure à tour de rôle. Quand un ouaguam a fini, celui d'à côté commence, jusqu'à ce que tout le village y passe. Le manège dure tout le jour, mais la nuit venue, le calme règne à nouveau dans la forêt de Port-Royal.

Le jour des funérailles, on fait brûler, selon la coutume, tous les biens du défunt, maison, meubles, armes, vêtements, afin que ses parents ne se disputent pas leur possession. Pendant ce temps, le corps est gardé dans la maison de Membertou, en attendant d'être mis en terre. Une expédition de Souriquois, comprenant le vieux Sagamo, Sésip et toute sa famille, porte la dépouille jusqu'à l'île du Cap-de-Sable où ils l'ensevelissent solennellement. L'endroit est gardé secret pour empêcher qu'on ne viole la sépulture. Une fois les derniers respects rendus à son père, Sésip retourne à Ouygoudy, avec sa mère et ses frères.

Par un bel après-midi de la fin du mois de mai, les Français travaillent à l'agrandissement de leur fort, lorsqu'une pinasse, battant pavillon français, paraît dans la baie de Port-Royal. À sa vue, les habitants sont intrigués. Chaque printemps c'est un navire et non une petite embarcation qui apporte des secours de France. Après que la pinasse a accosté sur la grève, son capitaine, Henri Chevalier, au lieu des nouvelles encourageantes qu'il apporte normalement, prononce des paroles d'une incroyable brutalité:

— Sa Majesté, pressée par les marchands des ports de l'Atlantique, se voit forcée de révoquer le privilège exclusif de la traite des fourrures qu'elle a accordé à M. de Monts en 1603, annonce-t-il sans ménagement aux colons assemblés autour du gouverneur.

Un silence de mort accueille cette déclaration, pendant que les hommes, stupéfaits, se regardent, incrédules.

— Révoquer le privilège de la traite? balbutie Poutrincourt au comble de l'étonnement. Mais je ne comprends pas, que voulez-vous dire?

— Je veux dire, monsieur, répond Chevalier, que vous ne serez plus les seuls à faire la chasse aux animaux à fourrure dans cette région, car le roi vient de permettre à qui le veut, de le faire à son gré.

— Mais, c'est impossible. Ce privilège exclusif a encore plus de six ans à courir, s'écrie Poutrincourt qui n'en croit toujours pas ses oreilles.

— Je n'y peux rien, Excellence. Les ordres du roi sont formels.

Lorsque la nouvelle est bien ancrée dans tous les esprits, ses désastreuses conséquences commencent à apparaître à Poutrincourt. Avec la fin du privilège exclusif, vient aussi la fin des ressources financières. Celles-ci ont permis jusqu'ici de maintenir dans un état viable, bien que précaire, la petite colonie qui vient de connaître l'année la plus prospère de sa courte existence. Le gouverneur sent son cœur se serrer. Mais, après quelques moments de réflexion, il comprend qu'il faudra, avant l'hiver, rentrer en France avec tous les colons.

Cette nouvelle produit, sur tous les résidents, l'effet le plus démoralisant qui se puisse imaginer. De la consternation, les Français passent à un profond désespoir que l'été, non moins magnifique que le printemps, ne réussit pas à effacer. Les travaux du moulin à farine et ceux de l'habitation sont suspendus, mais Poutrincourt insiste pour que l'on poursuive le jardinage, disant qu'il veut rapporter au roi, le produit de belles récoltes pour lui montrer la perte que subira la France, privée des biens d'une si riche colonie. Dans le but de retarder le départ tant qu'il peut, il ordonne aussi que l'on continue la construction de deux barques, commencée au printemps.

— Ces vaisseaux sont nécessaires, prononce le gouverneur, pour ramener la plus grande quantité possible de biens et défrayer les coûts de ce pénible voyage d'abandon.

— Je ne partirai pas avec vous, monsieur, annonce Clovis à Poutrincourt. Je reste en Acadie.

Celui-ci dévisage le jeune homme, d'abord avec surprise, puis avec irritation. N'est-ce pas là une autre atteinte à son autorité. Il sent qu'une autre confrontation se prépare. Il hésite, sa respiration devient plus haletante et son gros visage s'empourpre légèrement.

— Je vais épouser Sésip dans deux ans. Je ne peux pas la quitter à ce moment-ci, poursuit-il avec entêtement.

— Mais comment vas-tu vivre, sans notre présence et sans nos ressources? finit par articuler Poutrincourt.

— Votre présence, vos ressources? demande Clovis d'une voix émue. Monsieur, des milliers de gens ont vécu et vivent encore ici depuis des siècles. Ils se sont bien passés de nous et de nos richesses pendant tout ce temps. Qui sommes-nous pour penser que notre façon de vivre est la seule qui soit possible? Avez-vous donc tant de mépris pour les

Souriquois et leur mode d'existence, pour croire que je ne peux vivre heureux et en bonne santé parmi eux? Ma nouvelle famille, ma nouvelle vie sont ici.

Le gouverneur, étonné d'une pareille sortie, regarde le jeune homme avec désapprobation.

— Ta décision de rester en Acadie va causer un grand chagrin à tes parents, dit-il enfin prudemment.

— Un grand chagrin à mes parents? demande Clovis sur un ton qui trahit son énervement.

Mais avant qu'il continue avec une nouvelle harangue, le gouverneur l'arrête d'un geste de la main.

— Ne dis plus rien, Clovis. Il est inutile de poursuivre ce dialogue. Nous ne ferions que nous blesser l'un l'autre. Ton idée est bien arrêtée. Peu importe ce que je dirai, rien ne pourra la changer. Restons en là.

Les deux hommes se séparent sans ajouter un seul mot. C'est la deuxième fois que Clovis défie l'autorité du gouverneur. L'altercation entre les deux hommes crée une situation fort tendue dans toute la colonie. Plusieurs soutiennent le gouverneur, mais la plupart prennent parti pour Clovis. Deux camps se forment rapidement et la situation, déjà tendue par le retour en France, menace de s'envenimer davantage. Heureusement, l'annonce par Membertou du départ imminent de l'expédition punitive contre Onéméchin, vient mettre fin à ce malheureux état de choses.

Les Sagamos Messamouët et Chkoudun emmènent avec eux quatre-vingts guerriers, tandis que Membertou en fournit soixante-dix, pour un total de cent-cinquante. L'expédition de dix-huit canots prend la mer, au coucher du soleil, le 20 juin, premier jour de la nouvelle lune. Il est entendu qu'elle voyagera de nuit, le long des côtes, afin de n'être pas découverte. Après huit jours d'une navigation difficile, les guerriers arrivent dans le pays des Armouchiquois. Il leur reste encore deux jours de voyage, avant d'atteindre Saco et d'entreprendre le combat. C'est à cet endroit que les troupes de Membertou se divisent en huit groupes qui vont terminer le trajet séparément.

Quatre d'entre eux comptant trente-cinq hommes chacun, ont comme mission d'encercler Saco, le village d'Onéméchin situé à l'embouchure de la rivière Chouacouët. Deux autres partent par la forêt où ils pénètrent, après avoir soigneusement dissimulé leurs embarcations. Les deux derniers continuent le trajet en canot et, une fois sur les lieux, ils se dissimulent derrière les îles et les rochers qui protègent l'entrée de la rivière.

Vers quatre heures du matin, au lever du soleil, deux canots quittent leur cachette et s'avancent vers le campement des Armouchiquois. Dans l'un voyagent Membertou et Clovis avec, à leurs pieds, quelques échantillons de marchandise à échanger. Dans le deuxième se trouvent les huit Sagamos alliés de Membertou, avec le plus gros du butin. Lorsqu'elle les voit approcher, toute la population du village, qui compte bien six cents âmes, dont deux cents guerriers, envahit la plage tout en parlant et en criant. Au devant, se tient le Sagamo Onéméchin lui-même et son compère Marchin, un Sagamo des environs, dont la cruauté est légendaire. Afin de ne pas effrayer les Armouchiquois, Membertou s'approche seul avec Clovis, dans le but de parlementer avec les deux Sagamos. L'autre embarcation reste à une centaine de pas au large, attendant le signal de leur chef avant de s'avancer jusqu'à la plage.

— Je suis venu en ami, déclare Membertou aux Armouchiquois, lorsque son embarcation n'est plus qu'à quelques pas de la rive. Je veux faire du troc avec vous, afin de prouver que nos nations peuvent vivre en paix les unes avec les autres.

Onéméchin ne répond pas à la déclaration du vieux Sagamo, mais continue de le regarder avec suspicion. Les Armouchiquois restent sur leurs gardes. Ils ont raison de se méfier, car ils ont, eux-mêmes à plusieurs reprises, fait usage de toutes les ruses, de toutes les fourberies, pour arriver à leurs fins. Onéméchin ne sait que penser. Membertou est un vieillard. Il dit peut-être la vérité.

— J'ai amené avec moi le jeune Normand, conti-nue-t-il en désignant Clovis, parce qu'il vient d'un pays aux grandes richesses, et qu'il nous a donné des marchandises merveilleuses pour échanger avec vous. Je vois, Onéméchin, que tes guerriers admi-rent les beaux vêtements des Normands, ajoute Membertou en regardant vers la plage.

Des murmures d'approbation accueillent la re-marque du Souriquois. Parmi la foule assemblée, cinq ou six hommes portent chacun une pièce du costume que les Français ont donné à Onéméchin, l'automne précédent. Leur état est lamentable, mais il en reste assez pour que les vêtements soient re-connaissables.

— J'ai dans ce canot, continue Membertou pen-dant que Clovis soulève la couverture qui dissimule les marchandises, des richesses que vous voulez peut-être échanger contre des fourrures dont les Normands sont fort épris. Un autre canot, encore plus chargé que celui-ci, n'attend que votre signal pour s'approcher de la grève.

Lorsqu'ils aperçoivent le butin, plusieurs voix s'élèvent parmi les Armouchiquois pour exprimer leur désir de faire le troc. Onéméchin, qui aime aussi les nouveautés françaises, sourit avec un plaisir évident devant l'étalage de Membertou. Peu à peu, ses craintes commencent à s'envoler. Il se tourne vers ses hommes qui font entendre des grognements d'approbation.

— Membertou, dit enfin Onéméchin, je suis de ton avis. Vivons en paix. Faisons de cette journée la première d'une longue période d'amitié et de paix entre nos nations.

— Je suis d'accord, prononce aussi Marchin. Faisons le troc ensemble et vivons en paix pendant des centaines de lunes à venir.

Membertou regarde les deux hommes, un sourire satisfait éclairant son visage parcheminé. «Quels hypocrites vous êtes, se dit en lui-même le rusé Sagamo. Vous pensez prendre nos marchandises, pour ensuite nous massacrer. Le vieux Membertou, pensez-vous, a le crâne bien affaibli, s'il est assez stupide pour croire que nous voulons vraiment faire des échanges avec lui. À cause de votre stupidité, vous paierez cher votre cruauté et votre arrogance.»

De son côté, Clovis entretient des pensées non moins sanguinaires: «Vous avez tué le père de Sésip, se dit-il en regardant les Armouchiquois, vous avez tué trois des nôtres et blessé mon ami Robert. Vous allez payer cher les malheurs que vous avez causés.»

— Fais approcher l'autre canot, dit Onéméchin à Membertou, et commençons notre troc.

La deuxième embarcation arrivée, les Sagamos Messamouët et Chkoudun commencent à retirer du canot et à faire voir un à un les objets qu'il contient. Membertou montre son butin avec lenteur, expliquant cet objet qu'il a reçu des Français, puis cet autre qu'il a pris à des ennemis. Il fait durer l'affaire le plus possible, afin de donner le temps à ses guerriers de prendre position dans la forêt et derrière les îles. Les Armouchiquois ont maintenant perdu toute méfiance. Semblables à des enfants, ils prennent plaisir à essayer qui des culottes, qui des chapeaux. Ce trafic de marchandises prend beaucoup de temps, car il est près de neuf heures, quand tout à coup, au fond du canot, Marchin, intrigué, découvre une trompette qu'il tend à Membertou. Le Sagamo reçoit l'instrument, s'en amuse un temps, le faisant voir aux Armouchiquois. Enfin, il le donne à Clovis, afin que celui-ci puisse le faire résonner. Le jeune homme prend la trompette, la porte à sa bouche et gonfle ses joues, ce qui fait rire les spectateurs. Puis, avec une grande énergie, il souffle dans l'instrument et produit un son tellement strident qu'il se répercute au loin, rebondissant sur les collines pour renvoyer son écho au-delà du village de Saco.

Pendant que les Armouchiquois s'amusent de l'éclat de la trompette, les guerriers de Membertou, dissimulés dans la forêt et derrière les îles, sortent précipitamment de leurs cachettes en poussant des hurlements terribles. Les Armouchiquois sont tellement étonnés, par cette apparition soudaine, qu'ils ont un moment d'incompréhension et d'hésitation. Des dizaines d'hommes, le visage peint des violentes couleurs de la guerre, surgissent en même temps de la mer et de la forêt, fondent sur leurs ennemis avec une ardeur inouïe, les attaquant avec leurs couteaux, leurs massues et leurs flèches. La ruse de Membertou a été si bien préparée et a si bien réussi, que, pendant les premiers moments du combat, il semble que les Souriquois vont transformer leurs ennemis en chair à pâté. En moins de temps qu'il en faut pour le dire, tombent une cinquantaine de guerriers Armouchiquois, pendant que les femmes et les enfants se

sauvent dans les bois en criant comme des perdus.

Les hommes d'Onéméchin ne sont pas des nouveaux venus dans l'art de faire la guerre, surtout
lorsque le combat est engagé par une feinte, ce qui
est leur mode favori. Le premier moment de surprise
passé, ceux qui ont survécu à l'assaut initial se rallient vivement et commencent à répondre aux coups
reçus avec une ardeur encore plus grande que celle
de leurs ennemis. Une rage soudaine s'est emparée
d'eux et leur infuse une telle énergie, qu'après un
temps, la victoire souriquoise paraît compromise.

Les hommes de Membertou sont partout à la fois.
Chkoudun, ainsi qu'un autre Sagamo sont blessés,
l'un à l'avant-bras, l'autre à l'épaule, mais ils continuent le combat comme si de rien n'était. Clovis, de
son côté, joue avec beaucoup d'ardeur du coutelas
et de la massue. Il attaque en jetant des hurlements
effrayants suggérés par la rage qui le possède.

En dix minutes, l'affrontement meurtrier a déjà
couvert le sol de cadavres et de blessés. Clovis respire l'odeur fétide que répand dans l'air le sang versé
avec une telle abondance. Il en éprouve comme une
ivresse; le bruit de la bataille et les effluves du carnage lui donnent des ailes et redoublent son ardeur.

C'est à ce moment-là qu'il aperçoit près de lui le
Sagamo Marchin qui élève son couteau au-dessus
de la tête de Membertou pour le trucider. Le jeune
Français voit aussitôt le terrible danger que court
son chef. Vif comme l'éclair, il saisit son coutelas de
ses deux mains, le balance vivement au dessus de sa
tête pour se donner un élan et avec un grand cri,
comme il n'en a encore jamais poussé, il pourfend
Marchin de haut en bas avec une telle force que le
corps du terrible guerrier s'effondre, dans une ex-

plosion de sang, à la fois vers la gauche et vers la droite.

Membertou n'a que le temps de jeter un bref regard de reconnaissance dans la direction de Clovis avant de poursuivre le carnage. Le sang gicle de partout, pendant que les cris des belligérants se mêlent aux râles des blessés. Cependant, malgré l'avantage du début, l'issue du combat n'est toujours pas assurée pour les Souriquois. Les cris d'encouragement des chefs Armouchiquois rallient leurs forces et ils contre-attaquent avec une ardeur nouvelle. Au point que lorsque des guerriers de Marchin voient le sort fait à leur Sagamo, ils tentent d'attaquer Clovis et Membertou à leur tour, mais ils s'effondrent, criblés de flèches lancées par un groupe de guerrier, Etchemins qui se trouvent à deux pas. Il semble à Clovis que plus il tue d'ennemis, plus il en paraît devant lui.

C'est alors que survient l'événement qui fait pencher la balance du côté des Souriquois. Pendant le combat, un canot s'est approché de la plage, portant les vieux parents de Panounias, son père paralysé et sa mère aveugle. Avec peine, les deux vieillards se lèvent dans leur embarcation et, se soutenant péniblement l'un l'autre, descendent avec prudence sur la grève. Avec la voix glapissante des personnes de leur âge, ils haranguent les Souriquois, leur rappelant leur devoir de venger par le sang, celui versé par leur fils. Il n'en faut pas davantage pour que cet étrange couple de patriarches, quasi moribonds, insuffle aux leurs l'énergie nécessaire pour remporter le combat.

La rage au corps, les Souriquois redoublent de vigueur et lorsque Onéméchin paraît devant Membertou pour lui régler son compte, ce dernier fait un moulinet de sa massue et la fait tournoyer au-dessus de sa tête avec une énergie qu'on ne lui soupçonne plus. La massue atteint une vitesse si grande qu'elle finit par ne former qu'une ligne circulaire au-dessus du vieux chef. Soudainement, Membertou abaisse son arme qui vient s'écraser avec force sur le crâne de son ennemi. Le coup est porté avec tant de violence que la tête d'Onéméchin éclate en cent morceaux, éclaboussant les environs de sang, de cervelle et de morceaux d'os.

Ce coup fait un si grand bruit et la mort du Sagamo produit un tel effet, qu'elle met fin, de façon abrupte, aux hostilités. Déconcertés, la vingtaine de survivants Armouchiquois s'enfuient aussitôt dans les bois sans demander leur reste. Messamouët, ne voulant pas leur laisser de quartier, les poursuit avec quelques guerriers et en massacre la moitié, devant leurs femmes et enfants réfugiés en ce lieu, pendant que les autres, plus agiles, réussissent à prendre le large. Après cette dernière boucherie, l'ardeur meurtrière se calme et le bruit du combat cesse complètement pour céder la place aux râles des mourants épars sur le champ de bataille. Les Souriquois et les Etchemins font le tour de la grève pour soigner leurs blessés, et couper la tête des morts ennemis les plus éminents, comme autant de trophées à rapporter. Des leurs, ils dénombrent cinquante-deux blessés et trente-trois morts. Chez les Armouchiquois, cent quatre-vingt sept cadavres baignent de leur sang le sol de Saco. Les Souriquois sont non seulement victorieux, mais ils ont presque complètement décimé la population mâle de la nation armouchiquoise.

Clovis, accablé par la violence du combat, se retrouve debout au milieu du champ de bataille. Son âme aussi bien que son corps sont engourdis par l'effort extraordinaire qu'il vient de déployer; il se sent vidé de tout sentiment et ne pense plus à rien.

Membertou rassemble ses troupes devant lui et leur fait une longue harangue. Pendant plus d'une heure, encouragé par leurs cris approbateurs, le Sagamo énumère les nombreuses vertus de ses guerriers et loue leur courage, leur vaillance et leur force. À court de mots, il s'approche ensuite du jeune Français et le félicite de sa conduite et de son ardeur guerrières. Il loue tout particulièrement son action courageuse qui lui a sauvé la vie, au plus fort du combat. Pendant que le jeune héros continue de porter son regard dans l'espace, Membertou lui déclare qu'il est digne de figurer au rang de ses plus braves guerriers et qu'il sera heureux, le temps venu, de le voir épouser Sésip et entrer dans la tribu des Souriquois. Les paroles du chef déclenchent une grande exubérance chez ses hommes.

À la fin de son discours, Membertou annonce le moment venu de s'occuper de ceux et celles qu'ils ont rendus veuves ou orphelins. Il donne l'exemple et fait venir près de lui la femme de son ennemi vaincu. Elle traîne, accroché à ses jambes, un petit garçon de cinq ans et tient dans ses bras une petite fille âgée de quelques mois seulement, qui s'appelle Nébé. La veuve d'Onéméchin ne paraît pas malheureuse de son sort, ayant été remarquée par l'homme victorieux de celui qui a été son maître jusqu'à ce jour. Membertou est auréolé, à ses yeux, de vertus supérieures à celles qu'elle a admirées chez son mari. La femme, à un geste du Sagamo souriquois, s'approche avec dignité et lui tend l'enfant qu'elle porte dans ses bras. Aussitôt, Nébé laisse aller la main de sa mère et la pose dans celle du vieux chef, son nouveau protecteur. Pas une larme n'est versée, pas la moindre émotion n'est manifestée pendant cet échange.

Peu après, les vainqueurs s'assoient dans la forêt pour une tabagie, servie par les Armouchiquoises qui n'ont pas le temps de s'apitoyer sur leur nouveau sort. Toute la nuit, les Souriquois et les Etchemins chantent et dansent pour célébrer leur éclatante victoire. Le lendemain matin, l'armée de Membertou, maintenant forte de cent canots et grossie du butin recueilli, prend la mer en direction du nord-est pour le long voyage de retour.

Pendant les événements de Saco, les Français de Port-Royal se sont préparés, avec réticence, à abandonner la colonie. Poutrincourt trouve chaque jour de nouvelles raisons pour remettre le départ, sans indisposer le capitaine Chevalier. Un beau matin du mois de juillet, celui-ci presse le gouverneur avec insistance, d'arrêter une date pour le départ.

— J'aimerais beaucoup vous satisfaire, monsieur, mais je me dois d'attendre le retour de Clovis.

— Mais il ne retourne pas en France, Monseigneur. C'est peine perdue que de l'attendre.

— Monsieur, reprend encore Poutrincourt, je ne puis l'abandonner dans ce lieu sauvage, puisque j'ai été chargé, par Mme de Guercheville, de veiller sur sa sécurité.

— Ce sont des remords qui viennent bien tard à Votre Excellence, rétorque le capitaine avec agacement. Si vous aviez tant à cœur sa sécurité, pourquoi l'avez vous laissé partir pour cette expédition dont il ne reviendra peut-être jamais.

Le dialogue des deux hommes est brusquement interrompu par les cris de Biencourt et Pont-Gravé.

Ils viennent d'apercevoir au loin, s'avançant dans la baie de Port-Royal, une centaine de canots.

— Ce sont les Souriquois, de retour de leur expédition, mon père, dit Biencourt avec excitation.

— Qu'on tire du canon, répond celui-ci, en jetant un regard de triomphe à Chevalier.

Avec le reste de la colonie, Poutrincourt descend sur la grève pour accueillir les guerriers.

— Ils paraissent chargés de tant de dépouilles qu'ils sont sûrement vainqueurs, crie Pont-Gravé avec enthousiasme.

Tous cherchent des yeux la silhouette familière de Clovis, pendant que les canots s'avancent en formation triangulaire, celui de Membertou à leur tête. Le Sagamo se tient debout à la proue, relevant fièrement le menton de son beau visage anguleux et parcheminé, au teint bruni par le soleil. Il a endossé son grand manteau de cérémonie, fait de dizaines de peaux de daim. Le vent de la mer souffle dans ses plis, pendant que flotte en arrière, sa longue chevelure grise. Mais de traces de Clovis, point.

— Vous vous réjouissez peut-être trop vite, Excellence, remarque le capitaine du *Jonas*. Un vainqueur mort ne vaut guère plus qu'un vaincu vivant.

— Gardez vos sombres présages pour vous-même, lui rétorque Poutrincourt avec brusquerie.

L'inquiétude et le désarroi se lisent sur le visage des hommes de Port-Royal. Le gouverneur et son fils se tiennent au premier rang, sur la grève.

— J'ai les pires prémonitions, dit à voix basse Poutrincourt à Biencourt.

— Quelles prémonitions, père? demande Charles.

— Que Clovis a péri dans cette damnée expédi-tion des Souriquois et que Membertou ne nous rapporte que son cadavre, ajoute le gouverneur qui commence à s'énerver.

— Calmez-vous, monsieur. Toute cette agitation simplement parce que vous n'apercevez point encore sa silhouette? demande Biencourt.

— N'est-ce pas assez, mon fils? S'il était vivant, il se tiendrait aux côtés de Membertou, la seule place qui lui convient.

— Il est vrai, père, que telle serait sa place.

— Vous voyez bien qu'il y a lieu d'être inquiet.

— Peut-être, monsieur, mais...

Soudain, Biencourt s'interrompt lorsque la formation des canots se brise par le centre en deux rangées d'une cinquantaine de canots chacune. Puis, sans qu'on s'y attende, le dernier canot se détache de l'arrière et s'en vient prendre la tête du convoi, pendant que les autres reprennent à sa suite la formation en triangle.

Tel Agamemnon après la victoire de Troie, Clovis se tient hardiment à sa proue, la crinière jetée dans le vent, le visage rayonnant de bonheur. Tous les habitants de Port-Royal sentent une bouffée d'orgueil les envahir, à la vue de cette triomphante figure. Tout comme son chef, le jeune héros est vêtu du long manteau cérémonial des Souriquois, noué au cou et rejeté élégamment en arrière sur une épaule. Sa tête est parée de deux plumes d'aigles et il porte à gauche le carquois et les flèches du guerrier. À cette vue, les colons sont transportés d'émerveillement. Ils éclatent aussitôt en applaudissements et en cris de joie qui résonnent pendant longtemps jusqu'au plus profond des collines de Port-Royal.

Lorsqu'il met pied à terre, Clovis reçoit l'accolade de tous les Français. Il n'en connaît pas de plus douce que celle du gouverneur. Par ce geste, il semble que les différends qu'il a eus avec lui sont maintenant oubliés. Ni l'un ni l'autre ne parlent plus de ce qui les a divisés dans le passé. En même temps qu'il a obtenu ces heureux résultats, celui que ses compatriotes appellent maintenant le vainqueur de Saco, a établi son indépendance vis-à-vis de Poutrincourt et modifié les termes du pacte qui le lie à lui.

Ce soir-là, et jusque tard dans la nuit, c'est la fête pendant laquelle les Français, sans penser au lendemain, consomment leurs dernières provisions de vin et de nourriture. Le héros raconte avec force détails les différentes péripéties de la bataille de Saco. Ce soir-là, le jeune homme s'endort aux petites heures du matin et son sommeil est troublé par des cauchemars dans lesquels il est poursuivi par un Français sans tête, brandissant un poignard dégoulinant de sang.

— Tu dois te méfier d'un Français dont tu ne sais ni le visage ni le nom, lui dit Robert du Pont à qui il a fait part du songe étrange qui a troublé sa nuit.

— Tu ne m'es d'aucun secours, par tes propos alarmants, lui répond Clovis.

— Tu as choisi la meilleur part, en restant en Acadie, poursuit Robert qui tente de faire dévier la conversation.

Clovis, qui prend toujours ses rêves comme des prémonitions, regarde son ami avec inquiétude.

Dans les jours qui suivent, Poutrincourt, à bout d'échappatoires, est obligé de revenir à la réalité et de se décider à lever l'ancre. Le départ est fixé au vendredi 3 août. Ce jour-là, le gouverneur fait cadeau à Clovis d'une des deux barques construites au cours de l'été et lui offre de demeurer dans l'habitation de Port-Royal. Celui-ci refuse cependant, puisqu'il a décidé d'aller vivre à Ouygoudy, dans la tribu de Sésip. À cause de cela, Poutrincourt confie à Membertou, en son absence, la garde de ses bâtiments; car s'ils partent aujourd'hui, les Français ont bien l'intention de revenir dès qu'ils auront pu faire rétablir le privilège de la traite. Au moment où le gouverneur va monter dans la barque pour aller jusqu'au navire, Clovis lui glisse une lettre à l'intention de sa mère, car il ne sait pas à quel moment il la reverra.

— Moi, dit Robert à son ami en l'embrassant, je te promets de revenir d'ici un an avec mon propre bateau.

À ces paroles réconfortantes, Clovis se met à pleurer à gros bouillons, comme il le fait chaque fois qu'il est ému.

— Ne dis plus rien, ajoute Robert en riant, tes larmes parlent plus que les mots.

Une heure plus tard, Clovis se tient debout, sur la grève, Chégumakun et Membertou à ses côtés. Sur ses joues des larmes glissent lentement, pendant que s'éloignent les barques qui emportent les derniers liens qui le rattachent encore à l'Ancien Monde.

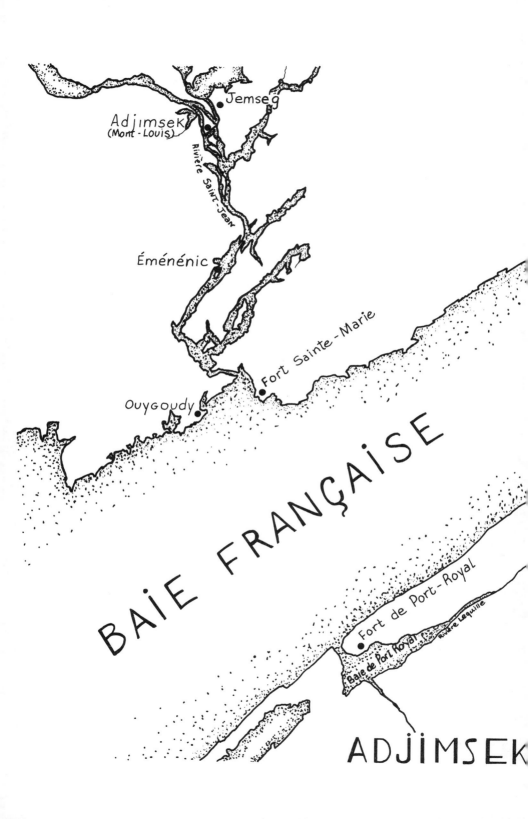

8

*F*ait à Ouygoudy, ce vingt-septième jour du mois d'août de l'an de grâce 1608.

À la marquise de Guercheville, au château de Saint-Germain-en-Laye.

Madame, chaque jour, je glisse davantage vers l'indépendance, vers la libération d'avec mon passé. Il ne faut pas croire, cependant, que je renie ce qui m'est advenu avant mon départ pour l'Acadie. Rien ne serait plus éloigné de la vérité. Je vous ai mille obligations pour m'avoir recueilli, m'avoir pris auprès de vous et m'avoir, pendant quinze années, donné de si bons soins et conseils. Je serais fort ingrat, si je ne reconnaissais combien, avec M. de Liancourt, vous m'avez rendu heureux.
Je n'éprouve pas de plus grande joie que lorsque je cours les bois avec Chégumakun, à la recherche d'animaux à fourrure pour la traite, de gibier pour nos tables, ou tout simplement à la découverte de nouveaux territoires, ou au

dévoilement de nouveaux mystères qui sont en si grand nombre cachés dans la nature de ce pays. Vous ne pouvez savoir le plaisir que je ressens, à me retrouver avec les membres de ma tribu, soit au cours d'une tabagie[1], d'un pétun[2], d'une baignade, d'une chasse, d'un combat contre l'ennemi. Jamais auparavant je n'ai autant ressenti la satisfaction de me retrouver avec d'autres hommes.

Si les Français voyaient la façon qu'ont les Souriquois de se promener tout nus, sans que personne n'y prête la moindre attention, ils seraient probablement étonnés. Pourtant, c'est la chose la plus naturelle du monde pour les hommes et les femmes, jeunes et vieux, de se baigner nus et pêle-mêle dans les rivières et les lacs. Au cours de ces jeux, ils ne paraissent pas plus émus que d'habitude et je n'ai jamais vu l'un d'eux avoir un geste ou même un regard impudique.

Le mois dernier, j'eus la surprise et la joie de voir arriver à Ouygoudy, nul autre que Robert du Pont, le plus joyeux et le plus hardi compagnon que j'ai eu jusqu'ici. Il commandait son propre bateau, un petit navire de cinquante tonneaux, appelé La Garce, qu'il s'était procuré à Saint-Malo, par je ne sais quel moyen, car il ne commande pas à une grande fortune. Son équipage est formé de huit Malouins qui sont, comme Robert, d'aventureux compagnons. Mon compère a donc tenu la parole qu'il m'avait donnée à son départ en 1607: «Je reviendrai d'ici un an.»

1. Tabagie: Mot algonquin signifiant «festin».
2. Pétun: Mot d'origine brésilienne, qui veut dire «tabac». Par extension, un pétun est une réunion pendant laquelle les mâles souriquois fument le calumet.

L'arrivée de Robert venait à point donné, car je me préparais, avec quelques familles d'Ouygoudy, à émigrer en amont de la rivière où les animaux à fourrures abondent. Chégumakun et Ulnooé avec leurs épouses, ainsi que Sésip et sa famille avaient accepté de me suivre. Je proposai à du Pont et ses amis de se joindre à nous, et ils acceptèrent.

L'un d'entre eux, qui est capitaine du navire, s'appelle Gaston Merveille. Il a vu quelques Souriquoises qui lui ont grandement plu; je crains qu'il soit un homme plein d'ardeurs, qu'il nous faudra garder à l'œil, afin qu'il n'irritât pas les gens du pays.

Comme il nous tardait de commencer notre nouvelle vie, nous ne restâmes pas plus de quatre jours à Ouygoudy. Les Souriquois voyagèrent en canot, Chégumakun, Ulnooé et moi montâmes sur La Garce. Noue fîmes si bonne route qu'en deux jours nous avions trouvé où établir le poste de traite. C'est une île située à quelque sept lieues en amont et que les Souriquois appellent Éménénic. Je décidai, avec ma tribu, de planter nos ouaguams sur la rive d'en face.

Dès notre arrivée, nous nous mîmes au travail et, en deux mois, nous avions construit une maison de quinze pas de long par dix de large, pour servir de poste de traite. L'intérieur est divisé en deux parties, l'une pour les pelleteries et l'autre pour les Malouins. À la fin des travaux, je m'en retournai habiter dans le ouaguam de Sésip, avec toute sa famille. Quelques jours plus tard, à la demande des gens de mon village, je suis devenu leur Sagamo.

Si je n'ai pas l'Église catholique à mes côtés, par contre, j'ai pour moi la vie spirituelle des

Souriquois. N'est-ce pas le bon roi Henri qui a dit un jour au père Coton que si la religion est une si bonne chose, on devrait en avoir plusieurs? À ce sujet, laissez-moi vous raconter ce qui m'est advenu, le printemps dernier. J'ai participé à un événement d'un caractère si spirituel, que j'oserais dire, sans vouloir offenser Dieu, qu'il ressemble grandement aux Sacrements de notre Sainte Mère l'Église.

J'habite depuis huit mois avec Sésip et sa famille. Un beau jour de juin, je fus convoqué à un pétun, chez le Sagamo Chkoudun, de Ouygoudy. Au cours de l'assemblée, celui-ci discourut pendant deux heures, et fit le récit de ma vie depuis le jour de mon arrivée en Acadie. Chégumakun prit ensuite la parole et parla de mon existence à Paris, avant mon arrivée ici. Il est coutume qu'après une pareille harangue, celui à qui elle s'adresse prononce à son tour un discours non moins grandiose. Pendant près de deux heures, Madame, j'ai fait l'éloge de Chkoudun, de Membertou, des Souriquois, de Sésip et de sa famille. Vous seriez étonnée de tout ce que j'ai trouvé à dire sur ce sujet.

Lorsque Chkoudun me demanda, après ma harangue, si j'avais des regrets d'avoir quitté ma famille, par-delà les mers, je lui répondis que j'en avais de la tristesse, mais pas de regret, qui est une chose que j'éprouve peu. Car, ajoutai-je, je n'ai, en ce moment qu'un regret, celui de n'être pas souriquois. Ma réponse dut le surprendre, car il me regarda silencieusement, avec une grande attention, tout en tirant la fumée de son calumet.

Lorsque j'ai voulu savoir comment faire pour devenir un Souriquois, le sage chef de Ouygoudy me répondit: «*Pour cela, jeune Normand, il faut que tu naisses à nouveau.*» Convenez-en avec moi, c'est bien là la remarque la plus surprenante. «*Pour y arriver, Clovis*, reprit le Sagamo en réponse à mon interrogation muette, *tu dois retourner dans le ventre de ta mère. Alors seulement, tu seras souriquois.*» Retourner dans le ventre de ma mère, n'est-ce pas là une bien extraordinaire aventure?

Le Sagamo, ensuite, fit approcher l'aoutmoin. Ce personnage important de la tribu interprète les songes, dit l'avenir et parle avec ceux qui sont dans l'au-delà. Il préside toutes les cérémonies religieuses des Souriquois. S'il existe un prêtre, chez les Sauvages, c'est bien cet homme. L'aoutmoin donc, s'est levé et s'est assis en silence, en face du Sagamo, au milieu de notre cercle. D'un sac, il a tiré un calumet et l'a rempli d'herbes séchées, qu'il garde à part, dans de petits sachets de cuir. L'aoutmoin m'a fait signe de venir m'asseoir au centre, à côté de lui et traça sur le sol, autour de ma personne, un cercle fait d'écailles et autres matachias. Après avoir terminé ces préparatifs, il alluma le calumet et nous pétunâmes pendant près d'une heure. À mesure que le temps passait, mon corps et mon esprit furent envahis par des sensations que je n'avais jamais connues auparavant.

L'aoutmoin ordonna alors qu'on me retirât tous mes vêtements et qu'on me fît boire, à même un vaisseau de bois, un liquide épais et sombre. Il fit ensuite circuler cette coupe dans l'assemblée. Enfin, il m'ordonna de m'étendre sur le sol, la face contre terre. Je restai dans cette posture un long moment pendant lequel je ressentis les plus *étranges événements se passer en moi. Sans que j'aie seulement à ouvrir les yeux, je vis des mondes remplis de lumière et de rayons multicolores, et dont l'espace était peuplé de personnages et d'animaux aux formes étranges, se transformant rapidement, se pénétrant les uns les autres, se tordant parfois et se fondant doucement.*

Quelqu'un plaça un bandeau sur mes yeux, alors que l'aoutmoin, à mes côtés, prononçait à mon oreille des paroles qui, inintelligibles en d'autres temps, me parurent alors parfaitement compréhensibles. Je sentis des mains me soulever de terre et me transporter hors du ouaguam. L'air du printemps caressa mon corps tout le temps que mes compagnons me portèrent vers une destination inconnue. Peu à peu, j'entendis le bruit de l'eau tourbillonnante qui se rapprochait et pensai que nous étions arrivés près des chutes[3] de la rivière Saint-Jean. Je me trouvai si incroyablement léger, ma mère, que je crus être un oiseau. Ma tête chanta, mes oreilles entendirent les sons des voix qui m'entouraient comme si elles étaient la musique la plus divine qui soit et il m'apparut alors que j'étais le centre de l'univers. Je me sentais fort heureux et je n'avais point peur. Dans mon oreille, toujours l'aoutmoin chantonnait des mots que je ne comprenais pas, mais qui étaient ceux-là même que je désirais entendre.

Je ne sais combien de temps je fus dans cet état. Je perçus tout à coup les cris joyeux de mes compagnons et je sentis que je glissais lentement

---

3 . C'est en ce lieu que la tradition souriquoise plaçait «l'arbre de vie». Aujourd'hui ce site est un attrait touristique, connu sous le nom de «Chutes Réversibles».

dans l'eau. Pendant un très bref moment, j'eus peur et désirai retirer le bandeau qui couvrait mes yeux. Mais je me retins, car l'aoutmoin recommença, dans mon oreille, les chantonnements qui m'avaient tant calmé jusque-là. Il me sembla que mes compagnons parlaient avec des voix plus fortes et que les bruits qu'ils faisaient étaient plus grands. À ce moment, ma mère, une sensation étrange s'empara de moi. Je crus que le ciel et la terre s'étaient ouverts et que je sombrais dans l'abîme. Mon cœur sauta dans ma poitrine lorsque je sentis que les mains qui m'avaient soutenu jusque-là, me délaissèrent tout à coup. Je ne me retrouvai pas pour autant abandonné. Il m'apparut alors que j'étais relié, du plus profond de mon être, avec la vie, avec Dieu lui-même.

Je me sentis emporté dans un tourbillon d'une force incroyable. Je fus soulevé, retourné dans tous les sens, allant de gauche à droite, de bas en haut. L'eau entrait dans ma bouche, dans mes narines, dans mes oreilles et dans mes yeux qui s'étaient ouverts, car le bandeau avait été arraché par la force du tourbillon qui me secouait. Il me sembla que ces mouvements durèrent un temps très long, pendant lequel un grand calme m'envahit, un grand bonheur m'inonda.

En fin de compte, des mains sorties de l'onde, me saisirent à nouveau et me tirèrent hors du bouillonnement où je me trouvais. Je fus ensuite conduit dans des eaux calmes, entouré des jeunes guerriers de Chkoudun. Nous étions dans une immense baie, et le soleil donnait une lumière si intense, qu'il me sembla la voir pour la première fois. Elle avait un tel éclat, elle était d'une telle blancheur, que tout ce qu'elle touchait, m'apparut *pur et sans défaut. C'est à ce moment-là, ma mère, que je sus que j'étais né à nouveau et que j'étais devenu souriquois. J'entendis alors la voix de Chégumakun qui me dit: «Ton nom est Kitpoo.» En langue souriquoise, Madame, ce mot veut dire aigle.*

Nous restâmes à jouer dans le fleuve tout le reste du jour et n'en sortîmes que lorsque le soleil se fut retiré derrière les collines. Ces heures me parurent les plus belles que j'aie vécues jusque-là, ma mère.

Dans deux jours, le capitaine de barque, Henri Chevalier, venu faire la traite dans la baie Française, retourne à Honfleur, le ventre de son navire chargé des pelleteries que j'ai échangées avec lui contre des marchandises que nous ne trouvons pas en ce pays. Il vous apportera cette lettre qui, je l'espère vous trouvera, ainsi que mon père et Sa Majesté, dans la meilleure santé qu'il soit possible d'avoir. Celui qui prie tous les jours le Mundoo de vous bénir et de vous garder toujours porte désormais le nom de

Kitpoo.

Malgré le chaud soleil du début d'avril, la neige abondante de l'hiver de 1609 recouvre encore presque tout le sol de l'Acadie. Dans une grande clairière, à l'abri du vent, le sol apparaît par vastes plaques. Sur une pierre, Kitpoo et Chégumakun sont assis à côté de leurs raquettes, plantées dans la neige auprès d'eux. Ils se reposent, après une chasse fructueuse qui dure depuis trois jours. Ils fument le calumet en silence, en attendant que leurs femmes, à moins d'un mille de là, aient terminé le dépeçage du cerf qu'ils viennent de tuer.

C'est une belle bête qui va procurer de la viande en quantité à leurs familles pendant plusieurs jours. Fort heureusement, elle est tombée dans une éclaircie où il est plus aisé de la préparer qu'en forêt. Sésip et sa compagne ont d'abord enlevé la peau de l'animal, puis elles l'ont éviscéré et détaillé en morceaux. C'est un dur labeur, mais elles y sont habituées et l'accomplissent en riant et en badinant. À cause du soleil printanier qui darde ses rayons sur elles, les jeunes femmes ont chaud. Elles retirent leurs vêtements détrempés qu'elles étalent au soleil sur les branches basses d'un sapin pour les faire sécher. Tout en gardant leurs mocassins aux pieds, elles terminent leur travail complètement nues. Avec habileté, elles construisent un brancard et y placent un à un les morceaux sanguinolents de l'animal.

Pendant ce travail, leurs bras, leurs poitrines, leurs ventres et leurs cuisses sont maculés de sang. À l'orée de la forêt, elles trouvent une belle neige molle avec laquelle elles se nettoient soigneusement le corps l'une l'autre. Ce lavage est aussi l'occasion de jeux, de rires et de badineries. Leur jeune peau, au frottement de la neige, prend des couleurs vives. Sésip n'a que quatorze ans et sa compagne en a quinze. Celle-ci, pour assécher le corps de l'autre, souffle légèrement sur ses épaules, sur sa gorge, sur son ventre, sur ses cuisses, comme on fait quelquefois pour refroidir un potage trop chaud. Les jeunes femmes éclatent de rire avec innocence devant la futilité de cet exercice.

Tout à leur jeu, elles n'ont pas vu le mouvement imperceptible des branches, tout près d'elles, dans la forêt. Aussi, sont-elles fort surprises, lorsque surgissent brusquement à leurs côtés deux hommes qu'elles n'ont jamais vus auparavant. Ils se plantent devant elles avec un grand cri en brandissant un mousquet à bout de bras. Ils sont habillés comme les Normands et portent une barbe de plusieurs jours. L'un est gros et bedonnant et porte un bandeau noir sur l'œil droit, tandis que l'autre plus petit et plus jeune est bien tourné de sa personne.

À cette apparition, les deux femmes s'arrêtent aussitôt de jouer, mais elles ne font aucune tentative pour fuir ou dissimuler leur nudité. Au contraire, elles regardent avec curiosité et amusement ces deux étonnantes créatures qui viennent d'apparaître devant elles. Voyant qu'ils ne rencontrent aucune résistance, les deux Français s'enhardissent et s'approchent des Souriquoises. Celles-ci ne bougent toujours pas et les nouveaux venus prennent pour du consentement ce qui n'est qu'ignorance.

Sésip, aussi bien que la femme de Chégumakun, n'ont jamais vu d'autres Français que Kitpoo et les hommes de Poutrincourt, et n'ont jamais éprouvé de frayeur à leur contact. Mais lorsque ceux-ci brandissent leurs mousquets et leur donnent des ordres dans une langue qu'elles ne comprennent pas, elles prennent peur. Elles se rapprochent l'une de l'autre, s'étreignent instinctivement et commencent à grelotter, tout en continuant à dévisager les intrus.

— Tu prends la plus petite, dit le bedonnant à son compère, moi je prends l'autre. On dirait qu'elles nous attendaient.

— Je n'ai jamais rien vu d'aussi beau, balbutie le jeunot qui n'en croit pas ses yeux.

— Il y en a par milliers à travers les forêts du Nouveau Monde, mon ami. Elles sont là pour nous remercier de leur apporter la civilisation. Nous n'avons pas à nous priver.

À ces mots, le gros homme s'approche de celle qu'il convoite et lui prend rudement le bras. Celle-ci, rebutée par la brusquerie du geste, tente de résister.

— On fait des manières, alors qu'on devrait me remercier, ajoute-t-il en tirant brutalement sur le bras de la jeune femme.

Les Souriquoises commencent à s'affoler. Il leur arrive quelque chose qu'elles ne comprennent pas, mais elles sentent que ces hommes ne leur veulent pas de bien. Sésip empêche le plus jeune de lui saisir le bras et se démène avec vigueur. Quand elle ne réussit pas à prévenir le geste qu'il fait pour la saisir à la jambe, elle réunit toutes ses forces et lance un grand cri, aussitôt suivi d'un autre jeté par sa compagne.

— Elles vont attirer toute la tribu, dit le plus jeune.

— Nous avons bien le temps, dit le gros. D'autant plus qu'on n'a pas à plumer l'oiseau, c'est déjà fait, dit-il avec un gros rire.

Les deux jeunes femmes se mettent à crier de plus belle, pendant que les hommes tentent de leur fermer la bouche avec leurs mains. Pour se libérer, Sésip mord jusqu'au sang la main qui la muselle et le jeune homme jette un cri de douleur suivi d'un juron. Aussitôt, Sésip remplit ses poumons d'air et hurle sa frayeur dans le vent.

Assis sur la pierre, Kitpoo et Chégumakun se redressent brusquement. Il leur a semblé entendre un cri apporté par l'écho. Ils se regardent, se lèvent, saisissent leurs raquettes, les chaussent rapidement et filent en direction de ce qu'ils croient être un appel à l'aide. Ils sont à vingt minutes d'une marche normale du lieu où les femmes sont à dépecer le cerf. À mi-chemin, ils sont saisis d'appréhension lorsqu'ils entendent la détonation d'un mousquet, suivi d'un hurlement. Ils se ressaisissent vivement et repartent de plus belle à travers la forêt. Moins de dix minutes plus tard, ils débouchent dans la clairière où ils avaient laissé les deux femmes. À la vue du spectacle, ils sont paralysés d'angoisse: sur une grande plaque de neige imbibée de sang, à l'orée de la forêt, gisent les corps nus et inanimés de Sésip et de sa compagne. Sans même enlever leurs raquettes, les deux hommes se ruent littéralement vers elles, s'enfargeant dangereusement à mesure qu'ils avancent.

Chégumakun et Kitpoo sont littéralement pétrifiés d'horreur en contemplant de près le corps des deux femmes. Sésip est étendue face contre terre et son dos ne porte pas de marque de violence. Sa compagne, par contre, est étendue sur le dos et par un grand trou béant, sous le sein gauche, un liquide écarlate s'écoule en pulsations lentes sur la blancheur éclatante de la neige. Du plus profond de son être, Chégumakun sent monter un cri qui devient hurlement lorsqu'il quitte sa gorge et fend l'air calme du printemps. Le jeune Souriquois possède assez d'expérience des combats pour savoir qu'il n'y a plus rien à faire pour sa compagne.

Kitpoo, pendant ce temps, a retourné le corps de Sésip. Ses yeux sont fermés et elle porte une ecchymose à la joue gauche. Après lui avoir nettoyé le visage avec de la neige propre et l'avoir embrassée sur les lèvres, sur le front et sur la gorge, la jeune femme ouvre enfin les yeux. Malgré la présence de son homme, la peur se lit encore dans son regard. Elle veut parler, mais sa gorge reste contractée et deux grosses larmes coulent lentement sur ses joues.

Rassuré malgré tout, sur le sort de Sésip, Kitpoo se retourne vers Chégumakun qui tient dans ses bras le cadavre ensanglanté de sa femme. Le visage du jeune guerrier est contracté par la douleur; de sa gorge s'échappent des sons rauques et lancinants. À ce moment-là, Sésip, sans dire un mot, lève sa main en direction de la forêt. Kitpoo suit son geste et à mesure que ses yeux s'habituent à la pénombre des sous-bois, il distingue des traces fraîches laissées par deux personnes chaussées de raquettes et marchant d'un pas très rapide. Les pistes de l'une d'elles s'enfoncent dans la neige plus profondément que celles de l'autre.

— Te sens-tu la force de m'attendre en cet endroit, pendant que je vais à la recherche des malfaiteurs? dit-il à la jeune femme.

Celle-ci, toujours incapable d'articuler une parole, fait un signe affirmatif de la tête. Kitpoo, se lève aussitôt, prend les vêtements de sa compagne, étalés sur ses branches de sapin et enveloppe chaudement son corps, avant de l'asseoir sur le brancard, à côté des pièces saignantes du cerf. Il fait ensuite part de ses intentions à Chégumakun, chausse à nouveau ses raquettes et s'enfonce dans la forêt en suivant les pistes des deux hommes.

Il marche pendant une heure, de cette façon et débouche enfin au bord de la rivière Saint-Jean, juste en face de l'île Éménénic. Sur la rive, sont imprégnées dans la terre ramollie, les traces profondes d'un canot qu'on y avait tiré un peu plus tôt. Les marques sont toutes récentes, car la marée[4] mon-

---

4. Les marées de la baie Française (aujourd'hui baie de Fundy) sont si fortes qu'elles refoulent la rivière en amont de Jemseg (Adjimsek) et jusqu'à Fredericton.

tante n'a pas encore eu le temps de les effacer. À cette vue, Kitpoo est profondément troublé. Il craint de découvrir que les attaquants sont des Malouins de Robert du Pont. Gaston Merveille est un gros homme et les traces profondes sont sûrement les siennes. Tous les autres compagnons de Robert, sont beaucoup plus légers, ce qui explique la deuxième série de pistes. D'ailleurs, la chose ne surprend pas Kitpoo, car le capitaine Merveille a déjà, à plusieurs reprises, fait des remarques assez lestes sur les Souriquoises et leurs appâts.

Le jeune Sagamo sent monter en lui une sourde colère. Sagement, il décide d'être plus calme, avant de confronter les malfaiteurs et leur crime. Aussi, il fait marche arrière et se dirige vers le village où habite sa tribu. Sur les lieux, il recrute Ulnooé et quatre autres guerriers et ils se mettent en marche vers l'endroit où les attendent Sésip et Chégumakun. Kitpoo les trouve plus calmes que lorsqu'il les a quittés une heure plus tôt. Ils sont assis tous les deux sur le brancard et le cadavre de la jeune Souriquoise a été déposé par dessus la viande de cerf. Le regard dur de Chégumakun semble fixer un point qui est nulle part, ses mâchoires sont serrées et ses lèvres ne forment qu'une mince ligne droite et bleue.

Pendant que les guerriers apportent le brancard vers le village, Clovis et Ulnooé se dirigent vers la rivière Saint-Jean, en face d'Éménénic. Avec une embarcation, ils fendent vigoureusement les flots gonflés du printemps. Après une âpre lutte, ils atterrissent en face du poste de traite. La fumée s'échappe doucement de la cheminée, au centre du toit. Maintenant près du but, Kitpoo sent sa colère remonter à la surface. Avec un geste brusque il ouvre toute grande la porte d'entrée et pénètre dans l'habitation en coup de vent. À l'entour de la table sont assis Robert et ses Malouins, occupés à tanner des peaux. Ils ont le visage calme et souriant de gens qui ont eu le temps de se composer une allure, croit-il.

— Lâches meurtriers, leur lance le jeune Sagamo en se plantant devant eux, les poings sur les hanches, quel est celui d'entre vous qui a commis cet horrible crime?

La voix du jeune homme tremble de colère et les Malouins, surpris par l'apparition, regardent bouche bée et sans comprendre, leur ami dont les yeux lancent des éclairs.

— Que veux dire ceci? demande enfin Robert, revenu de sa surprise.

— Tu as l'audace de me demander des explications? dit Kitpoo dont la voix frise maintenant l'hystérie.

Robert quitte sa chaise, lorsqu'il voit son ami se diriger avec un air menaçant du côté de Gaston Merveille.

— Il se trouve que cet homme et un autre parmi vous, ont tué la femme de Chégumakun et molesté Sésip. Je veux me saisir tout de suite de ces criminels et faire justice comme il se doit.

— Quoi? Que me racontes-tu? demande du Pont.

— Ne fais-pas l'hypocrite, interrompt Kitpoo, les malfaiteurs ont laissé des traces qui conduisent jusqu'ici.

Robert s'arrête un moment et regarde son ami quelques instants avant de répondre.

— Des traces qui conduisent jusqu'ici? demande-t-il enfin.

— Oui, jusqu'à la berge, puis jusqu'au poste de traite. L'une des traces est celle d'un gros homme, comme celle du capitaine et l'autre est celle d'un homme moins lourd, comme n'importe lequel d'entre vous, ajoute Kitpoo en désignant le groupe de la main.

— Un gros homme et un petit, dis-tu? demande du Pont.

— Oui tu m'as bien entendu. N'essaie pas d'atermoyer. Les coupables sont ici, ajoute le Sagamo avec impatience.

— Oh là! pas si vite. Tu te trompes, mon ami, reprends Robert?

— Vraiment?

— Oui, tu te trompes. Tes coupables ne sont pas ici. Ils y sont venus, mais ils sont repartis.

Kitpoo regarde son ami avec surprise. Ses propos ne semblent pas convenir à ses observations.

— Et comment expliques-tu les traces?

— Kitpoo, deux hommes, un petit et un gros, sont partis d'ici il y a une heure au moins. C'est un capitaine de barque et son lieutenant qui sont venus porter une lettre de la marquise de Guercheville, à ton intention. Ils sont de passage, pour la traite, dans la baie Française.

— Deux hommes? une lettre de ma mère? balbutie Kitpoo étonné par la nouvelle.

— Oui, reprend du Pont, ils paraissaient d'ailleurs dans un état d'excitation extrême. Nous les avons invités à rester avec nous quelque temps, mais ils ont refusé, prétextant qu'il leur fallait retourner rapidement à leur navire. Ce sont les hommes que tu cherches mon ami. Cela ne fait aucun doute. Quant à nous, personne n'a quitté le poste de toute la journée.

— Par où sont-ils partis, demande Kitpoo sidéré.

— De ce côté, indique Gaston Merveille en tendant le bras, heureux de n'être plus l'objet de soupçons.

Kitpoo se dirige aussitôt vers la porte en compagnie de Ulnooé.

— Et ta lettre? lui crie Robert au moment où il va sortir.

Le jeune homme revient sur ses pas et prend le parchemin que lui tend son ami. Puis, sans dire un mot, il sort rapidement, le Souriquois sur les talons. Les deux hommes ont vite fait de reprendre leur embarcation et de descendre le courant en direction de l'embouchure de la Saint-Jean, à six ou sept lieues en aval. En route, pendant qu'Ulnooé s'occupe de la navigation, Kitpoo lit la lettre de sa mère.

Fait au Louvre, ce vingt-deuxième jour de février de l'an de grâce 1609.

À Clovis de Pons, en Acadie.

Mon fils, je sais que vous n'aimez pas que je vous parle de cette façon, mais parce que je suis votre mère et que j'ai à cœur de vous protéger toujours, en tout temps et en tous lieux, je ne puis m'empêcher de vous faire part des angoisses qui m'habitent, quand il s'agit de votre sécurité. À la cour, en tant que première dame d'honneur de la reine, je suis au carrefour des grands projets de ce royaume. Je les vois naître, je les vois souvent s'effondrer, et de temps à autre, grâce à l'amitié que me conserve le roi, j'ai l'occasion d'intervenir en leur faveur.

C'est ainsi que je pus aider M. de Poutrincourt et son fils Biencourt à obtenir du roi le prolongement du monopole de la traite en Acadie. Sa Majesté accepta de le faire, pourvu que, à ma suggestion, le gouverneur emmenât avec lui des missionnaires jésuites et entreprît la conversion des Sauvages à la religion catholique. Je fis aussi accepter par le roi qu'il reconnût à M. de Poutrincourt son fief de Port-Royal.

Je fis tout cela pour votre bien, mon fils, sachant qu'il n'est pas bon que vous viviez là-bas sans les bienfaits de la religion catholique et sans la présence d'autres Français. En même temps, je voulus m'assurer que tous ceux qui seront du voyage de retour soient honnêtes gens et qu'il ne se glissât pas parmi eux un ennemi de votre personne.

Je crus avoir réussi, mais je n'en suis plus si certaine. Un des passagers ne m'inspire guère confiance. C'est un intrigant sans naissance, dont le nom est Claude Turgis, et qui se fait appeler Claude de Saint-Étienne et de La Tour[5]. Ses origines sont plus humbles qu'il ne veut l'admettre. Son père est un maçon qui habite la rue Pagevin. Il a trempé, jusqu'ici, dans plusieurs affaires louches. On me dit qu'il ferait n'importe quoi pour arriver à ses fins. Il se rend en Acadie avec son fils qui se prénomme Charles et qui a votre âge ou à peu près. Soyez sur vos gardes, mon fils!

Tous les jours, je prie Dieu de vous bénir et de vous garder dans Sa Sainte Grâce.

Antoinette de Guercheville

---

5. Il emmena avec lui son fils Charles (né en 1593) en Acadie, afin de lui faire apprendre les langues indigènes, disait-il, et d'en faire son interprète.

Kitpoo glisse la lettre dans la poche intérieure de sa veste en daim qu'il porte sous un manteau court en fourrures de loutre. Les paroles de sa mère ne font qu'ajouter malaise et confusion à son état d'âme. Il éprouve soudainement de la colère à l'endroit de la marquise. Comment cette femme ose-t-elle le venir troubler, par delà les mers, avec des propos qui, il en est presque certain, n'ont plus rien à voir avec lui? Mais il n'en est pas si sûr. Le jeune Sagamo, perdu dans ses pensées, ne se rend pas compte que leur canot a débouché dans la baie Française. Les deux hommes aperçoivent au loin, trop loin pour les rejoindre, un navire qui, battant pavillon français et, toutes voiles dehors, cingle en direction de la haute mer. Cette fois, les meurtriers échappent à la justice souriquoise, mais Kitpoo se jure que les coupables ne perdent rien pour attendre. Le lendemain, de retour au poste de traite, le jeune Sagamo fait part à Robert et ses Malouins de son échec.

— Admets que j'ai eu raison de te soupçonner, Merveille. Tout concordait pour te désigner comme le coupable.

— Sauf la hideur du crime, Monseigneur. C'est bien mal me connaître que de me soupçonner d'une pareille vilenie.

— Je sais, mon ami, et je regrette d'avoir eu de telles pensées, dit Kitpoo. Mais cet épisode m'est une leçon.

— Ah! oui? demande Robert.

— J'accède aux vœux de ma tribu qui, après le tragique incident de cette semaine, désire déménager encore plus en amont sur la Saint-Jean.

— As-tu un endroit en tête?

— Oui. Nous nous établirons en un lieu que les Souriquois nomment Adjimsek, juste après le grand tournant de la rivière. J'y construirai un nouveau poste de traite, avec ma tribu.

— Nous t'aiderons en cela, mon ami, propose du Pont.

— Vous comprendrez, sans vous offenser, que nous préférons nous établir loin des Normands, dit Kitpoo.

Il avait employé le mot qu'utilisent les Souriquois pour désigner les Français. Robert du Pont regarde attentivement son ami, lui sourit et hoche de la tête pour faire signe qu'il le comprend parfaitement.

9

Par un bel après-midi, à la fin mai de l'année 1613, Kitpoo et Sésip, en visite extraordinaire à Port-Royal, sont assis dans les quartiers réservés aux missionnaires. C'est une petite pièce meublée de deux lits le long du mur, de deux chaises, d'une table et d'un banc de bois. Une seule fenêtre, mesquine, donne sur la cour intérieure de l'habitation. À cette heure du jour, un mince rayon de soleil filtre à travers le carreau et tombe juste sur le ventre rebondi de la jeune femme, enceinte de huit mois. Elle est vêtue d'une robe ample et longue, confectionnée de peaux de daim et elle est chaussée de mocassins de même cuir, décorés de matachias. Son mari porte déjà son costume de la belle saison, une culotte en peau de loup-marin qui descend sous le genou et une chemise en toile fine, bouffante et échancrée au col, comme en portent les corsaires. Leur premier enfant, Aakadé, maintenant âgé de deux ans, ne porte que la culotte collante, comme celle de son père. Il se tient debout, pieds nus, entre ses parents.

En face d'eux, sur le banc, les jésuites Pierre Biard et Énemond Massé, donnent au jeune couple

191

leur version des derniers événements de Port-Royal. Le premier est un homme long et mince, au visage ascétique et à la barbe chétive. Son regard, posé sur le jeune Sagamo, se veut sévère et désapprobateur de la tenue vestimentaire des visiteurs. Le second est court et trapu et son visage en forme de pleine lune présente un air de douceur et de bonté.

— Où sont donc passés le gouverneur[1] et les colons? demande Kitpoo.

— Ils sont à la chasse et à la pêche, dans le but de faire des provisions. Les garde-manger sont vides, répond le père Massé. Nous sommes seuls à l'habitation avec notre domestique, Guillaume Crito et l'apothicaire Louis Hébert, qui commande en l'absence de M. de Biencourt.

— Je l'ai aperçu, à notre arrivée. Il a l'air fort émacié et mal en point, observe le jeune homme.

— Tous les Français ont cet air, monsieur, ajoute Massé, avec un soupir de résignation.

— Pas vous, mes pères. Je vous vois tout replets, votre teint est bon et vous me paraissez fort bien portants.

— C'est que, voyez-vous, commence le père Massé, comme nous sommes gens prudents, nous avions fait des provisions.

— Je regrette infiniment que vous n'ayiez recherché d'une manière plus fréquente les secours de la religion, intervient à point le père Biard de sa voix de pieux fausset. Il y a plus de deux ans que nos prêtres vous ont vu avec votre famille, monsieur.

---

1. Charles de Biencourt, âgé de vingt ans, était gouverneur intérimaire de Port-Royal, pendant que son père, Jean de Poutrincourt, était en France, à la recherche de fonds pour la colonie.

— Avouez que lors de notre dernière rencontre, en 1611, vous vous en donnâtes à cœur joie, mon père. Dans la même journée, vous avez baptisé Sésip et Aakadé puis, vous nous avez mariés alors que nous l'étions déjà depuis un an.

— Vous n'étiez pas mariés selon l'église catholique. Votre mariage, venu d'hérétiques, sinon de païens, était sans valeur, mon enfant, continue Biard, les mains jointes et les yeux au ciel. Vous viviez dans le péché, avant notre venue.

— Vous perdez votre temps, mon père, si vous tentez de me donner mauvaise conscience, répond Kitpoo sur un ton léger qui contraste grandement avec l'intensité du jésuite.

— Je ne tente rien, sinon de vous rapprocher de l'Église et des sacrements. Prenez le cas de monseigneur de Biencourt...

— Qu'en est-il du gouverneur, monsieur? interrompt Kitpoo sèchement. Je suis de sa clientèle, ne l'oubliez pas.

— Je n'oublie rien, monsieur, croyez-moi, je n'aborde que le domaine spirituel qui est mon champ d'action, continue le père Biard sur le ton radouci de celui qui vient de marquer un point. Eh bien! monseigneur de Biencourt s'est trouvé fort mal d'avoir été interdit[2].

---

2. Au cours de l'hiver 1612, un navire, arrivé de France, portait à son bord le frère Gilbert du Thet, venu enquêter, au nom de Mme de Guercheville, sur l'état de la Mission d'Acadie. Sa présence, ajoutée aux machinations du père Biard et à la paranoïa du Gouverneur Biencourt, créa une situation explosive qui finit par se résoudre d'elle-même l'été suivant. Le frère du Thet retourna alors en France faire son rapport à la marquise. L'hiver 1613 avait été aussi dur que le précédent, lorsque Clovis survint au printemps.

— Interdit? Vous aviez interdit le gouverneur de Port-Royal? demande avec un étonnement amusé le jeune homme qui a retrouvé son calme. Parbleu! que pouviez-vous interdire au gouverneur qui commande en tout, dans ces lieux?

— Interdit de recevoir les sacrements, répond Biard, le bec légèrement pincé.

— Et le gouverneur s'est trouvé mal d'avoir été par vous interdit, s'écrie Kitpoo avec un grand rire. Vous plaisantez, mon père.

— Je ne me permettrais pas de jouer les farceurs avec la parole de Dieu comme il semble si seyant à votre nouveau personnage de Sagamo, persifle le jésuite dont le visage courroucé a pris la couleur d'une robe de cardinal.

— Le gouverneur avait levé la main sur nos personnes sacrées et nous avait séquestrés, intervient le père Massé.

— Séquestrés? Vous deux? demande encore Clovis après avoir interrompu son hilarité juste le temps de poser sa question. Mais où donc?

— Il nous força à rester sur le navire pendant des semaines, enfermés dans notre chambre, répond le père Massé, mais pendant ce temps, nous ne célébrâmes pas la messe et ne dispensâmes aucun sacrement aux Français. Ces mesures firent bien réfléchir notre homme. Il dut se rendre à l'évidence que le pouvoir de Dieu est plus grand que celui de l'homme.

— Je n'oublierai pas d'écrire au roi, monsieur que vous m'avez dit que le pape est plus fort que lui. La nouvelle devrait l'amuser. Mais, dites-moi, comment tout cela s'est-il terminé? demande enfin Kitpoo qui fait un effort pour redevenir sérieux.

— Dieu éclaira le gouverneur et nous pûmes quitter notre prison, ajoute le père Biard.

— Vous avez sans doute gagné la partie, mon père, car on n'a qu'à vous regarder pour se rendre compte que la séquestration est beaucoup moins amaigrissante que l'interdit.

Aakadé, que les bavardages des adultes n'intéresse pas, s'approche du père Biard, le regarde curieusement et d'un geste brusque tire sur la barbe du religieux. Celui-ci laisse échapper un petit jappement de douleur, pendant que Sésip se lève et ramène l'enfant auprès d'elle.

— Il faudrait que vous songiez à nous confier Aakadé, dit enfin le père Biard sur le ton de l'homme averti. Ce n'est pas dans les forêts du Nouveau Monde, au milieu d'une tribu de Sauvages, qu'il peut recevoir l'éducation chrétienne que Mme de Guercheville désire pour son petit-fils.

Kitpoo n'a pas le temps de répondre à l'impertinence du jésuite, car des coups violents sont frappés à la porte et peu après, dans un grand état d'excitation entre un garçon d'une douzaine d'années. C'est le jeune Guillaume Crito, le domestique des bons pères.

— Venez vite, venez vite. Un navire français vient d'entrer dans la baie de Port-Royal, crie-t-il avec sa voix encore fluette.

En un rien de temps, Kitpoo, Sésip, Aakadé, les jésuites et leur domestique rejoignent Louis Hébert sur la grève. Avec trépidation, ils regardent s'approcher le *Jonas* qui, en moins d'une heure, a jeté l'ancre. Peu après, une barque se détache de son flanc, portant à son bord une douzaine de gentilshommes, des religieux et des soldats.

Le navire est commandé par René Le Coq de La Saussaye, l'agent de Mme de Guercheville. Avec un contingent de nouveaux colons se trouvent deux autres jésuites, le père Jacques Cantin et le frère Gilbert du Thet qui vient à Port-Royal pour la deuxième fois en un an. Si l'arrivée du *Jonas* a causé surprise et joie, les nouvelles qu'il apporte sont encore plus étonnantes.

Mme de Guercheville, lasse des querelles intestines à Port-Royal où elle n'a aucune autorité, a décidé, de concert avec la Reine-Régente, de subventionner un nouvel effort missionnaire, pourvu qu'il ne soit pas sous la juridiction du gouverneur Biencourt, dont les jésuites ont tant eu à se plaindre. À cette fin, il présente à Louis Hébert, un ordre de la souveraine enjoignant le gouverneur de laisser partir les pères Biard et Massé. La Saussaye lui fait voir ses lettres de commission et, comme les documents lui paraissent en bon ordre, il ne s'oppose pas à l'embarquement des religieux. Ceux-ci, ne voyant aucune raison d'attendre le retour de Biencourt, ont tôt fait de prendre leurs effets et de mettre pied sur le *Jonas*.

Quelques heures plus tard, La Saussaye convoque Kitpoo sur le navire, pour s'acquitter, lui dit-il, d'une importante mission que lui a confiée Mme de Guercheville. Ils sont réunis sur la dunette, dans la cabine du commandant, en présence de son lieutenant Nicolas de La Mothe, de son secrétaire Jean-Jacques Simon, du père Massé et du frère du Thet. La Saussaye remet au jeune Sagamo, avec une certaine solennité, une missive qu'il dit importante. Le jeune homme l'ouvre aussitôt avec fébrilité et découvre à l'intérieur quelques feuillets accompagnés d'une grande enveloppe en parchemin que la marquise a scellée de ses armes et sur laquelle sont écrits les mots: «À ouvrir après ma mort. A. de Pons de Guercheville.» Après avoir retourné le mystérieux

envoi dans tous les sens et l'avoir montré aux personnes présentes, Kitpoo prend dans ses mains les
feuillets qui l'accompagnent. Comme s'ils allaient révéler le secret d'une énigme qui leur échappe encore,
le jeune homme les lit à haute voix.

*Fait au Louvre, ce dix-huitième jour de février
de l'an de grâce 1613.*

*Mon cher enfant, je veux que Dieu vous ait pris
dans Sa Sainte Grâce et qu'Il vous ait accordé
Sa Sainte Protection, car je ne sais si vous êtes vif
ou mort. Les seules nouvelles que j'eus, furent
que vous n'étiez pas à Port-Royal, qu'on ne vous
y avait point aperçu depuis que votre fils y
fut baptisé par le père Biard, peu après son
arrivée il y aura bientôt deux ans. Sa Majesté la
Reine-Régente, qui prend de vos nouvelles fort
souvent, est aussi désolée que moi par votre
silence.*

*J'ai prié René Le Coq de La Saussaye de vous
remettre l'enveloppe ci-jointe, scellée de mes
armes. Mon fils, gardez ces documents comme
s'ils étaient ce que vous avez de plus précieux au
monde, car ils pourraient être d'une importance
vitale pour l'avenir du royaume de France. Je ne
saurais trop vous recommander de les mettre en
le lieu le plus plus sûr qu'il vous sera possible de
trouver. Je n'ai plus confiance qu'à Paris ils soient
en la même sûreté que vous pourrez leur procurer
dans vos domaines. La Reine-Régente me donne
mille assurances de sa bonté, pourtant je me sens
à la merci des événements qui peuvent changer si
vite en cette cour pleine d'intrigues et d'intrigants.*

Mon fils, gardez scellée cette enveloppe; attendez pour l'ouvrir que je ne sois plus de ce monde et que Dieu m'ait rappelée à Lui. Alors seulement, vous prendrez connaissance des documents et de ce qu'ils contiennent. Vous guiderez alors vos actions par ce qu'ils vous apprendront.

Depuis la mort tragique et si soudaine du roi Henri IV, l'intérêt de la cour pour le Nouveau Monde a beaucoup diminué. La Régente, avec toute la bonne volonté du monde, n'arrive pas à prendre à cœur les affaires de la Nouvelle-France. Je ne lui en veux pas, car à la tête du royaume, elle a d'autres préoccupations qui lui sont beaucoup plus importantes. Quant à moi, je ne cesse d'être inquiète de votre sort. Comme je ne puis plus compter sur l'aide du Roi pour vous apporter la protection que je crois toujours nécessaire, il me faut prendre moi-même les choses en main.

Avec l'assentiment de Sa Majesté, mon bon ami, Pierre du Gua de Monts, m'a cédé, pour la somme de quatre mille livres[3], tout le territoire que le roi Henri IV lui avait accordé en Amérique. Sauf Port-Royal, bien entendu, qui est à M. de Poutrincourt. Ainsi, depuis ce jour, je suis devenue propriétaire en mon nom personnel de toute la côte de l'Atlantique, depuis l'île Royale jusqu'au quarantième degré de latitude nord[4]. C'est donc moi qui commande dans tous ces territoires et je ne permettrai pas qu'y entre quelque personne contraire à vos intérêts ou qui représente un danger pour votre personne. Rappelez-vous, mon fils, qu'en dehors de Port-Royal, vous êtes chez

---

3. Environ 80 000 $.
4. Environ à la hauteur de la ville de Philadelphie.

*vous, partout dans le Nouveau Monde et que ce
qui s'y fait, l'est de par ma volonté.*

*C'est pourquoi, à ma requête, monsieur de La
Saussaye ira ailleurs qu'à Port-Royal pour y
fonder une nouvelle colonie et commencer le
travail de conversion des pauvres âmes infidèles
qui n'ont pas encore eu le bonheur d'entendre la
Sainte Parole de l'Église Catholique. Je vous prie,
mon fils, de vous mettre au service de ces
hommes de Dieu. Accompagnez-les pour les aider
dans leur mission, car on me dit que vous parlez
avec une grande facilité la langue des gens du
lieu.*

*À Dieu, mon cher fils. Sachez que vous êtes
dans toutes les prières que tous les jours, adresse
à Dieu son humble servante,*

Antoinette de Guercheville

— Je vous remercie, monsieur de La Saussaye,
dit Kitpoo encore ému par la lecture de la lettre,
d'avoir si fidèlement exécuté les ordres de la marquise de Guercheville. Je souscris aux vœux de ma
mère et j'accepte de me joindre à l'expédition.

— Je vous suis éternellement reconnaissant,
monsieur d'un pareil dévouement, répond le commandant.

— Monsieur, dit Kitpoo à La Saussaye, tant que
je ne serai pas à Adjimsek, je n'aurai pas d'endroit
sûr pour y déposer les documents que ma mère m'a
confiés.

— Qu'à cela ne tienne, monsieur. Comme j'ai
déjà placé dans mon coffre les lettres de commission
du roi, je puis bien y joindre, le temps de votre sé-

jour avec nous, les documents de madame la marquise.

Kitpoo remet l'enveloppe à La Saussaye qui l'emporte aussitôt dans sa cabine.

Le jeudi 31 mai, deux jours seulement après son arrivée à Port-Royal, le *Jonas* lève l'ancre et fait voile vers le sud. Le 8 juin, il arrive devant l'île des Monts-Déserts, à l'embouchure de la rivière Pentagouët. Après une brève discussion, La Saussaye et les missionnaires décident d'y établir la nouvelle colonie, selon les vœux de la marquise, et la nomment Saint-Sauveur. C'est dans ce lieu même que, sept ans plus tôt, Kitpoo a rencontré pour la première fois le célèbre guerrier Onéméchin.

Il est neuf heures du matin, le dimanche, premier jour du mois de juillet 1613. Le père Biard, assisté des pères Massé et Cantin célèbre en grande pompe la messe dominicale, dans la clairière où sont débarqués les nouveaux colons. C'est un grand champ, sans arbres, qui descend en pente douce vers la mer. En face, quelques îles dissimulent, tant bien que mal, aux navires de passage, le *Jonas* et les activités des Français. L'autel improvisé a été construit au sommet de la clairière et les fidèles sont agenouillés dans la pente, le dos tourné à la mer. À la fin de la cérémonie, ils se lèvent tous debout pour chanter en chœur un *Te Deum* d'action de grâces pour l'heureuse conclusion de leur voyage. N'ont-ils point tous été sauvés d'un grand péril, celui de Port-Royal et du gouverneur Biencourt?

Le jour de leur arrivée, les colons avaient dressé deux tentes dans le champ. Mais le temps venu de mettre à terre le chargement du *Jonas*, Le Coq

s'était objecté, disant qu'on avait bien le temps pour
ces choses. Il préférait qu'on s'adonne au jardinage afin qu'à l'automne on ait des provisions pour
les temps froids. Après deux semaines de ces occupations agrestes, le capitaine Fleury s'impa-
tiente.

— Je n'aime pas voir mon navire retenu en cet
endroit plus longtemps qu'il ne le faut, dit-il au commandant sur un ton agressif. Permettez que je fasse
débarquer le nécessaire pour commencer la construction d'une habitation.

— Nous avons bien le temps pour ce faire, capitaine, dit calmement La Saussaye. Il nous faut
d'abord nous occuper de semer pour récolter, si
nous voulons manger cet hiver.

— Les gels viennent tôt dans ces régions, monsieur. Vous ne ferez pas une bien grande récolte.
D'ailleurs, on peut survivre plus longtemps à la faim
qu'au froid. En cas de grand besoin, on trouve plus
facilement à manger qu'à se réchauffer.

— L'inspiration pour la mission agricole de Saint-
Sauveur m'est venu de nul autre que de monseigneur
le duc de Sully. Il m'a fait venir chez lui pour me
vanter les mérites d'une bonne agriculture, la base
d'un pays fort aux habitants heureux. Je fais donc
ce qu'il y a de mieux pour la nouvelle colonie. Peut-
on me le reprocher?

— Ce qu'il y a de mieux pour la nouvelle colonie,
c'est d'assurer sa sécurité, monsieur, continue
Fleury dont le ton devient de plus en plus urgent.
Hier encore, le Sagamo de la Pentagouët m'a dit
avoir aperçu un navire anglais qui croise dans les parages. Le Jonas transporte dix pièces de canon qu'il
faut débarquer puis remonter rapidement sur une
plate-forme, avant de s'en servir.

— Un navire anglais, capitaine? On voit bien que la navigation est votre affaire et non la conduite de l'État. Cette contrée est à la France, et l'Angleterre est, en ces temps, un pays ami. Retournons à nos semailles, conclut La Saussaye sur un ton sec.

— Je vous aurai prévenu, monsieur, s'entête Fleury. Je ne veux pas être pris par surprise.

— Je sens, capitaine, que vous tentez de vous emparer du rôle du commandant de l'expédition, déclare avec un certain piquant La Saussaye qui commence à s'énerver pour de bon.

— Je ne tente nullement, de...

— Vous savez que cela s'appelle de la sédition et que les peines pour ce délit sont fort sévères, Fleury.

— Il m'apparaît que les intentions du capitaine sont honnêtes, intervient le père Massé qui, passant à deux pas, a entendu la conversation.

Le commandant jette un regard de colère au jésuite avant d'ajouter à l'adresse de Fleury:

— Eh bien! capitaine, puisque vous êtes si inquiet, nous commencerons demain à mettre à terre le chargement du navire. Vous voilà maintenant satisfait, conclut-il avec mauvaise humeur.

Notre homme ne l'est pas plus qu'avant. Ses motifs, bien qu'inspirés par la sécurité des membres de la colonie, le sont davantage par son désir de terminer cette mission au plus tôt et de rentrer en France, chargé de pelleteries qu'il revendra à prix fort.

Les inquiétudes de Kitpoo sont d'un tout autre ordre. Sésip attend son deuxième enfant dans deux semaines environ et il tient à être à Adjimsek pour la naissance. Comme il croit avoir satisfait à la requête de Mme de Guercheville, il a décidé de ne plus s'attarder à Saint-Sauveur et de rentrer chez lui le jour même. D'ailleurs, il ne se sent pas tellement utile, car la colonie dispose des services de Jean-Jacques Simon, versé dans les langues indigènes depuis ses premiers voyages en Nouvelle-France, en 1608.

Après la messe du dimanche, Kitpoo s'entretient avec le père Biard à qui il fait part de ses intentions. Le jésuite tente de retenir le jeune homme, mais ce dernier ne veut pas céder. Avant le dîner, Kitpoo, Sésip et Aakadé montent sur le *Jonas,* dans leur cabine, pour se préparer à partir tout de suite après le repas qui doit avoir lieu vers midi. Sur le navire, avec eux, il n'y a qu'une dizaine d'hommes, dont Gilbert du Thet. Les autres sont déjà à terre, attirés par l'odeur des grillades qu'on prépare pour le dîner.

Kitpoo joue avec son fils, pendant que Sésip, étendue sur sa couche, se repose avant d'aller manger. Au jeu, Aakadé devient fort animé, poussant des cris stridents et riant à gorge déployée. Son père, aussi excité que l'enfant, marche à quatre pattes, portant Aakadé sur son dos, ou bien s'étend par terre et balance son fils au bout de ses pieds, ce qui arrache au petit des cris de joie. Quand ils s'adonnent à ces jeux qui les absorbent complètement, ils font un tel bruit que rien au monde ne peut les en distraire. Aussi, n'entendent-ils pas un coup de canon, tiré dans la direction du *Jonas.*

En effet, un peu plus tôt est apparu, entre les îles en face de Saint-Sauveur, un navire qu'on croit d'abord être français. Il est encore trop éloigné pour que les colons puissent distinguer ses couleurs. Ils n'ont pas à attendre bien longtemps, cependant, car le capitaine Fleury remarque que le côté à bâbord est couvert de voiles rouges. Il donne l'alarme aussitôt et avec quatorze de ses hommes qui sont tout près, ils sautent dans une barque en direction du *Jonas.*

Au même moment où ils peuvent lire le nom du *Treasurer* sur sa proue, les voiles rouges se lèvent pour révéler une batterie de canons derrière lesquels se tiennent des soldats, mousquets levés en direction de Saint-Sauveur.

À cette vue, Fleury juge plus prudent de chercher refuge derrière une île, pendant qu'une première salve est tirée vers son cher navire et le manque de justesse. À bord du *Jonas,* le frère du Thet, qui était déjà sur le pont, à l'apparition de l'ennemi, a vu venir le danger. Bravement, il s'est dirigé vers la batterie et a déjà chargé le canon. Pas du tout préparé au métier d'artilleur, mais bien intentionné, il allume la mèche à la hâte et sans se mettre à l'abri. L'explosion est terrible, mais le boulet s'en va tomber à cent pieds du vaisseau anglais qui vient toujours droit sur le *Jonas.* Le courageux frère n'a même pas le temps de préparer sa pièce à nouveau. Une volée de mousquets, tirée du pont du *Treasurer,* fauche le religieux qui s'effondre aussitôt par-dessus le mortier encore chaud.

Au même moment, Kitpoo, dont les détonations du canon ont fini par attirer l'attention, s'est arraché à ses jeux avec son fils, quitte sa cabine rapidement et surgit en coup de vent sur le pont. Quelques hommes courent à gauche et à droite sans savoir quoi faire, car aucun d'entre eux n'est entraîné aux combats navals. Il tente de se diriger vers le frère du Thet pour lui porter secours, mais il en est empêché par une volée de canon qui passe à un pied à peine au-dessus de sa tête avant d'aller s'écraser dans la dunette.

Pendant que Kitpoo se remet de ce premier choc, Sésip, inquiète pour son mari, est sortie sur le pont, tenant Aakadé par la main. Avant même que son mari puisse réagir, ils ont déjà traversé la moitié du tillac dans sa direction.

— Couche-toi par terre, Sésip, hurle-t-il en se ruant vers sa femme et son fils.

Mais déjà, le bruit de l'artillerie et la fumée de la bataille empêchent la jeune femme d'entendre le cri d'alarme de son époux. Tout à coup, le jeune Sagamo éprouve une horrible sensation. Comme dans un cauchemar, il est soudainement figé, incapable d'avancer, pendant que le temps s'arrête et qu'une peur atroce s'empare de toute sa personne. Il tente un effort suprême pour s'arracher à la fatalité et atteindre Sésip. Hélas, sous ses yeux horrifiés, elle est frappée en plein ventre par un boulet de canon qui la fauche brutalement dans sa course. Aakadé, épargné par l'obus, est jeté violemment par terre, sous la force de l'explosion, éclaboussé de la tête aux pieds par l'effroyable massacre. Par quelque façon inexplicable, l'enfant réussit à tenir serrée dans la sienne la main de sa mère et se met aussitôt à pleurer en hoquetant douloureusement.

Dans la tête de Kitpoo, il se produit un grand choc et il lance dans l'air un hurlement si effroyable qu'il remplit d'horreur toutes les personnes présentes. Puis, le jeune homme se rue sur le corps de Sésip et prend dans ses bras cette masse sanglante qu'est devenue sa femme, comme si, contre toute apparence, il y a encore quelque espoir. Agenouillé sur le pont, il la berce lentement, les yeux hagards, en répétant sans cesse son nom, comme une prière, indifférent au combat qui continue de faire rage autour de lui. Accroché à son cou, Aakadé pleure en appelant les noms de son père et de sa mère. Pour la première fois de sa vie, devant le malheur et la souffrance, Kitpoo a les yeux secs.

Pendant le déroulement de ce drame sur le *Jonas,* Le Coq et quatre hommes aussi courageux que lui, se sauvent dans les bois où, figés par la terreur, ils se tiennent cachés jusqu'au lendemain. Pendant ce temps, le navire ennemi s'est approché du *Jonas.* Les marins anglais réussissent à l'aborder avec des grappins et envahissent le pont pour contempler le massacre. Le drame avait duré moins de quinze minutes. Quand le capitaine Samuel Argall, commandant du *Treasurer* paraît sur le pont du Jonas, il jette un regard de vainqueur sur son œuvre.

— *Good. Very good.* Arrêtez toutes ces gens, dit-il à ses hommes d'un ton sec en faisant un geste large de la main.

Les soldats anglais attachent les huit survivants au bastingage. Kitpoo ayant toujours son fils accroché à son cou, continue à bercer le cadavre sanguinolent de Sésip dans ses bras. Comme les soldats anglais hésitent à se saisir de lui, le commandant répète son ordre.

— J'ai dit: arrêtez tout le monde.

Deux soldats font une tentative pour s'emparer de Kitpoo. Celui-ci les dévisage d'un regard si étrange qu'ils reculent instinctivement comme frappés par quelque vision effrayante.

— Vous n'êtes que des poltrons, leur dit-il et il se dirige lui-même vers le jeune homme, le pistolet au poing.

Kitpoo lui jette le même regard qu'aux autres et produit avec sa gorge un son si inhumain, qu'Argall sent son sang se glacer dans ses veines et reste cloué sur place. L'effroyable grognement donne à tous ceux qui sont présents un frisson dont ils se souviendront toute leur vie. Après avoir retrouvé son calme, le commandant du *Treasurer* se ravise.

— Occupez-vous des autres. Nous verrons plus tard, pour celui-là.

Les jésuites, s'étant approchés en barque le long du *Jonas,* obtiennent la permission de monter à bord pour exercer leur ministère et soigner les blessés. Le capitaine Argall les reçoit de façon fort civile. Lorsque le père Massé s'approche de Kitpoo, le jeune homme n'a pas pour lui le même grognement horrible qu'il a fait entendre plus tôt à l'approche du commandant anglais.

Le père Biard, pendant ce temps, se dirige vers le frère du Thet, toujours sans connaissance. Après un assez long effort, il réussit à le ranimer. Avec l'aide du père Cantin, ils étendent le religieux sur le tillac pour se rendre compte que la blessure est sérieuse. Cantin prie Argall de lui faire envoyer le chirurgien de l'équipage. Rapidement, un homme arrive accompagné d'un médecin qui examine le frère longuement, palpe, lorgne et se relève enfin.

— Cet homme a surtout besoin de vos secours, dit-il en se tournant vers les jésuites. Les miens sont maintenant inutiles.

Après le verdict du médecin, Biard obtient d'Argall la permission, pour le père Cantin de transporter le blessé à terre pour qu'il puisse mourir parmi les siens.

Pendant ce temps, le père Massé, agenouillé auprès de Kitpoo, a réussi à lui faire rendre le cadavre de Sésip et à calmer Aakadé qu'il garde auprès de lui. Avec toute la délicatesse du monde, le religieux dépose la jeune femme de tout son long sur le tillac. Son visage est blanc comme neige, son sang s'étant complètement répandu par le grand trou qu'est devenu son ventre. Kitpoo, continue à regarder, l'air hébété, l'endroit où sa femme, il y a moins d'une heure, portait encore son enfant. Sa tête dodeline, de gauche à droite, comme mue par un mécanisme invisible. Ne pouvant plus rien pour l'épouse, le jésuite se tourne alors vers le mari. Tout doucement, en y mettant de la tendresse, il le prend dans ses bras, place sa tête sur son épaule et serre contre lui Aakadé qui s'est blotti entre son père et le religieux. Ainsi qu'on fait avec les enfants pour les endormir, il commence à les bercer, en chantonnant les airs qui lui viennent à la mémoire.

Pendant que le père Massé est ainsi occupé, Argall fait mettre aux fers tous les Français qui se sont trouvés sur le *Jonas* au moment de l'attaque. Beaucoup plus tard, lorsqu'il est devenu plus calme, Kitpoo se laisse finalement emmener avec les autres prisonniers dans la cale du *Treasurer* pour la nuit, en attendant qu'Argall décide de leur sort. Le commandant accepte la requête du père Massé qui veut passer la nuit au fond du navire, avec les prisonniers, au cas où ils aient besoin de son aide.

Sur la fin de l'après-midi, tout étant rentré dans l'ordre à bord du *Jonas,* Argall se rend à terre avec une escorte de trente hommes fortement armés. Ils obligent les quatorze Français encore à découvert, à remettre leurs armes. Aucun des Anglais ne semble s'être aperçu qu'une douzaine de colons, tirant profit du désordre causé par la surprise de l'attaque, se sont sauvés dans les bois dès le premier coup de canon, et s'y terrent toujours, tremblant comme feuilles au vent dans la peur d'être découverts. Le maître du *Treasurer* fait ensuite assembler devant lui ceux qu'il vient de désarmer et ,sur un ton hautain et dur, il leur tient le discours du vainqueur.

— Ce territoire appartient au roi d'Angleterre. Il vaut mieux pour votre santé que je ne vous revoie plus jamais dans ces parages, car je n'aurai pas alors la clémence que je vous manifeste aujourd'hui. Je vous donne ma parole d'officier de Sa Majesté le roi James que je vous pendrai tous haut et court, pour crimes contre mon pays.

Sur ces paroles, il tourne les talons et remonte à bord de son navire, laissant les vaincus à leur sort. Le soir même, lorsque vient le temps de souper, il envoie un émissaire qui prie les trois jésuites à sa table, mais seul le père Biard accepte l'invitation, l'un étant retenu chez les prisonniers, l'autre chez les blessés.

Plus d'une heure après la tombée de la nuit, Le Coq sort de sa cachette. Il est atterré d'apprendre l'étendue du désastre. Il rejoint le père Biard qui, revenu à terre après le souper avec Argall, est agenouillé auprès du frère du Thet qui repose quelque peu à l'écart. Son pouls bat toujours, mais faiblement, et le blessé a sombré dans l'inconscience. À quelques reprises, une fois entre autres avec une certaine impatience, le jésuite tente de faire parler du Thet. Hélas, ses efforts sont sans succès. Voyant son état extrême, Biard lui administre les derniers sacrements. Comme si le viatique l'avait soulagé, le visage du frère se détend, ses paupières frémissent et ses yeux s'ouvrent une dernière fois. Le moribond paraît regarder avec attention les gens qui l'entourent. Ses yeux s'arrêtent enfin sur le père Biard. Celui-ci croit qu'il va enfin parler, car il se penche sur son visage et prononce quelques mots à son oreille. Mais l'agonisant ne semble pas l'entendre. Tout à coup, son corps se raidit; il saisit sa poitrine avec ses deux mains, arrache le pansement qui l'enveloppe et lance un grand cri qui fait frémir les assistants. Aussitôt, il retombe en arrière, dans les bras du père Biard et rend l'âme sans avoir repris conscience.

— Le frère du Thet a rêvé depuis sa plus tendre enfance, de mériter la palme du martyre, entonne le jésuite avec componction, et voilà que son vœu à été exaucé. Que Dieu reçoive son âme!

Ce dernier coup achève de décourager le brave Le Coq qui ne se sent pas encore la force de faire face à l'attaquant et retourne auprès de ses hommes dans la forêt.

Enfin, la longue nuit se termine et, vers les quatre heures du matin, un soleil pâle se lève pour éclairer faiblement la désolation de la petite troupe qui, moins de vingt-quatre heures plus tôt, entretenait encore les plus grand espoirs, échafaudant des projets pour la colonie naissante. Le Coq sort de la forêt, pour de bon cette fois, avec ceux qui l'avaient suivi la veille, au moment de l'attaque. Avec l'interprète, Jean-Jacques Simon, réapparaissent le médecin, l'apothicaire et le chirurgien. Au même moment, deux Sagamos et une dizaine d'Etchemins se sont joints aux Français.

Le commandant de Saint-Sauveur est volubile et parle avec nervosité. N'ayant pu démontrer sa bravoure par les actes, il crâne en paroles, dans le but de retrouver son autorité. La voix tremblante d'émotion, presque criarde, il annonce qu'il a quitté sa cachette afin de s'entretenir avec le capitaine Argall, pour lui faire voir qu'il a eu tort de les attaquer. L'intrépide commandant devient encore plus nerveux, lorsque l'occasion de se faire valoir lui est donnée. À huit heures et demie du matin, pendant que La Saussaye pérore encore, une barque se détache du *Treasurer* et se dirige vers la grève. À cette vue, Le Coq se tait brusquement. Entouré

de ses hommes, il s'avance à la rencontre de
l'Anglais.

— Qu'allez-vous invoquer, monsieur, pour fléchir
le capitaine Argall? demande le lieutenant Nicolas de
La Mothe qui se tient à côté de son chef.

— La raison politique, mon ami, lui répond celui-
ci, la voix déjà plus calme, comme si l'imminence de
l'action lui avait redonné de l'assurance.

Trente marins, armés jusqu'aux dents, accompagnent le capitaine anglais qui ramène avec lui les
Français faits prisonniers sur le Jonas, ainsi que le
père Massé, resté avec eux toute la nuit. Après leur
débarquement, il ne reste plus à bord que Kitpoo,
assis dans le fond de la barque, tenant serré contre
lui, son fils Aakadé qui entoure le cou de son père
de ses deux bras, sa joue collée contre la sienne. À
leurs pieds, enveloppé dans une toile, maculée de
sang, gît le cadavre de Sésip. Des soldats descendent la dépouille de la jeune femme et la remettent
aux Français. Kitpoo suit, avec son fils, le regard
vide, comme un automate. Lorsque tout le monde est
débarqué, Le Coq s'approche du capitaine Argall et
l'aborde ainsi qu'il imagine qu'on fait au Louvre, où
il n'a pas souvent mis les pieds.

— Capitaine, je suis René Le Coq, seigneur de
La Saussaye, le représentant de Sa Majesté Louis
XIII, Roi de France et de Sa Majesté la reine régente.
En leurs noms augustes, je vous ordonne de nous
rendre le navire que vous saisîtes fort illégalement
hier, causant la mort de quatre personnes et en
blessant deux autres. J'ordonne que vous nous re-
mettiez aussi les armes que vous saisîtes et qui appartiennent aux hommes que voici, dit-il en montrant, d'un geste, les colons massés derrière leur
chef.

Argall a écouté avec calme et sans l'interrompre, le discours de Le Coq.

— Votre seigneurie a-t-elle d'autres demandes?

La Saussaye reste muet, croyant follement qu'il vient de gagner la partie, grâce au talent naturel qu'il se croit pour la diplomatie. Pendant quelques instants, il ne se dit plus rien, jusqu'à ce qu'il pense à deux points qu'il a omis et qui lui paraissent de la plus haute importance.

— J'ai dit plus tôt, monsieur, que vos actions hier, furent toutes illégales, car votre seigneurie a agi comme si elle ignorait que nos deux pays sont en paix. Elle porta, contre les sujets du roi de France, des actes de guerre de la sorte la plus répréhensible qui soit. Qui plus est, monsieur, vous portâtes ces actes dans des territoires français contre ma personne et celle de mes gens.

— Puisque vous vous dites l'envoyé du roi de France, monsieur, vous devez bien avoir des commissions officielles émises par votre souverain.

— Cela va de soi, monsieur, répond Le Coq, qui se dit qu'enfin, entre gentilshommes, on va pouvoir s'entendre.

— Eh bien, monsieur, faites-moi voir vos commissions et je vous donne ma parole d'honneur que je vous rendrai vos armes et votre navire à l'instant.

— Tout de suite, monsieur. Mais pour ce faire, vous devrez me permettre d'aller sur le *Jonas* pour les y prendre.

— Nous n'avons pas à nous déranger, vous et moi. Envoyez-les chercher par votre lieutenant; je le ferai accompagner par quelques-uns de mes hommes.

Le Coq charge Nicolas de La Mothe de cette commission. En quelques instants, accompagné de quatre soldats et d'autant de marins, il se mettent en route pour le *Jonas* où ils sont en moins de quinze minutes.

Pendant qu'ils attendent, Le Coq fait apporter des chaises pour Argall et lui-même et les deux commandants s'assoient au bord de l'eau, sans mot dire. Durant les pourparlers, le médecin, le chirurgien et l'apothicaire s'occupent de Kitpoo. Son corps ne porte aucune blessure. Pourtant, ils ne savent comment redonner santé à son esprit qui leur paraît profondément troublé. Le jeune homme est toujours dans une prostration complète, ne semblant pas entendre les paroles qu'on lui adresse, et n'en prononçant lui-même aucune. Il ne réagit qu'à la présence de son fils qu'il garde dans ses bras, serré contre sa poitrine.

Une heure après son départ, la barque est de retour sur la plage. Au fond, a été déposé le coffre que La Mothe a pris dans la cabine de Le Coq. Deux soldats anglais soulèvent le précieux objet et le placent doucement aux pieds des deux commandants. Fort excité, La Saussaye s'approche du coffre, met la main sur le dessus et regarde son alter ego avec assurance, ayant l'air de dire qu'en cette cassette, se trouve la solution à tous ses problèmes.

— Monsieur, dit-il en s'adressant à Argall, lorsque votre seigneurie aura vu les commissions officielles signées de la main et portant le sceau de Sa Majesté, elle n'aura plus aucun doute sur la légitimité de ma mission.

Puis, avec confiance, il se tourne vers son lieutenant, et prend à sa ceinture une clef qu'il lui tend.

— La Mothe, ouvrez ce coffre et faites voir au capitaine Argall les documents qui y sont déposés.

Le lieutenant qui fait face aux deux hommes, se penche au-dessus du coffre, tourne la clef dans la serrure, soulève le couvercle lentement, puis se penche pour regarder à l'intérieur. Il reste dans cette position pendant quelques instants et ne se relève qu'au son de la voix de Le Coq qui, impatienté, le prie de se hâter.

— Enfin, La Mothe, allez vous bientôt faire ce qu'on vous demande. Remettez-moi ces documents.

Là-dessus, le lieutenant se relève, l'air fort embarrassé et regarde son commandant.

— C'est que, monsieur, le coffre est vide, dit-il enfin.

— Comment vide? s'écrie Le Coq, sur un ton incrédule, après un bref moment de silence, causé par l'étonnement. Puis il se penche vivement au-dessus du couvercle pour vérifier les dires de son second.

— Vide, monsieur, ce qu'il a de plus vide.

— Ne dites pas de sottises, La Mothe, les choses sont vides ou pleines, mais pas plus vides que vides, reprend-il sur un ton irrité. Mais enfin, où sont passées ces commissions, elles étaient dans ce coffre où je les avais placées moi-même, capitaine, continue-t-il en se tournant vers Argall. Enfin, vous me croyez bien, je vous dis la vérité. Elles étaient là, je vous l'assure.

Puis il se retourne encore vers son lieutenant et l'apostrophe sur un ton de panique, car il sent sa belle assurance lui échapper. À ce moment, tout le monde s'est rapproché pour voir le dénouement de cette affaire.

— La Mothe, les commissions n'étaient-elles point dans le coffre, lorsque vous le mîtes dans la barque? demande-t-il.

— Monsieur, je ne n'ai pas regardé dans le coffre. Vous ne m'en aviez donné ni la clé, ni la consigne.

— Enfin, mon lieutenant, faut-il tout vous dire?
Cela me paraissait la chose à faire. Ne croyez-vous
pas? ajoute-t-il en se tournant vers le capitaine
anglais.

— Ne nous égarons point, reprend Argall sur un
ton sec. Que le coffre ait été vide à bord du navire
ou bien vide ici, c'est la même chose. Ce que je re-
tiens de ceci, monsieur, c'est que vous êtes un
fourbe. Vous m'avez laissé croire, à moi, un représentant de Sa Majesté James Ier, roi d'Angleterre
que vous étiez le représentant légal du roi de France.
Je ne sais ce qui me retient de vous pendre haut et
court, comme vous le méritez, poursuit-il sur un ton
où l'on sentait monter la colère.

— Mais Monseigneur, balbutie Le Coq, je vous
assure...

— Je n'ai que faire de vos assurances, monsieur.
Jusqu'ici, elles n'ont été que mensonges. Qu'on se
saisisse de tous ces hommes et qu'on les mette au
cachot, comme il convient à des ennemis du Roi.

— Capitaine, intervient le père Biard qui s'est
approché, en voyant la tournure des événements,
permettez que j'assure votre seigneurie, qui a eu la
bonté de me recevoir à sa table, hier soir, que monsieur de La Saussaye dit la vérité. Ces commissions
existent, je les ai vues et lues moi-même. Je l'ai ensuite vu qui les mettait dans le coffre que voici. Je
suis un homme de Dieu, monsieur, le mensonge est
un pain que je ne mange pas.

— Vous êtes tous faits du même bois, à ce que
je vois, reprend Argall qui ne décolère pas. Vous
vous moquez de moi avec vos histoires mensongères.
Si ces commissions existent, faites-les voir. Pour
moi, je ne crois que ce que je vois et je ne vois
qu'un coffre vide. Qu'on arrête toutes ces gens. Je

vais délibérer sur leur sort avec mes officiers. Quant
à vous, le jésuite, soyez prêt à prendre mes instructions, termine-t-il sur un ton où a disparu toute
courtoisie.

Avec un geste brusque, pour marquer sa colère,
Argall tourne les talons, appelant auprès de lui son
lieutenant, William Turner et un autre officier. Ils se
retirent dans un lieu isolé pour délibérer, pendant
que les Français entourent Le Coq et Biard, effrayés
à la pensée du sort qui les attend. Les uns croient
qu'ils vont mourir, d'autres qu'on va les abandonner
à leur sort dans cette terre hostile et étrangère.
D'autres enfin, courent deçà, delà, comme des perdus, priant et se vouant à tous les saints. Laissé
seul, gardé par deux soldats anglais, Kitpoo n'a pas
bougé, tenant toujours son enfant dans ses bras.
Au milieu de tout ça, les trois jésuites agenouillés
prient le ciel de leur apporter quelque secours pour
soulager la douleur de ces hommes. Le long de la
plage, les soldats d'Argall se tiennent, imper-
turbables, l'arme prête, face à cette scène pathétique
causée par la peur et la misère humaine.

En fin de compte, les délibérations du capitaine
anglais et de ses officiers avaient duré au moins une
demi-heure. Quand ils ont terminé, Argall fait venir
Le Coq devant lui.

— Vous ne m'avez pas dit la vérité, monsieur,
lorsque je vous en priai. Vous avez, pour ce faire des
motifs qui vous sont seuls connus. À cause de votre
fourberie, vous subirez toute la rigueur de mon commandement.

En entendant ces paroles, Le Coq croit sa fin
arrivée. Ayant eu quelque temps pour réfléchir et
n'arrivant pas à voir une façon de se tirer de ce mauvais pas, il ne dit plus un mot afin de ne pas raviver

la colère du commandant du *Treasurer*. Entretemps, les soldats ont rassemblé tout le monde, afin qu'Argall leur fasse part de ses décisions les concernant.

— Votre commandant m'a sciemment trompé, leur dit-il et vous êtes tous coupables d'avoir envahi, sans permission, des terres appartenant au roi d'Angleterre. Voici donc ma volonté. Ceux qui ont été pris les armes à la main monteront soit sur le *Jonas,* soit sur le *Treasurer* et ils seront emmenés en Virginie pour être remis à la justice anglaise. Les autres seront placés dans une embarcation que nous tirerons vers la mer et que nous abandonnerons peu après. Le ciel aidant, vous rencontrerez un navire français comme il en croise de très nombreux dans ces parages.

— C'est un bien grand châtiment qu'impose votre seigneurie à ceux qui seront envoyés à la dé-rive, intervient Biard. C'est les vouer tous à une mort certaine.

L'appel du jésuite n'est pas le seul. Tous cher-chent à sauver leur propre vie, même au prix de celle des autres. Il paraît bien difficile, dans les circons-tances, de faire preuve d'héroïsme. En fin de compte et à bout de patience, Argall déclare à tous qu'il va maintenant leur imposer une solution pour laquelle il n'y aura aucune discussion.

— Vous me dites qu'une seule barque est trop petite pour contenir tout le monde, commence-t-il. Comme nous disposons de deux pinasses, nous mettrons vingt personnes dans l'une d'elles, la plus grande, et six dans la plus petite, avec quelques provisions dans l'une et l'autre, qui pourront durer quinze jours. Ces barques seront mises à la re-morque, l'une du *Jonas* et l'autre du *Treasurer*.

Lorsque ces navires seront arrivés au large et loin de ces côtes, les amarres seront larguées et les deux barques abandonnées à la volonté de Dieu. Qu'il soit fait ainsi que je l'ai dit, conclut Argall.

Le Coq prie le capitaine anglais de leur permettre, avant le départ, d'ensevelir leurs morts et de faire les prières qui conviennent. Argall ayant acquiescé, les Français rendent leurs derniers devoirs aux défunts. Le père Biard célèbre une messe pour le repos de leurs âmes et Sésip est enterrée avec les deux matelots, à côté du frère du Thet, au pied de la croix érigée le jour de l'arrivée du *Jonas*.

Après les cérémonies, les soldats d'Argall commencent à organiser le départ. Les Français, dont le sort est d'aller en Virginie, montent soit sur le *Jonas,* soit sur le *Treasurer*. Les pères Biard et Cantin sont de ce dernier groupe. Dans la première embarcation, accrochée au *Treasurer,* montent Le Coq, le père Massé, Jean-Jacques Simon et dix-sept colons; dans la seconde, accrochée au *Jonas,* montent Kitpoo, serrant toujours son fils dans ses bras, avec quatre jeunes marins du *Jonas*. Au signal d'Argall, les deux navires font voile vers la haute mer.

Les passagers des deux barques ont, dès les premières heures, un avant goût de ce qui les attend, à moins qu'un navire providentiel ne vienne les sauver d'une mort certaine. Le *Treasurer* prend les devants et en quelques heures, il est séparé du *Jonas* par le mauvais temps qui a commencé à s'élever depuis le départ de Saint-Sauveur.

Maintenant seul, le *Jonas* file à bonne allure à ce qui paraît aux passagers de la pinasse, être en direction de la pleine mer. Dès que la première noirceur leur en donne la chance, les marins, craignant d'êtres relâchés trop loin de la terre ferme, s'acharnent toute la nuit, avec l'aide de leurs ongles, de leurs dents et finalement, d'un bout de bois, à rompre la corde qui les retient au *Jonas*. Leurs efforts sont couronnés de succès et, quand le jour se lève, leur petite pinasse ballotte à la dérive, sous un ciel bas et gris, pendant que tombe une pluie fine et froide sur leurs corps mal vêtus pour faire face aux intempéries.

Kitpoo, qui n'a pas encore dit un seul mot depuis l'attaque de Saint-Sauveur, n'est protégé que par une mince couverture. D'instinct, il a enveloppé son fils dans son giron, pour le protéger de la pluie et du vent. Les marins ont tendu des récipients qu'on leur a laissés, afin de recueillir l'eau de pluie qu'ils pourront boire pour ménager leurs provisions.

C'est dans ces conditions inhumaines que commence l'horrible odyssée de Kitpoo d'Adjimsek et de ses compagnons.

10

L'air de Paris est glacial en cette fin d'après-midi du premier jour de l'année 1614. Le soleil ponant de l'hiver descend, blafard, derrière le vieux palais du Louvre. Le carrosse qui amène Kitpoo jusqu'à Paris, s'engage dans la petite rue d'Autriche, toujours mal pavée et cahoteuse et vient s'arrêter devant la porte de Bourbon. La dernière fois qu'il l'a franchie, huit ans plus tôt, c'était par une belle journée de printemps. Aujourd'hui, il fait un froid à pierre fendre, l'eau des fossés est gelée et le bon roi Henri n'est plus.

Tout est si différent. Personne n'est là pour l'accueillir. L'homme qui revient n'est pas le même que celui qui s'est mis en route avec l'armée du roi, pour la campagne de Sedan, au mois de mars 1606. Pendant ces années d'absence, il a connu toute la gamme des sentiments humains: il a appris à aimer et à haïr, à tuer et à donner la vie; il a atteint les sommets de la félicité, pour couler ensuite jusqu'au tréfonds du désespoir.

Ces pensées se présentent à l'esprit de Kitpoo, au moment où il descend du carrosse. Une bourrasque glaciale le frappe en plein visage, pendant qu'un frisson le secoue de la tête aux pieds. Il se ressaisit aussitôt et, comme pour se rassurer, se rappeler qu'il a gagné, qu'il est vivant, il prend dans la sienne la main de son fils et la serre rapidement. Ensemble, ils se dirigent vers l'entrée principale du palais, franchissent la porte de Bourbon, traversent le pont-levis et s'engagent sous la voûte basse.

— Qui va là? demande un garde en s'avançant.

Les vêtements des deux personnages ont attiré son attention. Ils portent des costumes en velours de couleur sombre. Leurs chaussures noires sont agrémentées de boucles d'argent, comme en portent les gentilshommes anglais. Malgré le froid, ils sont tête nue. Les cheveux de l'homme sont blonds et courts, mais ceux de l'enfant sont brun foncé et descendent dans son cou.

L'allure des nouveaux venus paraît suspecte au vieux garde. Il s'approche d'eux, les dévisage puis, revenant au premier, il le scrute une deuxième fois tout en plissant les yeux. Kitpoo a reconnu la sentinelle et s'amuse de son manège. Après avoir bien examiné le visiteur une fois de plus, le garde se recule et dit sur un ton mi-question, mi-affirmation:

— Sacrebleu! mais c'est monsieur Clovis?

— Oui, Joseph, c'est moi, répond tranquillement le jeune homme à qui on n'a pas donné ce nom depuis quatre ans.

— Ah ciel! crie-t-il cette fois, avec une voix pour ameuter tout un escadron, c'est monsieur Clovis, venez tous voir, c'est notre monsieur Clovis.

Ses cris alertent rapidement les autres gardes qui se tiennent au chaud dans la petite salle attenante. En un instant, il y a un attroupement à l'entour des nouveaux venus. Ils les touchent en riant et leur posent en même temps mille questions.

— Ah! monsieur Clovis, qu'il est bon de vous revoir.

— On nous avait dit que vous aviez été mangé par des Sauvages.

— Et celui-ci, c'est votre fils? Ça alors, vous avez un fils.

Kitpoo regarde sans mot dire toute cette agitation autour de lui.

— Silence, silence! interrompt Joseph d'un ton péremptoire. Il faut laisser à notre bon monsieur, le temps de rentrer chez lui, de donner à sa famille les bonnes nouvelles que son retour apporte.

Tenant toujours Aakadé par la main, Kitpoo suit le garde à travers la cour du Louvre, pendant que la nouvelle de leur retour vole de bouche en bouche et attire des curieux aux fenêtres. Ils arrivent à la porte centrale du rez-de-chaussée de l'aile occidentale.

Ici, Joseph quitte les visiteurs; quatre gardes suisses accompagnent le père et le fils. Ils empruntent l'escalier Henri II, traversent la grande salle du Louvre et l'antichambre du roi, d'où un autre escalier plus petit les mène presque directement dans les appartements de la première dame d'honneur de la reine-régente. Kitpoo, n'a pas besoin de frapper, car la porte de l'appartement de Mme de Guercheville est ouverte. Dans l'entrée, se tient le duc de Liancourt, les bras tendus, le visage radieux.

— Ah! Clovis, c'est donc vrai, je ne pouvais le croire. Quelle joie de vous savoir vivant!

Le fils remarque que son père ne pense pas à utiliser son nom Souriquois. Il vient de réintégrer son ancien monde, une autre réalité, pense-t-il.

— Il faut parler bas pour ne pas éveiller votre mère, poursuit le duc sur le ton du chuchotement, comme s'il retenait son émotion. Elle était fatiguée et s'est couchée pour se reposer. Les nouvelles que La Saussaye nous a apportées récemment, nous avaient fait craindre le pire. Mais je vois que Dieu, dans sa grande bonté, vous a protégé.

— Je suis heureux de vous revoir, mon père, dit enfin Kitpoo.

Sa voix est monotone et ses paroles manquent d'enthousiasme. Le vieil homme, tout à la joie du retour de son fils adoptif, ne semble pas le remarquer.

— Entrez, entrez tous, reprend le duc, qui aperçoit l'enfant pour la première fois. Et celui-ci, n'est-ce pas Aakadé?

— Oui, mon père, c'est votre petit-fils.

Les gardes suisses repartent et la porte se referme derrière eux. Kitpoo et Aakadé pénètrent d'abord dans un petit vestibule, puis débouchent dans une grande pièce éclairée par la lumière chaude des flambeaux qui vacille à leur entrée. À une extrémité, quelques tabourets à velours cramoisi frangé d'or, sont placés en demi-cercle, devant la cheminée. Un coffre en chêne, le long du mur, est flanqué de deux tables à colonnes torses, dont l'une est recouverte d'un tapis de Turquie, sur lequel est posée une corbeille de bronze à côté d'un vase de cristal, regorgeant de fleurs fraîches. Sur l'autre, trônent trois ravissantes porcelaines de Chine quasi transparentes et deux figurines d'albâtre et de lapis.

L'autre bout de cette salle est dominé par un buffet en noyer sur lequel sont posés des carafes de cristal et des chandeliers d'argent, ainsi que par une grande table de même bois, entourée de chaises recouvertes de velours vert émeraude. Le mur extérieur est occupé au centre par une autre cheminée flanquée de deux grandes fenêtres de chaque côté, donnant sur la face méridionale du palais, avec vue sur la Seine. Sur le mur opposé à l'entrée, est percée une porte qui donne sur la chambre à coucher. Ces deux pièces forment tout l'appartement, au Louvre, du duc et de la duchesse de Liancourt, un logis bien modeste en comparaison du château de La Roche-Guyon. Pourtant, bien des courtisans seraient prêts à payer fort cher l'honneur d'habiter un logis si exigu, pourvu qu'il soit situé, comme celui-ci, juste au-dessus des appartements du roi.

— Je parlerai à votre mère dans un moment, continue le vieux duc et lui annoncerai votre retour avec quelque ménagement. Les émotions la troublent beaucoup et quand elles sont trop fortes, sa santé chancelle.

Clovis regarde son père avec attention. C'est un homme bon, au visage doux, au tempérament soumis. Rien n'est changé, se dit-il. La santé de la marquise lui sert toujours de monnaie d'échange pour obtenir à peu près tout ce qu'elle désire. Le duc de Liancourt parle encore, lorsque Mme Josephte entre, ayant appris l'arrivée du jeune homme. La gouvernante a beaucoup vieilli et marche avec précaution, le dos courbé. Sa bouche est complètement édentée et son sourire immense. Elle embrasse Clovis avec familiarité et le complimente sur sa bonne mine. Aakadé aime tout de suite cette femme qui lui prête tant d'attentions. Il est habitué aux Souriquois qui accordent autant de temps aux enfants qu'aux adultes. Mme Josephte veut tout savoir de lui, ce qu'il fait, à quoi il joue et les aventures qui lui sont arrivées. Pendant que la gouvernante accapare l'attention d'Aakadé, le duc de Liancourt entre chez son épouse et la trouve éveillée.

La marquise est étendue par dessus une couverture en serge de soie, sur un lit à hauts piliers et tours en taffetas rose sèche. Elle est en corps de velours violet galonné d'or et cotte de même velours, parsemé de lis d'or. Sa belle chevelure blonde, maintenant parsemée de fils argentés, repose de chaque côté de sa tête, relevée par plusieurs oreillers.

— Mon ami, dit-elle en apercevant son mari, comme on fait un bien grand bruit dans ce palais à cette heure du jour.

— Oui madame, répond-il avec une gravité recueillie, on fait grand bruit, parce que l'on se réjouit bien haut des grandes bontés de Notre Seigneur Dieu.

Antoinette regarde son mari d'un œil interrogateur. Il profite de son silence pour prendre place sur un fauteuil de damas cafard, placé entre deux sveltes cabinets d'Allemagne.

— Ce n'est pourtant point l'heure de la messe, reprend enfin la marquise avec un sourire amusé.

— Ce devrait plutôt être l'heure du Te Deum, ma bonne amie.

— Du Te Deum? Les réjouissances que vous me dites sont donc si grandes? demande-t-elle tout à coup légèrement intriguée.

— Elles sont si grandes, madame, que vous et moi devrions être à genoux, remerciant le Seigneur.

À ces mots, Mme de Guercheville se redresse sur son coude. Le duc de Liancourt se lève en même temps, sans doute trop excité pour tenir en place bien longtemps.

— Quelles sont donc ces grandes nouvelles que vous me cachez depuis que vous êtes entré chez moi?

— Madame, dit le duc en s'asseyant sur le bord du lit et en lui prenant les mains, Dieu nous fait en ce jour la plus grande joie...

— Arrêtez, monsieur, dit-elle en l'interrompant, ne m'en dites pas plus. Vous avez des nouvelles de... notre fils. Vous avez des nouvelles de Clovis, dit-elle sur un ton où se devine une agitation croissante.

— Oui, madame, vous avez bien deviné, des nouvelles...

— Il va venir, dit-elle en s'asseyant droit sur son séant.

— Non madame, il ne va pas venir. Il est ici.

— Quoi? Clovis est ici? Il est vivant. Ah! Merci, mon Dieu!

Mme de Guercheville repousse la couverture de taffetas qui lui couvre les pieds et se lève tout en parlant avec agitation.

— Où est-il? Pourquoi n'est-il pas ici encore pour me voir et m'embrasser?

— Calmez-vous, madame, vous allez le voir à l'instant, dit le duc en prenant sa femme dans ses bras. Il ne faut pas trop vous enflammer, votre santé pourrait en souffrir.

— Je n'ai que faire de ma santé, quand mon fils est revenu auprès de nous. Donnez-moi quelque vêtement que je me couvre, mon ami.

Le duc lui tend un capot en satin noir chamarré de broderies, posé sur le pied du lit et qu'une femme de chambre, sonnée par son mari, lui pose aussitôt sur les épaules. La marquise sort de la pièce avec rapidité et fait irruption dans le salon où Kitpoo est assis devant la cheminée, Aakadé sur ses genoux.

À l'entrée de sa mère, il dépose l'enfant par terre et se lève en le tenant par la main. Son visage est paisible et sans grande émotion. La marquise hésite un moment sur le pas de la porte.

— Mon fils, dit-elle en s'élançant vers lui.

Sans dire un seul mot, Kitpoo ouvre les bras et Mme de Guercheville s'y précipite, emportée par l'émotion. Les mains nouées derrière le dos de son fils et le visage pressé contre sa poitrine, elle fond en larmes. Son corps est aussitôt secoué par les sanglots et les mots «Mon fils! Mon fils»! sont entrecoupés par les hoquets qui s'échappent de sa gorge oppressée.

Le duc de Liancourt s'approche vivement de sa femme et la touche légèrement à l'épaule.

— Mon amie, mon amie, calmez-vous, je vous prie.

Mais ses paroles n'ont aucun effet sur la marquise qui continue, pendant plusieurs minutes, de s'épancher ainsi sur son fils qui regarde sa mère avec, dans les yeux, une pointe d'irritation. Puis, peu à peu, les pleurs cessent, le tremblement s'arrête et le souffle de la marquise reprend son rythme normal. La crise est évitée et le duc de Liancourt tente, avec douceur, de dégager les mains de sa femme, encore solidement enlacées dans le dos de son fils. Après un moment, il y parvient et la marquise, les yeux rougis par les larmes, se détache de Kitpoo et sans se soucier le moins du monde de la piteuse allure que présente son visage, elle se recule quelque peu pour regarder le jeune homme en le tenant à bout de bras.

— Vous étiez un enfant, lorsque vous laissâtes ces lieux. C'est un homme fort et vigoureux qui nous revient. N'est-ce pas, mon ami? ajoute-t-elle en se tournant vers son mari.

Le duc invite tout le monde à s'asseoir afin qu'on puisse parler plus commodément. Mme de Guerche-

ville accapare tout de suite son fils. Son cœur bat
très fort et le souffle, à certains moments, semble lui
manquer. De temps à autre, elle met la main sur sa
poitrine et aspire longuement. C'est pendant un de
ces moments qu'elle aperçoit enfin Aakadé.

— N'est-ce pas là votre fils, dit-elle en désignant
l'enfant?

Aakadé qui n'a pas été élevé dans la crainte des
adultes s'approche aussitôt de la marquise et lui
tend les deux mains. Mme de Guercheville est au
comble du bonheur. La soirée se termine très tard
chez les Liancourt. Les bavardages de la mère sont
interminables. Dans sa nervosité, elle raconte mille
histoires de la cour, des changements survenus avec
la mort d'Henri IV, de la bonté de la reine régente
dont elle est toujours la première dame d'honneur.

Ce n'est que le lendemain matin que Mme de
Guercheville, maintenant reposée et calmée, pense à
s'informer du drame vécu par son fils à Saint-
Sauveur. Clovis a beaucoup de mal à revivre pour sa
famille l'attaque des Anglais, ce premier jour de juillet de l'année précédente. Le rappel de cet épisode
lui est par trop pénible. Sur l'écran de sa mémoire,
apparaît l'image du drame, mais ses yeux restent
secs. La marquise de Guercheville saisit les mains de
Clovis, pendant que ses yeux à elle se mouillent
d'une peine compatissante. Elle note avec inquiétude que son fils, que la moindre émotion faisait autrefois pleurer à gros bouillons, n'a plus la faculté
d'exprimer sa souffrance par les pleurs.

— Pendant plus d'un mois, madame, reprend enfin Clovis après s'être calmé, Aakadé et moi, ainsi
que quatre marins, logés à l'étroit dans une petite
barque sans toit, fûmes à la merci des éléments qui
ne nous ménagèrent pas de tout le voyage. Quand

ce n'était pas la pluie qui nous accablait de froid et d'une trop grande humidité, c'était le soleil ardent qui desséchait notre peau et nous torturait d'une soif intense que nous ne pouvions étancher. Pour ma part, j'étais dans un état de prostration avancée, l'esprit en feu, dévoré par une peine extrême. Un jour, après je ne sais plus combien de semaines de navigation, un des marins perdit tout à fait l'esprit et se jeta dans la mer sans que ne fissions le moindre effort pour le retenir, convaincus que nous étions tous qu'il avait choisi la meilleure part. Pendant ces jours difficiles, je n'avais qu'une préoccupation, celle de protéger Aakadé que je couvrais de mon corps pour lui éviter la pluie et le soleil. Enfin, au bout de longues semaines de souffrances, nous étions tous tombés en léthargie au fond de l'embarcation, lorsqu'un jeune corsaire anglais du nom de Henry Mainwarring aperçut notre frêle esquif et nous sauva d'une mort certaine. Sur son grand navire de trente canons, il nous donna les soins nécessaires pour nous ramener à la santé puis, peu après, nous conduisit à Londres où nous fîmes un long séjour avant de regagner la France.

Mme de Guercheville lui apprend qu'elle a reçu les premières nouvelles du désastre de Saint-Sauveur, par la visite de La Saussaye à la mi-octobre. Celui-ci avait raconté à la marquise comment leur petite troupe, abandonnée sur la mer, avait été secourue, d'abord par les Etchemins, puis par nul autre que Robert du Pont. Le jeune homme passait par là avec *La Garce* et les avait conduits vers la haute mer, jusqu'à ce qu'ils rencontrent un navire de pêcheurs français qui les avait ramenés au pays. La visite de son ancien agent avait été fort pénible pour la marquise, car s'il connaissait la mort de Sésip, il ne savait pas ce qu'il était advenu de Kitpoo et d'Aakadé.

La nouvelle du retour de Clovis se répand rapidement dans Paris. Toute la journée du lendemain, les visiteurs se succèdent sans arrêt chez les Liancourt. Vers la fin de la matinée, un remue-ménage bruyant précède l'entrée chez la marquise d'un beau jeune homme mince, à la taille bien prise, d'une vingtaine d'années, que Kitpoo met un moment à reconnaître. C'est César de Vendôme qui a perdu, au cours de l'adolescence l'allure ingrate qu'il avait étant enfant. Disparus sont les bourrelets, le mauvais teint, le cheveu gras. Il est devenu un des plus beaux hommes de la cour, mais son caractère n'y a pas gagné.

— Je ne ne voulais pas manquer l'occasion de vous saluer, monsieur, dit en souriant avec hauteur le jeune prince. Depuis votre retour d'Acadie, votre réputation ne fait que grandir. Mon père, le feu roi, aurait été fier de vous, ajoute-t-il avant de se retirer.

La scène s'est déroulée si vite que Kitpoo n'a pas eu l'occasion de dire un mot. Il en a été empêché par la surprise d'abord, mais surtout par un étrange malaise qu'il ne peut s'expliquer.

La renommée de Clovis et de son odyssée a passé les portes du Louvre et s'embellit à mesure qu'elle s'étend. En moins d'une semaine, le jeune Sagamo est devenu une célébrité qu'on s'arrache, les amis comme les curieux. Après quelque temps de ce régime, Mme de Guercheville se plaint de n'avoir pas eu un moment seule avec lui et le prie de bien vouloir la suivre dans sa chambre où elle veut l'entretenir de deux sujets importants. Son visage a un air sérieux et inquiet.

— De quoi voulez-vous me parler, ma mère?

— Je veux d'abord vous demander des renseignements sur ces Turgis, père et fils, qui sont partis
pour l'Acadie en 1610, et contre lesquels je vous
avais prévenus.

— Ah oui, Charles de La Tour et son père, répond Clovis sur le ton léger. Eh bien, vous vous
trompiez du tout au tout à leur sujet, madame. Ce
sont gens fort honnêtes, je vous assure. Le père, un
peu extravagant, je vous l'accorde, vit du côté de la
rivière Pentagouët, en aval de la malheureuse colonie
de Saint-Sauveur.

— Il était donc tout près lorsque le malheur
s'abattit sur vous? Ah, mon enfant, je vous l'avais
bien dit...

— Non, ma mère, son habitation est quand même
à plusieurs lieues de Saint-Sauveur. Je vous assure
qu'il n'était pas mêlé à cette affaire. Quant à son fils
Charles, qui est plus jeune que moi de deux ans, je
me liai d'amitié avec lui dès le premier jour. Il habite
encore Port-Royal avec Biencourt qui sont, avec
Robert, les meilleurs amis français que j'ai au
Nouveau Monde.

— Mais vous le connaissez à peine, mon enfant,
puisque vous n'avez pas vécu à Port-Royal depuis
1607 et que vous n'y êtes pas allés au cours des
deux dernière années, selon le père Biard.

— Ma mère, reprend vivement Clovis avec une
certaine irritation à la mention du jésuite, laissons là
ce sujet, il ne ferait que nous brouiller, car je ne partage pas votre avis. Quel est l'autre propos dont
vous vouliez m'entretenir? enchaîne-t-il abruptement.

— Mon enfant, continue la marquise après avoir
exhalé lentement un grand soupir chargé de sens,
ces documents que je vous fis parvenir en Acadie,
vous priant de les mettre en lieu sur, qu'en est-il ad-

venu? La Saussaye m'a assuré qu'il vous avait remis l'enveloppe, ainsi que je le lui avais ordonné. Qu'en fîtes-vous par la suite?

— M. de La Saussaye ne vous a-t-il pas éclairée sur leur sort?

— Leur sort? Mais de quel sort voulez-vous parler? (Ses sourcils se froncent, son front se plisse.)

— Il y a, madame, que vous me demandez ici la chose qui me fait le plus de mal à vous révéler.

— Que voulez-vous dire, Monsieur? demande la marquise, de plus en plus inquiète.

— La Saussaye me remit votre lettre, ainsi qu'il vous l'a dit et je l'ouvris aussitôt. À l'intérieur, j'y trouvai une autre enveloppe, scellée à vos armes.

— Et que fîtes-vous de cette enveloppe?

— La Saussaye ne vous a donc pas dit tout ce qu'il savait. Je me demande pourquoi.

— Peu importe, puisque vous me l'allez raconter, dit-elle en faisant de la main un geste d'impatience.

— Comme nous allions partir, selon vos instructions, pour établir une autre colonie ailleurs qu'à Port-Royal, je crus que le lieu le plus sûr pour y placer ces documents était dans le coffre de La Saussaye lui-même. Il était votre agent, votre représentant, un personnage en qui vous aviez mis toute votre confiance. Je me crus donc bien avisé de lui faire cette demande, qu'il accepta aussitôt.

La marquise commence à s'agiter légèrement dans son fauteuil; sa respiration devient un peu plus haletante. Elle place sa main sur son cœur, prenant une longue respiration, comme si elle était à bout de souffle.

— J'avais formé le projet de les reprendre, à mon départ de Saint-Sauveur, continue Clovis, dans le but de les dissimuler moi-même dans un lieu secret

que je possède à Adjimsek. La Saussaye ne vous a-
t-il pas raconté que lorsque le capitaine Argall fit ouvrir le coffre devant lui, il était vide et que les documents qui auraient dû s'y trouver, n'y étaient plus?

Vers la fin de son discours, le ton de sa voix est
brusque, ses questions impatientes. Clovis s'en veut
de donner toutes ces explications à sa mère, comme
s'il s'était rendu coupable de quelque faute.

— Oui, mon enfant, il me l'a dit, répond la marquise, la voix angoissée. Mais je ne savais pas que
mes documents auraient dû s'y trouver.

— Ce qu'il ne pouvait pas vous dire, cependant,
parce qu'il ne le savait pas, c'est que son coffre avait
été vidé par le capitaine Argall lui-même. Le fourbe,
afin d'enlever toute légitimité à l'établissement de
Saint-Sauveur, avait volé les lettres de commission
de Sa Majesté. Sans elles, La Saussaye ne put justi-
fier notre présence à cet endroit, donnant ainsi à
l'Anglais toute justification pour nous attaquer.

Antoinette regarde son fils pendant un moment,
tout en prenant avec effort une grande respiration.

— Mais, mais, balbutie-t-elle, comment savez-
vous ces faits, mon fils?

— Je les ai appris à Londres, le mois dernier, par
M. Hakluyt, votre ami protestant, qui avait parlé avec
Samuel Argall lui-même. Celui-ci était rentré de
Virginie pour faire un rapport à ses supérieurs, sur
son expédition d'Acadie.

— Et mes documents, mon fils, que sont-ils devenus? demande-t-elle enfin, avec la plus grande urgence dans la voix.

— Vos documents, ma mère, disparurent en
même temps que les lettres de commission du roi.
Pour bien me prouver que le capitaine Argall disait
vrai lorsqu'il prétendait les avoir subtilisées lui-même,

M. Hakluyt me les fit voir au cours de notre conversation.

— Ne vous a-t-il point montré aussi mes documents? Si les lettres de commission étaient en sa possession, pourquoi pas mes documents? N'étaient-ils pas aussi dans le coffre?

L'énervement de sa mère commence à exaspérer Clovis plus qu'il ne le désire. Il reconnaît avec agacement le sentiment de culpabilité que la marquise faisait naître chez lui autrefois, lorsqu'il était enfant.

— M. Hakluyt m'a révélé, ma mère, répond-il sur un ton qui trahit son impatience, que le capitaine Argall avait remis à son gouvernement tout ce qu'il avait trouvé dans ce coffre. Selon lui, vos documents n'y étaient pas et je n'y peux rien.

Clovis regrette aussitôt cette parole malheureuse, mais surtout, le ton sur lequel il l'a prononcée, lorsqu'il croise le regard terrible de sa mère.

— Mais, je vous l'ai dit, madame, continue-t-il comme pour adoucir la dureté de ses mots d'avant, ce capitaine est un fourbe, je ne crois pas un mot de ce qu'il dit. Pour quelque autre machination infernale, il aura sans doute gardé les documents que vous m'aviez confiés.

— Ah ciel! s'écrie la marquise, nous sommes perdus.

En disant ces mots, Mme de Guercheville se lève de son siège, la main sur la poitrine, tentant de reprendre le souffle qui semble lui manquer davantage de seconde en seconde. Puis, devenue soudainement pâle, elle s'effondre dans les bras de Clovis, qui s'était porté à son secours, en la voyant défaillir.

— Ma mère! Ma mère! répète-t-il hébété.

La marquise ne lui répond pas, car elle en est incapable. Malgré l'angoisse qu'il ressent en voyant sa mère s'évanouir, le jeune homme garde la tête froide. Doucement, il étend la marquise sur son lit, dégrafe le corsage de sa robe, pour qu'elle respire plus librement, et appelle vivement à l'aide.

En un instant, trois personnes entrent dans la pièce, son père, une chambrière et Mme Josephte qui, heureusement, est encore là. Elle a déjà été présente, lors d'autres faiblesses de Mme de Guercheville, et sait ce qu'il lui faut. Avec autorité, elle fait sortir tout le monde, pendant qu'on va chercher le médecin.

Dans les jours qui suivent, l'état de la marquise ne se modifie que légèrement. Elle revient à la conscience mais, affaiblie par les saignées quotidiennes, prescrites par le médecin, elle est sans forces et incapable de parler. Dans les jours qui suivent, les saignées sont arrêtées, et sa santé reprend du mieux. Le dimanche, 17 février, elle se sent assez bien pour faire venir Clovis auprès d'elle et reprendre la conversation interrompue cinq semaines auparavant.

— Mon fils, lui dit-elle, pendant que j'ai été allongée de si nombreux jours à ne rien dire, je n'avais que pensées qui me venaient sans cesse. Lorsque vous êtes en Acadie, je ne puis m'empêcher de craindre pour votre sécurité.

— En traversant l'Atlantique, madame, ne me mets-je pas à l'abri de mes ennemis?

— Non, mon enfant. Ceux qui en veulent à votre vie ont déjà failli deux fois, peut-être davantage. Ils vont essayer encore.

— Pourquoi leur suis-je un obstacle, ma mère? Si seulement vous vouliez bien m'éclairer là-dessus.

— Je sais que vous trouvez mes craintes folles, mais j'ai tout lieu de penser que les personnes qui vous en veulent cherchent à vous atteindre au Nouveau Monde.

— Qui sont ces personnes?

— Vous me dîtes que les La Tour sont d'honnêtes gens. Tant mieux et je ne demande qu'à vous croire. Mais je vous engage à continuer de vous méfier. Quand même, vous étiez avec tous ces gens lorsque mes documents disparurent.

— Ne reparlez plus de ce sujet, madame, il ne peut que vous fatiguer.

— Non, au contraire, il faut vider cette question, sinon, je n'aurai plus de repos. Je suis aussi de votre avis. Ces documents, s'ils n'étaient pas dans le coffre de M. de La Saussaye, c'est parce que le capitaine Argall les avait subtilisés en même temps que les commissions du roi.

— De quelle nature, ma mère, sont ces documents?

— C'est là chose que je ne puis vous révéler, mon fils, et que vous ne connaîtrez qu'après ma mort. Je vous prie d'accepter ce que je viens de vous dire, sans récriminer ni vous plaindre.

Le jeune homme ne sait que penser de toute cette histoire qui commence à le préoccuper plus qu'il ne le désire.

— Mon cher enfant, reprend soudainement Mme de Guercheville, d'une voix un peu forte qui fait se retourner son fils soudainement, j'ai une grande faveur à vous demander.

— Oui, madame? dit celui-ci avec une interrogation dans la voix.

— Je désire que vous n'ayez pas de plus grand soin que celui de retrouver ces documents dans les plus brefs délais, avant que quelque mécréant ne les utilise pour causer un bien grand malheur.

Clovis hésite longuement avant de répondre, fermant les yeux pour se recueillir. Après de longues minutes, il les ouvre enfin et regarde sa mère avec un air triste et résigné.

— Très bien, madame, je vous le promets.

— Ah, que vous me voyez heureuse, monsieur. Je prie le Seigneur Dieu de bénir vos efforts et de vous protéger toujours.

Les yeux du fils croisent ceux de la mère. Pourquoi ai-je fait cette promesse se demande-t-il? Insidieusement, la marquise ne vient-elle pas de nouer à l'entour de son âme un autre lien qui le rattachera encore à l'Ancien Monde?

11

Le 15 juillet, dans la baie Française, *L'Éclair,* une flûte[1] d'une cinquantaine de tonneaux, file à vive allure en direction de la baie de Port-Royal. Son nom s'étale en lettres d'or sur sa proue bleue que le crachat des vagues vient lécher à chaque creux. Elle passe rapidement entre les deux promontoires qui gardent l'entrée de la baie intérieure et, en moins d'une heure, elle croise devant l'ancienne habitation de Jean de Poutrincourt. Même à distance, Kitpoo et son équipage de quatre matelots peuvent constater par eux-mêmes la désolation des lieux. N'apercevant aucun signe de vie, ils continuent leur route vers le fond de la baie, où se trouve le moulin à farine qui a échappé à la destruction du capitaine Argall.

C'est une petite construction en pierre, élevée au pied d'une chute de la rivière Le Quille. À l'étage, dans une salle sans fenêtres et sommairement meublée de quelques chaises, d'une table et de cinq grabats en branches de sapin, vivent misérablement

---

1. Flûte: Du néerlandais «fluit», navire de guerre léger et rapide, à faible tirant d'eau.

Charles de Biencourt, Charles de La Tour et trois colons français. Ils reçoivent les nouveaux venus en héros, aussi bien dire comme des sauveurs. Leurs vêtements sales et déchirés flottent sur leurs squelettes amaigris. D'émouvantes effusions marquent les retrouvailles, pendant que des larmes coulent lentement sur les joues des survivants de Port-Royal.

— Tu ne peux imaginer, dit Biencourt dont la voix affaiblie tremble d'émotion, à quel point ta visite nous apporte joie et réconfort.

— Après le passage d'Argall, dit La Tour qui chancelle légèrement, tout en s'appuyant au dossier d'une chaise, nous fûmes laissés à nous-mêmes, sans provisions et sans armes. Comme tu le sais, les Souriquois déménagèrent à Ouygoudy, après la mort de Membertou en 1611. Au cours de l'automne dernier, nous ne nous sommes nourris que de racines et de baies sauvages.

Les cinq nouveaux venus, bien portants, regardent dans un silence étonné et avec un certain embarras ces cinq hommes émaciés, aux joues et aux yeux creux, aux longues mains squelettiques, dont les doigts effilés ressemblent à des griffes d'oiseaux de proie.

— Laissons ces propos de malheurs, mes amis, dit enfin Biencourt, sur un ton soudainement enjoué, tout en essuyant ses yeux du revers de la main. Kitpoo, raconte-nous plutôt tes aventures. Elles paraissent plus réjouissantes que les nôtres.

À la place, celui-ci propose de monter à bord de *L'Éclair*, pour donner à manger aux rescapés qui ne se font pas prier pour accepter l'invitation du commandant. En route, il leur fait un bref récit des événements qui l'ont amené jusqu'à Paris.

— Cet été, dit-il en terminant, ma mère m'a fait don du *Jonas* qui lui fut rendu par le gouvernement anglais. Le trouvant trop lourd et trop lent, je l'ai échangé contre une flûte de construction hollandaise, appelée *De Bliksem,* ce qui en Français veut dire *L'Éclair.* C'est un navire léger qui peut prendre la mer avec quatre hommes seulement. Comme son nom l'indique, il est rapide; nous n'avons mis que trente-deux jours à traverser l'Atlantique, alors que le *Jonas* prenait deux mois, souvent plus. Il a un faible tirant d'eau, ce qui me permettra de le conduire jusqu'à Adjimsek.

Pendant que les hommes sont attablés et mangent à leur faim pour la première fois depuis des mois, la conversation se poursuit sur un ton jovial. Les sujets sérieux sont évités, mais c'est en riant que les colons relatent les souffrances endurées au cours des derniers mois. La réalisation qu'ils sont sauvés leur donne des ailes et, le vin aidant, ils sont transportés dans un état d'euphorie.

Le lendemain matin, Biencourt et ses hommes reçoivent de nouveaux vêtements.

— Kitpoo, demande à brûle pourpoint le gouverneur, quels sont tes plans? Es-tu venu pour rester, ou bien dois-tu retourner en France?

— Charles, répond celui-ci, en acceptant de ma mère le don du *Jonas,* je lui fis une promesse solennelle.

À cette déclaration, tous les yeux se tournent vers le jeune commandant. Biencourt lève sa grande main décharnée, comme pour dire quelque chose, mais se ravise. Pendant que le silence continue encore un temps, il attend, anxieux.

— En présence de mon père et du jésuite Pierre Biard que le hasard avait mené au Louvre, ce jour-là, je promis à la marquise de Guercheville de continuer l'œuvre entreprise par le Roi Henri le Grand en Nouvelle-France.

Un nouveau silence accueille cette révélation, pendant que Kitpoo regarde autour de lui pour voir l'effet produit. Les colons se tournent les uns vers les autres, beaucoup plus intrigués que ravis.

— Cela veut-il dire le retour des jésuites en Acadie? demande enfin Biencourt avec une certaine inquiétude dans la voix.

— Non, répond Kitpoo en souriant. Notre rôle n'est pas l'évangélisation, mais la colonisation.

— Je suis soulagé de te l'entendre dire, mon ami, dit le gouverneur.

Biencourt, qui est debout pendant cet échange, cherche à s'asseoir, car la nouvelle l'émeut beaucoup. Pendant que ses hommes le regardent en attendant sa réaction, il ferme les yeux et entre brièvement en lui-même. Une joie immense l'inonde à l'instant. Tous ces longs mois, toutes ces souffrances, tous ces doutes sont enfin terminés. Il a gagné la partie. Il pousse un grand soupir de soulagement.

— Il faut aussi que je vous dise, continue maintenant Kitpoo, que j'ai pris l'engagement, auprès de la marquise de Guercheville, de dépenser temps et efforts à retrouver les documents qu'elle me confia en 1613, par l'entremise du commandant La Saussaye.

Kitpoo leur raconte les détails de cette affaire dont ils ne connaissent que les débuts par Louis Hébert qui était à Port-Royal à l'arrivée du *Jonas*.

— Donc, Monsieur le gouverneur, conclut-il enfin, je suis venu me mettre à votre disposition.

Des cris d'enthousiasme répondent à la déclaration du commandant.

Le 17 juillet au matin, *L'Éclair* reprend la mer. Le lendemain, il entre dans l'estuaire de la rivière Saint-Jean et vient s'amarrer en face du village d'Ouygoudy. Kitpoo est enfin revenu parmi les siens, après une absence de dix-huit mois. Il est loin de se douter de l'effet que son arrivée va causer.

Comme à l'habitude, lorsqu'un navire vient mouiller en face d'Ouygoudy, quelques canots chargés de Souriquois viennent à la rencontre de la flûte. Lorsque Kitpoo paraît sur le gaillard d'avant pour saluer ses frères, ceux-ci immobilisent soudainement leurs canots et le regardent avec ahurissement. Puis, comme saisis d'une grande frayeur, ils poussent en chœur des hurlements et retournent leurs embarcations à toute vitesse vers la terre ferme. Kitpoo ne s'attend pas à ce genre de réception; avant de pouvoir descendre dans une pinasse pour aller lui-même vers le village, un autre canot s'approche, portant Chkoudun qui monte seul à bord, ses guerriers étant restés craintivement dans l'embarcation. Le Sagamo se tient au bord du bastingage, l'air hésitant, pendant que Kitpoo s'avance vers lui.

— Ne me reconnais-tu pas, Sagamo Chkoudun, je suis Kitpoo.

Le chef souriquois ne dit mot, continuant à regarder le nouveau venu avec la même crainte que s'il avait affaire à un fantôme. Lorsque le jeune homme arrive près de lui, Chkoudun fait un geste de la main pour l'arrêter.

— Sagamo, reprend Kitpoo, suis-je devenu si méconnaissable en si peu de temps?

— N'approche pas! Tu n'es pas Kitpoo. Il est parti chez le Grand Manitou.

— Explique-toi, Sagamo. Tes paroles me jettent dans un grand trouble.

Chkoudun regarde encore le revenant pendant un moment, s'approche ensuite de lui, l'examine par devant, par derrière, puis enfin, le touche et le palpe, pour bien s'assurer de quelque chose.

— Tu es vraiment le Normand Clovis, dit enfin le Sagamo dont le visage s'éclaire d'un grand sourire.

Après quelques explications, le mystère s'éclaircit enfin. En quittant Adjimsek pour Port-Royal, au printemps de l'année précédente, le Sagamo Kitpoo avait dit à Chégumakun qu'il serait de retour au mois de juin. Puis, de Port-Royal, il avait envoyé un messager pour prévenir qu'il partait pour l'île des Monts-Déserts et reviendrait à Adjimsek au cours de l'été.

— À la fin du mois de juillet, raconte Chkoudun, Chégumakun est venu à Ouygoudy m'annoncer le désastre de Saint-Sauveur et la mort de Sésip. Il m'apprit que Kitpoo avait été emmené en captivité, puis était mort en mer peu de temps après. Toute la population d'Adjimsek et d'Ouygoudy fut bouleversée par cette nouvelle. Il y eut un grand deuil au cours duquel je jurai de venger la mort de Kitpoo. Le jeune Sagamo est mort, mais le Grand Manitou nous envoie Clovis pour mettre ma promesse à exécution, conclut enfin Chkoudun avec un sourire triomphant. Ensemble, nous irons venger sa mort.

— Je veux d'abord trouver les coupables pour le crime de Saint-Sauveur, car ils ont en leur possession un trésor qui m'appartient. Avant que de me venger, je veux reprendre ce qu'ils m'ont volé.

Après une brève discussion, Chkoudun accepte de ne pas aller tout de suite en guerre contre les Anglais de Virginie, mais d'attendre le signal de Clovis pour ce faire.

Ce jour-là, dans le village d'Ouygoudy, commence une grande tabagie qui dure trois jours.

Clovis ne reprend la mer que le 22 juillet. Le lendemain, il s'arrête à Éménénic et cause la même surprise chez Robert du Pont et ses Malouins. Eux aussi, renseignés par les Souriquois, avaient cru que Clovis avait péri en mer.

— L'univers dans lequel je vivais, avant Saint-Sauveur, est en train de s'effriter lentement, se plaint Clovis à son ami.

— Tu veux dire celui de la colonie? demande du Pont.

— Non, je parle de moi, dit-il. D'abord, je perds ma femme et mon deuxième enfant. Maintenant, j'ai perdu ma nature de Souriquois. Je ne suis plus Kitpoo, je suis redevenu Clovis.

— Ne sois pas triste, tu es entouré d'amis ici comme à Ouygoudy, reprend Robert, encourageant.

— Je crains ce qui m'attend dans ma tribu d'adoption, poursuit Clovis.

Le lendemain, *L'Éclair* vient enfin jeter l'ancre en face du village d'Adjimsek, où l'annonce de son retour est déjà parvenue. Il est accueilli de la même façon qu'il l'a été à Ouygoudy, avec un mélange de crainte respectueuse et de joie. Chégumakun éclaire Clovis sur cette attitude des membres de sa tribu. Ceux-ci prêtent au Normand ressuscité, des pouvoirs surnaturels. Comme Clovis est mort autrefois pour donner naissance à Kitpoo, de la même façon, la mort de ce dernier fait aujourd'hui renaître le premier. Ainsi, le croyant mort, le conseil de sa tribu a désigné un autre Sagamo, pour le remplacer. Au cours de l'été, son ouaguam, où il habitait avec Sésip, a été brûlé avec ses biens, selon la coutume. Le premier soir, seul avec son ami, Clovis lui fait part de son chagrin.

— Tu vois, je repars à zéro, dit-il avec une certaine amertume.

Chégumakun ne dit mot et regarde son ami avec attention. Une admiration sans borne se lit dans les yeux du jeune Souriquois. Sans chercher à savoir pourquoi, il lui prête des qualités merveilleuses et cela depuis le premier jour de son arrivée à Saint-Germain en 1603. Clovis ne s'en était jamais rendu compte autant qu'en ce moment même. Ému, il se lève, va vers son ami et le prend dans ses bras pour l'embrasser. Chégumakun éclate de rire et Clovis, dérouté, fait de même.

— Lorsque nous, les Souriquois faisons avec quelqu'un le geste que tu viens de poser, c'est toujours dans le but de lui casser les reins. Pour vous, les Normands, cela veut dire tout le contraire, c'est un signe d'amitié. Tu sais, Kitpoo, nous finirons bien par nous habituer à toi, si tu continues à t'habituer à nous.

Le jeune commandant est fort ému des paroles de Chégumakun, surtout parce qu'il lui a donné son nom de Souriquois. Lorsqu'il l'invite avec son frère Ulnooé, à compléter son équipage, ils acceptent tous les deux avec enthousiasme.

Afin de ne pas bouleverser le nouvel ordre des choses, Clovis décide de quitter Adjimsek, où il a vécu jusque-là avec la famille de Sésip et de s'établir au pied du Mont-Louis, sur la presqu'île en face du village. Le reste de l'été, Robert et ses Malouins se joignent à l'équipage de *L'Éclair* pour construire une nouvelle habitation. Au mois d'août, un immense chantier est en marche et, à la fin de l'automne, une structure de briques se dresse à mi-chemin dans la pente du Mont-Louis, à une centaine de pas de la rive.

C'est une bâtisse de cinquante pieds sur vingt-cinq. Elle est divisée en deux parties égales, l'une servant à l'habitation et l'autre au logement des serviteurs et à l'entreposage. Deux immenses cheminées s'élèvent dans le mur mitoyen, chacune servant à réchauffer une partie de la maison. Sur le mur nord de la façade, du côté droit, s'ouvre la porte d'entrée de la résidence, suivie de trois grandes fenêtres. Une croisée, plus petite, est percée dans chaque extrémité sous le toit. Trois pièces y sont aménagées. Une longue salle commune traverse toute la maison du nord au sud, sur laquelle s'ouvrent trois chambres à coucher.

L'habitation est érigée en partie dans la pente creusée du Mont-Louis et fait face à la rivière. Elle forme un sous-sol par derrière, qui devient le rez-de-chaussée par devant. Ainsi, le côté sud est sous terre et les côtés est et ouest ne sont dégagés qu'à moitié, sur le devant. Cette particularité de la construction possède le double avantage d'être aussi solide que le terrain qui la retient et de conserver plus longtemps, en hiver, la chaleur produite par les cheminées. Le toit fort élevé donne une pente très abrupte, empêchant ainsi la neige de s'accumuler lors des chutes abondantes de l'hiver. Enfin, à proximité de la maison, Clovis fait construire une étuve, semblable à celle qu'avait fait ériger Christopher Semple à Coarraze.

Après le premier hiver passé à Adjimsek, le capitaine de *L'Éclair* et son équipage reviennent à Port-Royal. Encore une fois, avec le secours des Malouins, ils remettent l'ancienne habitation sur pied. À la fin de l'été, ils en ont reconstruit plus de la moitié qui comprend la grande salle commune et les résidences attenantes qui avaient servi, dans le passé, au gouverneur et aux missionnaires.

Pendant que Biencourt, La Tour et les trois Français reprennent résidence à Port-Royal, Clovis et son équipage retournent à Adjimsek où ils passent l'hiver, car la rivière Saint-Jean, complètement gelée, immobilise *L'Éclair,* ancré au pied du Mont-Louis. Afin de ne pas rester oisifs, Clovis, Chégumakun et Ulnooé s'adonnent à la chasse aux animaux à fourrure. Les quatre Français de l'équipage, malgré les admonestations de leur commandant, restent oisifs tout l'hiver, trop heureux de boire leur ration quotidienne de vin, et de dormir le reste du temps. Au printemps, deux sont morts de dysenterie et les deux autres retournent en France avec Robert du Pont et ses Malouins qui vont, avec *La Garce,* livrer leur dernière cargaison de fourrures.

L'équipage de *L'Éclair* est maintenant réduit à trois personnes: Chégumakun, Ulnooé et leur commandant. Celui-ci n'attendait que ce moment pour former un équipage entièrement souriquois. Au cours de l'été précédent, il avait invité une dizaine de Souriquois à naviguer, pendant quelques jours sur la flûte. Aujourd'hui, il embauche ceux qui ont manifesté un intérêt et un sens naturel pour la navigation. En peu de temps, ils sont des marins accomplis. Il faut les voir, dans la mâture, agiles comme des écureuils, ramener la voile au milieu d'une tempête; ou bien manœuvrer la flûte avec tant d'habileté qu'elle peut échapper à n'importe quel poursuivant.

Les habitudes d'hygiène des gens de cette époque, Européens comme Amérindiens, sont assez rudimentaires. Christopher Semple avait inculqué à Clovis, pendant ses années de formation à Coarraze, des habitudes de propreté que celui-ci n'a jamais cessé de pratiquer. L'ablution quotidienne de tout le corps, une théorie révolutionnaire, formait la base de cette éducation. Lorsqu'il était Sagamo, il l'a enseignée aux membres de sa tribu et l'exige maintenant de ceux qui font partie de son équipage. Après un entraînement intense qui dure plus de trois mois, Clovis est ravi des résultats. Jamais encore il n'a été aussi prêt pour l'action.

Ces préparatifs sont-il prémonition ou bien simplement l'effet du hasard? Toujours est-il qu'à la fin du mois de juillet 1616, parvient à Adjimsek une nouvelle étonnante. Samuel Argall, nommé récemment lieutenant-gouverneur de Virginie, est de retour à Jamestown depuis un mois.

12

L'annonce inattendue du retour en Virginie du bourreau de Saint-Sauveur, électrise Clovis et ses hommes. Il réunit aussitôt son Petit Conseil, formé de Chégumakun, de son frère Ulnooé et de lui-même, pour discuter de l'action à prendre. Le commandant renouvelle à ses associés son intime conviction que le lieutenant-gouverneur est en possession des documents de sa mère et qu'il faut aller les lui arracher le plus tôt possible.

— Si par hasard, demande Chégumakun, il ne les a pas, que faisons-nous?

— Eh bien nous revenons et cherchons ailleurs.

— Oui, mais que faisons-nous d'Argall? demande encore Chégumakun.

— Que veux-tu dire?

— Tu sais fort bien ce que je veux dire. Je veux savoir si tu vas revenir à Adjimsek avec sa tête suspendue à ta ceinture.

Clovis ne répond pas tout de suite à la question de son ami. Il le regarde d'abord longuement, puis baisse les yeux, rentrant en lui-même. Depuis la mort de Sésip, il se sent tiraillé par deux sentiments contraires, le désir de se venger et son aversion naturelle pour la violence.

— Rappelle-toi la bataille de Saco où tu t'es conduit en brave, ajoute Chégumakun comme s'il lisait dans ses pensées.

Justement, il n'a pas oublié le moment enivrant où il a levé son grand coutelas et pourfendu en deux le guerrier Mnésinou. Il est troublé par le souvenir de cette tuerie. L'ivresse qu'il a ressentie alors lui est-elle venue pour avoir évité d'être tué lui-même, ou bien pour avoir tué quelqu'un? Il ne sait plus.

Et puis, il y a cette autre scène qu'il a jouée et rejouée dans son esprit tant de fois. D'abord, Sésip apparaît, sur le pont du *Jonas*. Elle accourt vers lui, elle est belle et jeune, elle porte le fruit d'un enfant à naître. Son visage est lumineux, comme si déjà elle faisait partie d'un autre monde. Il tente désespérément de l'atteindre; un cri cherche à s'échapper par sa bouche, mais, ô horreur, tout comme dans un cauchemar, ce n'est qu'un murmure qui en sort. Au même moment, le monde entier explose devant lui et dans sa tête, tout devient noir. Pour mettre un baume sur cette douleur, Clovis fait apparaître l'image d'Argall, dans laquelle le gros homme reçoit un boulet en plein ventre. L'explosion est si violente qu'elle éclabousse jusqu'à des centaines de pieds à la ronde. Malgré le grand trou qui le transperce, l'homme vit toujours, les yeux ouverts, le visage contorsionné par d'effroyables douleurs. Clovis le regarde et lui crie sa haine et sa peine, interminablement. Dans la reconstitution du drame, Argall ne meurt pas. Il est condamné à endurer pour toujours les souffrances atroces causées par son trou dans le ventre, et à entendre sans fin les dures paroles de son bourreau.

— Mon premier but est de retrouver les documents de ma mère, répond enfin Clovis, sorti de sa torpeur. Si, par la même occasion, j'exerce ma vengeance, qu'obtiendrai-je? Une tête à ma ceinture, comme tu dis. Mais si je laisse la vie à ce mécréant, je continuerai à imaginer, dans mon esprit, mille morts atroces que je pourrais lui causer.

— Les Normands ne finiront jamais de m'étonner, conclut Chégumakun.

L'équipage reçoit avec enthousiasme le projet d'une incursion à Jamestown, qui lui paraît comme une agréable récréation. *L'Éclair* quitte donc Adjimsek le dimanche 23 juillet, et cingle vers le sud. Rendu au lieu où, sur la carte que lui avait laissée Champlain, est indiquée la colonie anglaise, on aperçoit une première grande baie[1], puis une seconde, plus petite, qui n'est que l'embouchure d'une rivière[2]. C'est dans cette deuxième baie qu'est construit le fort James. Afin de ne pas attirer l'attention des Anglais, car il compte sur l'effet de surprise, Clovis dissimule son navire le long des côtes, dans une anse et se rend en barque pour explorer les lieux et décider de l'action à entreprendre.

Le lendemain, le commandant et ses hommes, longent une rivière; en amont de celle-ci se trouve leur but. Nos conspirateurs dissimulent leur pinasse et mettent pied à terre pour se trouver presque aussitôt en présence de deux Sauvages Powhatans[3], de

---

1. Aujourd'hui Chesapeake Bay.
2. La rivière James.
3. Wahunsonacock (1550-1618), un Indien né à Powhatan en Virginie, prit pour lui-même le nom de son village et l'étendit par la suite à toute la confédération algonquine dont il était le chef.

la famille des Algonquins, qui habitent cette région. Bien qu'ils ne parlent pas leur langue, Chégumakun et Ulnooé savent gagner leur confiance et leur font comprendre qu'ils cherchent l'habitation des Anglais. Les deux Algonquins n'hésitent pas à leur faire part de leur ressentiment à l'endroit des colons et promettent à leurs nouveaux amis toute l'assistance qu'ils désirent.

Clovis leur fait savoir qu'il a besoin de connaître les allées et venues du chef de la colonie, Samuel Argall, car il veut avoir un entretien avec lui, sans que les Anglais l'apprennent. À cette fin, il suggère aux Algonquins de se rendre à Jamestown, en se faisant accompagner par Chégumakun et Ulnooé qui, vêtus comme eux, n'attireront pas l'attention. Les deux hommes pourront ainsi examiner à loisir l'établissement anglais et rapporter à Clovis la disposition des lieux et les activités des officiers, particulièrement celles de Samuel Argall.

Dès que les détails du projet sont arrêtés, les quatre hommes partent en canot et se dirigent vers le fort, situé à quelques pieds seulement des bords de la rivière James. C'est une construction de forme triangulaire, entourée d'une palissade en bois de douze pieds de hauteur. Dans chaque coin du triangle est érigée une plate-forme ronde supportant un canon. L'établissement de près de onze cents âmes, comprenant hommes, femmes et enfants, a cinq cents pieds de côté et compte une vingtaine d'édifices répartis sur une superficie de plus de cent mille pieds carrés. En plus d'une quinzaine d'habitations séparées les unes des autres, une église, un magasin et une maison des gardes sont répartis à l'intérieur de la palissade. Depuis deux ans, on a commencé à construire quelques habitations en dehors du fort, ce qui est un signe qu'on s'inquiète de moins en moins des attaques des Sauvages.

Chégumakun, Ulnooé et les deux Algonquins ont apporté dans le canot, pour trafiquer, une quantité de poissons frais, dont ils savent les Anglais très friands. Ce prétexte leur permet de s'introduire dans le fort et d'aller de maison en maison, pour offrir leur marchandise. À chaque endroit, ils s'arrêtent longuement, ainsi qu'ils le font en d'autres temps. Malgré la difficulté du langage, ils apprennent qu'un petit groupe d'officiers se prépare à célébrer, le lendemain soir, les quarante-cinq ans du lieutenant-gouverneur Argall.

À cette fin, ils prient les Algonquins de leur apporter des truites qui seront servies au petit souper intime qu'ils se proposent d'offrir à leur commandant. Chégumakun et ses compagnons retournent auprès de Clovis pour lui transmettre ces informations. Celui-ci se montre ravi des nouvelles et les prie de se renseigner, le lendemain, sur l'endroit et à quelle heure les officiers entendent donner leur souper d'anniversaire. Cela leur est fort facile, car ils n'ont qu'à répéter leur manège de la veille et, tout en bavardant, ils apprennent que la célébration aura lieu à bord du *Treasurer,* le vaisseau que commandait Argall, lors de l'attaque de Saint-Sauveur et qui est ancré au large de Jamestown. Ces nouvelles suggèrent à Clovis un plan qui va lui permettre de participer, même sans invitation, à la fête qui se prépare. Le reste de la journée est consacré à la mise en place des détails de l'opération.

Dès sept heures du soir, Clovis, Chégumakun, Ulnooé et cinq compagnons, dissimulés dans les feuillages, sur la rive opposée à Jamestown, voient monter sur le vaisseau les invités du petit souper intime. Ils arrivent dans deux barques et à des moments différents. La première porte douze officiers, mais la seconde ne contient qu'Argall et un seul militaire, ce qui donne à penser qu'on a préparé au lieutenant-gouverneur une petite surprise. Si tel est le cas, les Anglais ne soupçonnent pas à quel point la fête sera une réussite totale.

Il faut attendre encore près de deux heures avant qu'il fasse tout à fait nuit. C'est, fort heureusement pour les conspirateurs, une soirée sans lune. La silhouette du *Treasurer* se détache sur le fond lumineux du ciel, éclairé par un feu allumé sur la grève. À la nuit tombée, la pinasse des marins de *L'Éclair* s'approche silencieusement de l'endroit où se sont embusqués Clovis et Ulnooé. Les hommes portent, suspendus a la ceinture, un pistolet d'un côté et le féroce coutelas courbé des pirates de l'autre. Lorsque tout le monde est monté à bord, la barque quitte silencieusement la rive et se glisse dans l'ombre, le long du navire.

Clovis et ses hommes attendent quelques minutes en silence et, lorsqu'ils trouvent le champ libre, ils se hissent sur le pont, sans éveiller l'attention des fêtards. Ceux-ci s'attendent si peu à une attaque, qu'ils n'ont pas placé de garde sur le navire. Les seules personnes à bord sont les officiers d'Argall en plus des trois domestiques qui assurent le service du repas. L'entrée de la cabine où se tiennent les agapes donne aussi du côté opposé au Fort James. À cette heure, les convives sont dans un état d'ébriété fort avancé. À travers la cloison, on peut entendre leurs rires qui se mêlent aux premières notes d'une chanson à boire que l'un d'eux essaie d'entonner.

C'est le moment précis que Clovis choisit pour faire irruption au milieu de la petite fête. D'un coup de pied vigoureux il fait sauter la serrure, et la porte s'ouvre brusquement dans la salle à manger. Les Français et les Souriquois entrent rapidement et referment derrière eux. L'effet de surprise est total. L'ivresse des convives est assez grande pour qu'ils prennent quelques instants avant de se rendre compte de ce qui se passe. Leurs visages trahissent déjà la stupéfaction à la vue de ces huit hommes vêtus comme des corsaires et armés jusqu'aux dents. Après quelque flottement, Argall, titubant, tente de se lever de sa chaise.

— *What... but what...*

— Taisez-vous, monsieur et assoyez-vous, coupe Clovis sur un ton cinglant. Le premier qui crie à l'aide sera transpercé par le sabre d'un de mes hommes.

Ceux-ci se déploient derrière les chaises des convives et immobilisent les trois serviteurs qui, presque sobres, ont tenté, bien mollement, de prendre des pistolets placés sur une table, dans un coin de la pièce.

— Donnez-moi vos armes, si vous voulez qu'on ne vous fasse point mal, ordonne encore Clovis.

Comme personne ne semble pressé d'obtempérer, Clovis met son sabre sur le ventre d'Argall en lui disant:

— Capitaine, on est bien lent à obéir. Si j'ai bonne mémoire, vous n'avez guère de patience pour ceux qui tardent à réponde à vos ordres.

Argall, au bord de l'apoplexie, rend son arme dès qu'il sent la pointe du sabre de Clovis appuyer sur son abdomen rebondi.

— Nous sommes des officiers de Sa Majesté le Roi James d'Angleterre et toute attaque...

— Je sais qui vous êtes et je n'ai que faire de vos avertissements, interrompt Clovis.

— N'êtes-vous pas cet officier français que je vis à Saint-Sauveur, il y a quelque temps, dit enfin Argall, dont le choc commençait à dissiper l'ivresse.

— En effet, monsieur. Vous êtes moins ivre que vous en avez l'air, répond Clovis. Maintenant, poursuit-il, en s'adressant aux trois serviteurs, mes hommes vont vous remettre des liens et je vous ordonne de lier dans le dos, les mains de tous ces officiers. Si les attaches de l'un d'eux sont trop lâches, je le transpercerai moi-même de mon sabre et il ne sera plus nécessaire de le lier ensuite. Faites ce que je vous dis.

Avec quelque tremblement, les serviteurs s'exécutent, l'un d'eux avec tant de zèle, qu'il arrache des cris de douleur à quelques officiers qui les étouffent aussitôt, lorsqu'ils sentent le métal pointu se presser sur leur ventre. Enfin, Ulnooé lie à son tour les mains des trois serviteurs. Ce travail terminé, les tables sont poussées à un bout de la pièce et les hommes regroupés à l'autre. À ce point, les officiers anglais ont complètement dessoûlé et leurs visages indiquent une grande inquiétude, quand ils ne manifestent pas, tout simplement, une frayeur incontrôlable.

— Approchez capitaine, ordonne Clovis au lieutenant-gouverneur.

Argall est un grand et gros homme dans la quarantaine, aux épaules fortes et au ventre épanoui. Il a le visage glabre, et les traits épaissis, sans doute par une trop bonne chère. Son nez aplati et à l'extrémité en trompette est flanqué de deux grands yeux noirs, au regard dur et autoritaire.

— Que nous voulez-vous, monsieur? demande-t-il, après s'être avancé de quelques pas rendus indécis par l'alcool. Cet acte en est un de piraterie et vous aurez à répondre devant la justice anglaise pour ce crime.

— Il me semble, monsieur, que les rôles sont renversés. À Saint-Sauveur, vous étiez le pirate. Aujourd'hui, en ce lieu, c'est moi qui le suis.

— Je n'ai pas fait acte de piraterie, à Saint-Sauveur, se défend Argall. J'ai chassé des gens qui n'avaient aucun droit de se trouver en ce lieu.

— Ces Français, vous le saviez fort bien, avaient tous les droits de se trouver en ce lieu, car leur commandant avait des lettres de commissions du Roi de France, répond Clovis.

— Quand je lui demandai de produire ces lettres, rappelez-vous, monsieur, que votre commandant en fut incapable.

— Vous avez une bien belle arrogance, Monsieur le gouverneur, et je ne sais ce qui me retient de vous transpercer comme une outre, pour avoir prononcé des paroles si fourbes. Ces lettres de commissions, c'est vous qui les aviez subtilisées, pour créer le prétexte qui vous servit à nous chasser.

— Des soldats de Jamestown doivent bientôt se joindre à nous pour la fête, répond Argall en changeant le propos. Ils auront tôt fait de vous arrêter tous.

— Si ce que vous dites est vrai, monsieur, voilà bien un renseignement que vous auriez gardé pour vous. Vous me croyez assez naïf pour ne pas reconnaître une de vos tromperies.

Argall reste silencieux pendant qu'il soutient le regard dur de Clovis. Ses officiers, solidement ficelés et placés debout à quelques pas devant lui, n'ont pas encore osé dire un seul mot, mais ils suivent avec attention le dialogue des deux hommes.

— Maintenant, Argall, nous voici rendus au moment le plus important. J'ai à vous poser une question pour laquelle je veux une réponse franche. Si elle tarde à venir, j'ai les moyens de vous faire parler.

Clovis s'interrompt alors et s'avance vers le lieutenant-gouverneur. Tout en le regardant droit dans les yeux, il lui demande:

— Capitaine, que fîtes-vous des documents que vous trouvâtes dans le coffre de M. de La Saussaye, le commandant du *Jonas,* ce premier jour de juillet 1613, à Saint-Sauveur?

Le Lieutenant-Gouverneur de Virginie regarde Clovis avec défiance et reste silencieux.

— On ne veut donc pas répondre. Fort bien. Je vous donne encore une minute, après quoi, nous allons utiliser une autre forme d'interrogatoire.

Mais le gros capitaine continue de se taire. Clovis laisse passer le délai et fait une signe de tête à deux de ses hommes. Ils se saisissent chacun d'un bras d'Argall, qui commence aussitôt à protester.

— Attendez, leur dit Clovis. Messieurs, continue-t-il en se tournant vers les officiers, je veux que vous chantiez à tue-tête des chansons à boire.

Comme ils hésitent tout en se regardant les uns les autres, Clovis insiste.

— Commencez à l'instant.

Il faut encore l'encouragement des pointes de sabre avant que, l'un après l'autre, les Anglais se mettent à chanter. Bien timidement d'abord, et peu à peu, leurs voix se gonflent et avec le tremblement que leur donne la peur, cela peut passer pour de l'ivresse et donner le change aux habitants du Fort James. En même temps, l'un des Souriquois porte des bouteilles à la bouche des Anglais et les force à boire, quand ils ne chantent pas à tue-tête. Au bout d'un certain temps, leur état d'ébriété est revenu complètement et leur entrain paraît authentique.

— Maintenant, monsieur, à nous deux, dit Clovis.

Il fait un autre geste à l'intention de deux de ses matelots, qui délient les mains d'Argall, lui attachent à chaque poignet un long câble qu'ils passent pardessus les poutres du plafond. Ils tirent lentement sur les cordes et les bras de notre bonhomme se tendent vers le haut. Il fait ensuite monter Argall, chaque pied sur une chaise, avec un grand écart entre chacune, sans que le capitaine perde l'équilibre. Puis, à un autre signal, ses hommes tirent à nouveau sur les câbles pour qu'Argall soit forcé de se tenir sur la pointe des pieds, les bras étirés vers le plafond. Pendant ce manège, les officiers anglais sont encouragés à continuer la sérénade.

— Maintenant, Argall, je veux la réponse à ma question: que fîtes-vous des documents que vous trouvâtes dans le coffre de M. de La Saussaye?

Comme le capitaine s'entête toujours dans son mutisme, Clovis fait encore raidir les câbles et la pauvre victime ne peut cette fois retenir un cri de douleur.

— Je les ai expédiés à Londres, à mon gouvernement, avoue-t-il enfin.

— Ah, mais vous n'envoyâtes à Londres que les commissions du roi, reprend Clovis. Que fîtes-vous des autres documents?

— Il n'y avait pas d'autres documents.

Un autre signe et les câbles se raidissent encore davantage, arrachant un autre cri de douleur au gros capitaine.

— Je vous le dis, il n'y avait point d'autre document dans le coffre, supplie maintenant Argall.

— Je sais déjà ce que vaut votre parole, monsieur, reprend Clovis. Il vous sera difficile de me convaincre que vous dites la vérité.

Sur un signe, Chégumakun et Ulnooé s'approchent d'Argall, qui se met à crier comme un putois, mais qui cesse dès que Clovis lui fait sentir encore une fois la pointe de son sabre. Pendant ce temps, les chœurs continuent à épuiser leur répertoire de chansons à boire. Chégumakun sort alors son couteau. Sous le regard terrifié d'Argall, il glisse la lame sous la jambe de sa culotte et lentement, il découpe une ouverture de bas en haut et fait de même de l'autre côté. En quelques instants, et après lui avoir retiré ses bottes, le capitaine anglais est complètement dévêtu de la ceinture jusqu'aux pieds. Clovis demande encore une fois au capitaine de lui dire où sont les autres documents trouvés dans le coffre, mais il obtient toujours la même réponse. C'est alors qu'Ulnooé, sur un geste de Clovis, va vers une des tables, y prend un bougeoir avec une chandelle allumée et vient la placer par terre, entre les deux chaises, juste sous les plus tendres parties du gros homme.

— Oh non, monsieur, ne me faites point cela, supplie Argall.

— Je ne vous le ferai point, monsieur, si vous donnez réponse à ma question.

— Je vous ai déjà dit qu'il n'y avait pas d'autres documents dans le coffre.

— Nous allons simplement attendre le temps qu'il faut, monsieur, la chaleur, souvent, ravive la mémoire.

— Mais c'est là votre réponse, monsieur, je n'en ai point d'autre, ajoute encore Argall.

Clovis jette un coup d'œil vers Ulnooé qui élève la chandelle sur une troisième chaise, à quelques pouces seulement des joyaux exposés. Une odeur de poils brûlés envahit la pièce, pendant que la flamme s'agite entre les jambes d'Argall qui lance un cri.

— Je vous jure, Monseigneur, que je vous dis la vérité, il n'y avait point dans ce coffre d'autres documents. Je tiens trop à conserver ce qui me chauffe tant en ce moment, pour vous mentir sur ce sujet, Monseigneur, croyez-moi, insiste encore Argall, presque dans un cri.

Cette fois, en entendant sa victime le supplier avec tant de conviction, Clovis finit par accepter que le capitaine lui dit la vérité et après un coup d'œil à Ulnooé celui-ci remet la chandelle sur la table.

— Très bien, Argall, je vous crois. J'avais besoin d'être convaincu. Comme vous n'en avez point tant à perdre, je comprends que vous teniez à le préserver. Nous allons maintenant compléter notre œuvre.

Sur ce, les hommes de Clovis font asseoir les prisonniers par terre et leur lient solidement les pieds, ce qui achève de les immobiliser complètement. Quant à Argall, il reste suspendu dans sa position humiliante, déculotté au vu et au su de ses officiers. Ils sont trop effrayés pour parler, mais ils ne peuvent manquer de se faire à eux-mêmes des réflexions fort intéressantes sur les révélations qu'ils ont devant les yeux. En effet, dans le passé, leur capitaine les a souvent régalés du récit de ses aventures galantes dont il était l'invincible héros; dans ses histoires, les femmes le recherchaient toujours, insistait-il, pour la dimension imposante de son engin, que la vérité nue se refusait à confirmer.

Puis, vient le dernier épisode qui consiste à enfoncer dans la bouche de chacun, des morceaux de tissu et de les retenir par une corde bien serrée autour de la tête. Lorsque tout cela est terminé, la pièce retombe dans le silence et Clovis contemple son œuvre. Malgré l'atmosphère dramatique qui a prévalu, le sang n'a pas coulé et toute la scène paraît maintenant du plus haut ridicule. Clovis et ses hommes, en y jetant un dernier coup d'œil, ne peuvent s'empêcher d'éclater d'un grand rire qui laisse leurs victimes profondément désemparées.

Ils quittent le *Treasurer* discrètement et regagnent leur embarcation amarrée le long du navire. À Jamestown, personne ne semble s'être aperçu des événements inattendus qui ont accompagné les célébrations de l'anniversaire du lieutenant-gouverneur. La population semble vaquer à ses occupations habituelles. Il est déjà près de dix heures du soir; ici et là, les gens rentrent chez-eux pour la nuit, pendant que de rares petits groupes se forment, près de l'entrée du fort. L'heure est maintenant venue de passer à la seconde étape de l'opération.

Une longue mèche est étendue sur le pont du *Treasurer* et descend jusqu'à l'embarcation de Clovis qui l'allume dès que tout le monde est embarqué. Pendant qu'ils s'éloignent vers la terre ferme, ils peuvent apercevoir la petite flammèche rouge qui s'en va lentement vers son but. Tout l'équipage de *L'Éclair* est déjà revenu à terre, lorsque la mèche a fini de brûler. Elle atteint alors une longue corde d'étoupe, disposée tout autour du pont principal et enduite de matière inflammable. Aussitôt, le *Treasurer* s'illumine soudainement dans la nuit noire et peu après, des cris jaillissent depuis le fort James. La panique est telle qu'en l'espace de quelques minutes, tous les hommes sont debout et sautent dans des embarcations pour aller au secours des fêtards qu'ils savent encore sur le navire.

Pendant cette diversion, Clovis et ses hommes se glissent silencieusement dans le grand enclos, derrière le fort, où sont enfermées vingt-deux têtes de bétail. Sans que les animaux fassent entendre le moindre cri, les Souriquois, spécialistes de ce genre d'attaque surprise, les massacrent tous, jusqu'au dernier, en l'espace de quelques minutes seulement. Puis, avec autant d'adresse qu'ils ont accompli le reste de l'opération, ils mettent le feu à la palissade du fort, avant de se rembarquer prestement dans leurs canots et de regagner vivement *L'Éclair*. Dès les premières lueurs du jour, Clovis et son équipage ont repris la route d'Adjimsek où ils arrivent cinq jours plus tard.

Dès le lendemain, le petit conseil se réunit à nouveau.

— Comme les documents n'étaient pas chez ce chien d'Argall, à quel autre endroit peuvent-ils être? demande Chégumakun.

Il ne comprend pas que le commandant n'ait pas voulu rapporter le scalp du lieutenant-gouverneur. Clovis continue toujours d'être étonné par la violence verbale du langage souriquois.

— S'ils n'étaient pas à Jamestown, dit-il, ils sont sans doute chez M. de La Saussaye.

— N'aurais-tu pas quelque méfiance qui dirigerait tes soupçons sur d'autres personnes que cet homme? demande Chégumakun.

— La Saussaye et Argall sont les deux seules personnes qui auraient pu s'emparer des documents. J'ai soupçonné la première, parce que je l'avais priée de les placer dans son coffre et la seconde, parce qu'elle avoue avoir volé les documents placés dans ce même coffre. Comme cette dernière a été éliminée, il ne nous reste que la première.

Le 23 août, *L'Éclair* reprend la mer, en direction du Havre-de-Grâce où il arrive le 30 septembre. Clovis et son équipage voyagent dans deux carrosses jusqu'au Louvre où leur arrivée inattendue cause une belle sensation. Les premiers à être surpris sont Mme de Guercheville et le duc de Liancourt, qui n'ont eu aucun avertissement de leur venue. Ils s'attendent si peu à pareille visite que Clovis croit bien que sa mère va se trouver mal encore une fois.

Il lui fait part des piètres résultats de son voyage à Jamestown. Comme lui, elle conclut qu'Argall n'ayant pas les documents en sa possession, il faut chercher du côté de La Saussaye. Le 8 octobre, Clovis, Ulnooé et Chégumakun partent pour Gaillon, un petit village en amont de Rouen, où s'était retiré le commandant après son retour d'Acadie, trois ans auparavant. Voyageant avec célérité, ils y sont dès le lendemain. Ils arrêtent leurs montures près de la première personne qu'ils rencontrent dans le village. C'est une paysanne d'un certain âge, à l'air sévère et à la démarche lourde.

— Dis-moi, ma bonne, où habite M. de La Saussaye? lui demande Clovis.

— Vous n'allez point le voir, Monseigneur.

— Et pourquoi, ne le verrai-je point?

— Parce qu'il n'est plus de ce monde, ajoute la femme en se signant.

— Où habitait-il? demande encore Clovis.

Sans dire un mot, la paysanne fait un grand geste vers les bords de la Seine où, sur une élévation, se dresse un petit château qui paraît en fort mauvais état.

— On n'aurait point dû lui donner une sépulture chrétienne, dit-elle encore.

— Était-ce là sa demeure? demande Clovis en regardant dans la direction qu'elle leur a indiquée.

— Oui, Monseigneur. Son héritier, est un neveu qui ne sort jamais. Il saura sans doute vous en dire davantage.

— Et comment s'appelle ce neveu?

— Il se nomme Pierre Le Maullin de Villez. Et si vous m'en croyez, Monseigneur, vous ne resterez pas longtemps dans cet antre qu'a visité le diable, conclut la paysanne qui reprend sa route en bougonnant.

Quelque peu refroidis par ces nouvelles, les trois cavaliers montent jusqu'au petit château. C'est une construction moyenâgeuse qui, au cours des siècles précédents, servait de guet pour le trafic maritime qui montait vers Paris. Aujourd'hui, ce n'est plus qu'une demeure délabrée, mais qui semble tenir le coup parce que quelqu'un s'entête à y habiter. Les visiteurs sont reçus par un vieux valet bossu, avec un bec de lièvre et un œil crevé. Il grogne en les apercevant. Il va leur fermer la porte au nez, lorsqu'une forme apparaît derrière lui.

— Entrez, messieurs leur dit celle-ci avec cordialité. Il faut ignorer ce pauvre imbécile. Il fait de son mieux.

Les trois hommes pénètrent dans un vestibule sombre, à l'allure délabrée. Le valet disparaît en marmonnant, pendant que leur hôte continue de parler.

— Je reçois si peu de visiteurs, messieurs. Entrez, entrez, ajoute-t-il encore une fois, en se retirant pour laisser passer les nouveaux venus.

Clovis décline ses nom et qualité et présente ses amis.

— Nous désirons voir M. René Le Coq de La Saussaye, dit-il enfin.

— Des amis de mon oncle, la chose m'intéresse tant, car il y de grands mystères dans sa vie. Monsieur d'Adjimsek, n'êtes-vous point le fils de Mme de Guercheville, pour qui mon oncle commanda l'expédition d'Acadie?

— Oui, monsieur, j'étais aussi à Saint-Sauveur, au moment de l'attaque.

Pierre de Villez paraît avoir au moins soixante ans, mais il est probablement plus jeune. Il est petit et rond, il a le teint rosé et parle d'une voix aiguë et avec une grande volubilité. Seul son œil droit semble animé; le gauche est sans vie, l'iris complètement voilé. L'arrivée des trois visiteurs paraît l'exciter à l'extrême. Il se met aussitôt à leur raconter l'histoire de sa vie et son chapelet de malheurs. Il se plaint surtout de sa solitude, vivant seul, depuis la mort de son oncle, avec une vieille servante «qui ne voit plus clair» et un valet qui le «vole tout rond».

— Le père de mon oncle Le Coq était le seigneur de La Saussaye, un village situé aussi le long de la Seine, à une dizaine de lieues encore plus en aval du fleuve, quelque peu du côté de Rouen. Quant à mon propre père, Gaston Le Maullin, il était seigneur de Villez, un autre petit bourg, entre La Saussaye et Gaillon. Vous pourriez dire que nous sommes des riverains, continue le petit homme, dont le débit est ininterrompu. Mon oncle Le Coq était un véritable aventurier et il avait de qui tenir, car son père se fit tuer à la bataille d'Ivry en combattant pour le bon roi Henri, en 1590.

— Monsieur de Villez, interrompt Clovis qui se rend compte que le flot des paroles peut les entraîner jusqu'au rôle des ancêtres Maullin aux croisades, s'il le laisse continuer, le but de notre visite est d'en savoir davantage sur les derniers jours de votre oncle.

— Ah, le cher homme, reprend aussitôt Villez volubile, j'aurais tant de choses à dire, sur ses derniers jours, qui furent pour lui les plus malheureux qu'il ait jamais vécus. J'avais déjà remarqué, après le retour d'Acadie, en 1613, qu'il n'était plus le même, que les aventures au Nouveau Monde l'avaient fortement troublé. Puis, il y a bientôt trois ans de cela, il reçut un message lui annonçant que le *Jonas* était enfin rendu à Mme de Guercheville. Avec le capitaine Fleury, il se rendit à Londres pour le compte de votre mère, afin de ramener à Honfleur le navire qui était à elle. À la suite de ce voyage, monsieur, sa santé qui était déjà vacillante, commença de glisser sur une mauvaise pente. Il devint la proie d'un chagrin mystérieux qui empoisonna ensuite son existence jusqu'à son dernier souffle. C'était grande pitié que de le voir miné par quelque secret terrible qu'il trouvait trop lourd à porter. Cela dura pendant deux ans, ses humeurs maladives s'aggravant sans cesse. Puis, un jour de l'automne dernier, ne le voyant pas descendre de toute la matinée, je montai à sa chambre pour voir ce qui en était, quand je le découvris mort...

Villez s'arrête, regarde ses visiteurs et attend un instant avant de continuer.

Ne voulez-vous point savoir comment il est mort?

— Certes, monsieur, et vous allez nous le dire, répond Chégumakun que Villez se met alors à regarder d'un air intéressé et ne parle plus qu'à lui, par la suite, comme si les deux autres n'existaient plus.

— Ah, monsieur, comme vous êtes curieux. Cela n'est pas si grand défaut, puisqu'il vous apportera réponse. Pour tout vous dire, mon oncle s'est pendu, ajoute Villez en regardant Chégumakun et en hochant la tête d'un air entendu.

— Vous nous montrerez où cela se fit, dit simplement ce dernier.

— Vous devinez tout, monsieur. Venez, suivez-moi.

Le petit homme conduit ses visiteurs à l'étage par un escalier circulaire à l'intérieur d'une tour, menant à un donjon. Les marches de bois sont en si mauvais état qu'il aurait été plus facile à La Saussaye de s'y casser le cou que d'aller se pendre à son sommet. Tout en montant, Villez continue d'épiloguer sur les derniers jours de son oncle.

— Son chagrin, sa grande douleur avaient commencé pendant qu'il était en Norembègue[4]. Vous connaissez bien les détails de cette tragédie où mon oncle se conduisit en héros et faillit y laisser sa vie. C'est pendant ce triste épisode que survint un événement dont il ne voulait pas parler, mais qui ne cessa de le miner jusqu'à la fin de sa vie.

— Quel était cet événement, selon vous, monsieur, demande Clovis, sentant qu'il approche de la vérité.

Mais le châtelain ignore la question de Clovis, tout comme s'il ne l'a pas entendue, et continue de regarder Chégumakun. Celui-ci, comprenant l'astuce, répète la question de son ami.

---

4. Nom d'origine verrazanienne que les explorateurs du XVIe siècle donnèrent d'abord à la rivière Pentagouët (Penobscot, dans le Maine actuel) et qui s'étendit ensuite au territoire comprenant la Nouvelle-Écosse, le Nouveau-Brunswick, la Gaspésie et le Maine actuels. Plus tard, les Français lui préférèrent le nom d'Acadie.

— Je vous l'ai dit, mon ami, reprend Villez avec irritation, il ne voulait pas en parler. Comment aurais-je réponse à votre question, ajoute-t-il en haussant les épaules avec un geste d'impatience.

— Le voyage à Londres, donc, aggrava encore l'état de sa santé, dit celui-ci pour ne pas inter-rompre le flot de renseignements.

Ils arrivent enfin au sommet de l'escalier. Villez, ignorant la remarque, pousse une porte. Les visiteurs le suivent dans une pièce où ne pénètre qu'une lumière avare, par cinq petites fenêtres étroites percées dans les pourtours de la construction. Les hommes mettent du temps à s'habituer à la pé-nombre. Après un moment, Chégumakun aperçoit au milieu de la pièce, une corde qui flotte au gré des courants d'air. Sous elle, une chaise est renver-sée, dont il n'est pas difficile d'imaginer le dernier usage.

— Votre oncle n'avait-il point fait d'écrits, pen-dant les derniers jours de sa vie? demande Clovis par l'intermédiaire de Chégumakun.

— Ah monsieur, quelle chance que vous me par-liez d'écrits, car pendant les deux dernières années de son existence, mon cher oncle écrivit jour et nuit à cette table, dit Villez, en désignant un petit secrétaire, de l'autre côté de la pièce. Monsieur, cette manie d'écrire, car c'en était bien une, était peut-être une punition de Dieu.

— Qu'écrivait-il, monsieur?

— Voilà justement qui ne me disait rien qui vaille. Il n'écrivait ni livre, ni lettre, il écrivait seulement. Je suis certain qu'il était inspiré par le diable, car il brûlait souvent ses écrits, continue Villez.

Clovis, tout en l'écoutant, se dirige vers le petit meuble. En chemin, il redresse la chaise, y monte,

retire de la poutre la corde qui y pend et ramène ensuite la chaise devant le secrétaire.

— Comment osâtes-vous toucher à ces objets?
s'exclame Villez, alarmé. Me craignez-vous point que
le diable ne vienne vous prendre ici même sur-le-
champ? Vous êtes d'une fort grande bravoure, ou
bien vous êtes téméraire. Lequel est-ce?

— Ni l'un ni l'autre, monsieur. Je suis Souriquois, répond Clovis.

Le petit homme le regarde maintenant avec une
grande intensité et lui sourit avec un plaisir évident,
mais ne dit plus un mot, pendant que celui-ci
s'approche du secrétaire où sont encore empilées
pêle-mêle, des centaines de feuilles recouvertes
d'une écriture fine et tassée. Il en prend quelques-
unes dans ses mains, pendant que Chégumakun et
Ulnooé se sont approchés derrière lui. Il tâche de
lire, mais sans succès, tant la lumière, dans la pièce
est pauvre.

— Nous allons apporter ces feuilles dans une
salle mieux éclairée, annonce Clovis à leur hôte.

Puis, les trois hommes recueillent tous ces écrits
et les mettent dans un sac qu'ils trouvent dans un ti-
roir de la table.

— Votre oncle avait-il d'autres documents que
ceux-ci, monsieur?

— Mon oncle avait tant et tant de papiers,
jusqu'au retour de Londres en 1614. À cette date, il
fit un grand feu, dans la cheminée de la salle des
gardes et y jeta tous les feuillets qu'il avait déjà
noircis. Le lendemain, il m'annonça qu'il lui fallait
recommencer à neuf et il se mit à écrire sans arrêt,
emporté par le diable.

Sur ce, Villez conduit ses visiteurs au rez-de-
chaussée. Dans la salle des gardes, Clovis com-

mence à chercher, dans les centaines de pages, la réponse au mystère des documents de Mme de Guercheville. Les feuilles des écrits de La Saussaye ne portent pas de numéros d'ordre et elles sont remplies au point qu'il n'y a aucun paragraphe, souvent même, pas de point pour terminer une phrase.

L'ensemble des mots ne semble avoir aucun sens cohérent. On peut y lire des phrases comme: «Tu troubles, tu t'avances au sein de leurs parents quand la mer l'engloutit car leur vertu estonne dans l'obscur de la nuit qui s'employait jadis à commander cette langue qui prie ce luth qui touche un psaume le Louvre est aussitôt despeuplé pendant que Monseigneur le Dauphin braille braille dans le palais d'Achan avec le vaillant Josué le seul juste naquit un fléau des tyrans.» Et cela continue ainsi pendant des pages et des pages.

— Ces feuillets, monsieur, demande Clovis au vieil homme, puis-je les emporter.

— Assurément, monsieur. Je considère qu'ils vous appartiennent, ou tout au moins à madame la marquise.

Le Maullin garde ses visiteurs à souper et à coucher, car il est trop tard pour trouver quelque auberge qui accepterait de les recevoir. Une servante désobligeante et bourrue sert un seul plat qu'elle dit être de l'agneau. Après les maigres agapes, pourtant bien arrosées d'un assez bon vin, Maullin, dont la volubilité a repris de plus belle, excuse l'absence de son valet et conduit lui-même ses invités dans leur chambre, située au pied de l'escalier de la tour qui conduit au donjon de triste mémoire.

Au cours de la nuit, Clovis est soudainement éveillé par un bruit léger qui provient du donjon et se répète en écho dans la tour. Chégumakun et Ulnooé, dont l'oreille est encore plus fine que la sienne, sont éveillés avant lui. Lorsqu'ils entrouvrent la porte de leur chambre, des ombres se promènent sur les murs. Elles sont causées par une lumière qui s'échappe, tout en haut, par la porte restée ouverte de la salle du pendu.

— Avions-nous laissé une lampe allumée dans cette pièce? demande Clovis à voix basse.

— Non, répond Chégumakun, tout était éteint lorsque nous nous sommes endormis.

Au même moment, une ombre immense, vêtue de ce qui semble être un grand voile blanc couvrant toute la personne, sort du donjon et paraît au sommet de l'escalier. Les trois hommes se retirent vivement en arrière et referment la porte de leur chambre en ayant soin de la laisser légèrement entrebâillée. Debout dans l'obscurité, ils distinguent la lumière qui devient de plus en plus forte, à mesure que les pas, descendant l'escalier, se rapprochent d'eux. Instinctivement, ils retiennent leur souffle, pendant que l'ombre mystérieuse s'arrête sur l'avant-dernière marche, avant d'arriver au sol, devant leur porte. Il semble aux trois hommes que le fantôme contemple l'ouverture entrebâillée de leur chambre. Pendant cette attente qui s'éternise, le silence de la nuit est brisé par une respiration haletante qui s'intensifie à mesure que le temps passe.

La lumière vacillante, la forme mystérieuse dans l'escalier, le halètement rauque, tout contribue à jouer sur les nerfs des deux jeunes Souriquois qui n'ont jamais encore rencontré d'esprits normands. Soudain, Ulnooé, n'en pouvant plus, se rue en avant, ouvre la porte de la chambre avec violence, de la main gauche, attrape le voile blanc du fantôme qui se tient sur l'avant-dernière marche de l'escalier, et d'un geste brusque le retire en arrière, pendant que le bougeoir, encore allumé, roule par terre. L'esprit, aussitôt découvert, descend la dernière marche et s'enfuit en boitant vers l'intérieur du château.

Clovis et ses amis ont eu le temps de reconnaître le valet borgne et bossu qui les a reçus la veille. Intrigués par les actions du bonhomme, ils montent dans la salle du donjon, pour voir ce qu'a pu y faire le vieux serviteur. D'abord, ils ne remarquent rien. C'est Chégumakun qui, le premier, se rend compte que la corde et la chaise ont été remises en place, la première, accrochée par dessus la poutre, et la seconde renversée en dessous, exactement comme elles étaient avant leur visite de l'après-midi. En dépit de leurs recherches plus poussées, ils ne découvrent rien d'autre. Juste avant de sortir, Clovis aperçoit, sous la chaise renversée, un papier qui leur a échappé plus tôt. Il se penche, le prend dans ses mains et le retourne. En plein centre, une seule phrase est écrite d'une main qui ressemble à celle des feuillets de La Saussaye. À la lumière de la chandelle le commandant peut y lire une inscription latine: *Scripta volant, sed verba manent*[5].

Dès le lendemain matin, les trois compagnons se lèvent frais et dispos, malgré les étranges événements de la nuit précédente. Ils prennent, avec leur hôte, leur déjeuner servi par le valet borgne qui ne semble pas embarrassé en leur présence. Après moult remerciements à M. de Villez, les trois visiteurs montent en selle et repartent vers Paris où ils arrivent le lendemain.

---

5. «Les écrits s'envolent, mais les paroles restent», une déformation du proverbe latin: *Verba Volant, sed scripta manent*.

Une fois de retour au Louvre, la première tâche de Clovis est de parcourir chacun des feuillets écrits par La Saussaye, pour voir s'ils ne contiennent pas la réponse qu'il cherche. Il s'y adonne avec acharnement et ne termine la lecture de la dernière page écrite par cet homme en délire, que tard dans la soirée du deuxième jour. Hélas, aucune de ces feuilles ne recèle la moindre parcelle d'information qui puisse conduire à la vérité. Ces écrits paraissent avoir été rédigés par un esprit grandement troublé; ils ne révèlent pas non plus les raisons qui, au cours des dernières années de sa vie, ont conduit La Saussaye à se donner la mort. Si les raisons pour cet état de choses ont été, comme le prétend son neveu, les suites de son expédition à Saint-Sauveur et de son voyage à Londres, ses écrits n'en laissent rien paraître.

Deux semaines après leur retour à Paris, les trois hommes sont chez la marquise de Guercheville, lorsqu'elle reçoit une fort intéressante lettre du père Énemond Massé qui, revenu en France en 1613, dans l'embarcation de La Saussaye, est maintenant ministre du collège des jésuites de La Flèche. Elle montre aussitôt la missive à son fils qui la lit à haute voix pour le bénéfice de ses compagnons.

À madame la marquise de Guercheville, au Louvre, à Paris.

Madame, je n'ai appris que ces jours derniers, la mort de M. René le Coq de La Saussaye dans les circonstances fort tristes que vous savez probablement. Pendant que le commandant et moi, avec nos compagnons, vécûmes en mer ces misérables jours après l'attaque de Saint-Sauveur, l'esprit de M. de La Saussaye sembla vaciller et il se confia à ma personne plus qu'à d'autres. Il se croyait entouré d'ennemis, accusant même son secrétaire, l'honnête Jean-Jacques Simon, de l'avoir desservi.

Le commandant était fort angoissé par la disparition des documents rangés dans son coffre. Comme je compatissais à son malheur, je crus que sa peine venait à la fois de la perte des commissions du roi et de celle des documents dont votre fils lui avait confié la garde.

M. de La Saussaye m'avoua alors n'avoir jamais placé vos documents dans son coffre, ainsi que l'en avait prié Clovis. Cette désobéissance à une personne qu'il estimait autant que vous, Madame, lui causait de si grands remords qu'il était convaincu de ne jamais obtenir votre pardon. Il était tellement honteux de sa faute, qu'il n'en avait jamais parlé encore à quiconque. J'étais la première personne à qui il confiait ce secret.

Lorsque je lui fis valoir que son geste, bien que déloyal, avait quand même permis à vos documents d'échapper aux mains des Anglais, il ne parut pas en être soulagé pour autant. Il me fit alors une remarque sibylline que je vous rapporte au cas où elle vous suggérerait quelque sens à ce mystère. Il prononça dans mon oreille, cette phrase latine en en détachant bien chaque syllabe, comme s'il me livrait la clef d'un secret: Scripta volant, sed verba manent.

Le commandant ne me parla plus de ce sujet de tout le reste du voyage, mais au moment de nous quitter, en France, il me pria de garder par-devers moi le secret qu'il m'avait confié. Afin de soulager son inquiétude, je l'assurai incontinent de ma discrétion.

Si le capitaine me confia où il n'avait pas mis vos documents, Madame, il ne me dit pas pourtant ce qu'il en avait fait. Il faut que vous vous rappeliez que nous nous trouvions en mer, dans une petite embarcation ballottée par les flots et que nous luttions alors pour notre vie, menacés que nous étions de périr à chaque instant. Comme le capitaine avait déjà assez d'angoisses à propos de cette affaire, je ne crus pas bon de le lui demander. M. de La Saussaye étant mort, je ne me sens plus lié par la promesse que je lui avais faite.

Je prie pour vous, pour votre fils et votre petit-fils qui ont été, comme nos pères, protégés par la Divine Providence qui les a ramenés vivants chez vous.

Fait au collège de La Flèche, ce quinzième jour du mois d'avril de l'an de grâce 1617.

Énemond Massé, s.j., ministre.

— Que vous en semble, mon fils? demande la marquise, aussitôt la lecture achevée.

— Cette phrase mystérieuse qui revient encore nous hanter.

— Que voulez-vous dire? De quelle phrase mystérieuse parlez-vous.

— *Scripta volant, sed verba manent.* Nous l'avons vu écrite il y a quelques jours seulement dans la maison de La Saussaye et voilà qu'elle nous revient sous la plume du père Massé.

— Quelle importance lui attachez-vous?

— Je ne sais pas, madame, car son sens n'est qu'à moitié compréhensible. *Scripta volant* s'explique facilement. Mais quel sens faut-il donner aux mots *verba manent?*

La mère et le fils se regardent, tout en réfléchissant.

— Il m'apparaît que le père Massé connaît beaucoup de choses que nous ignorons, madame.

— Qu'entendez-vous faire?

— N'y aurait-il pas lieu que nous rendions visite au jésuite, à La Flèche, mes amis? demande Clovis en se tournant vers Ulnooé et Chégumakun.

Le 2 novembre, les trois compagnons se présentent au célèbre collège fondé par Henri IV. Massé les reçoit fort aimablement et les fait entrer dans une grande pièce austère. Le jésuite est un homme d'intelligence moyenne, simple et honnête. En Acadie, Clovis a eu avec lui de bien meilleurs rapports qu'avec le père Biard. Après de chaleureuses salutations, Massé les invite à s'asseoir, les priant de lui exposer le but de leur visite. Clovis lui fait voir sa lettre à la marquise de Guercheville, lui disant qu'ils cherchent la réponse à plusieurs questions, touchant la disparition des documents.

— Notre descente en Virginie nous a appris que les documents n'étaient pas dans le coffre. Les paroles du commandant La Saussaye, que vous rapportez dans votre lettre, nous le confirment. Reste maintenant à savoir quelle personne a volé la fameuse enveloppe contenant les documents et ce qu'elle en a fait.

— Combien de personnes connaissaient l'existence de ces documents? demande le jésuite.

— En plus de M. de La Saussaye, il y avait vous, mon père, le frère du Thet, Jean-Jacques Simon, le lieutenant Nicolas de La Mothe et moi-même, soit six personnes en tout, répond Clovis en comptant sur ses doigts.

— Donc, c'est une de ces personnes qui s'empara des documents, déclare Chégumakun qui commence à comprendre l'intrigue.

— J'élimine le frère du Thet, maintenant décédé, et moi-même, puisque je sais que je n'ai pas pris ces documents, assure Massé.

— Si je suis votre raisonnement, mon père, je m'élimine moi-même, parce que je sais que je ne les ai pas, dit Clovis. Il nous reste donc deux suspects, La Mothe et Simon.

— Mais enfin, persiste le jésuite, pour quel motif cette personne aurait-elle dérobé ces documents?

— Ils furent, pour l'une des six personnes présentes, d'un attrait suffisant pour qu'elle décidât de se les approprier, répond Clovis.

— Je suppose que la lecture de la lettre de votre mère que vous fîtes à haute voix, lorsque M. de La Saussaye vous la remit, suffit à attiser des convoitises, répond Massé.

— Quels mots donc dans cette lettre pouvaient bien avoir cet effet? demande Chégumakun.

— Ma mère me priait de garder ces documents comme s'ils étaient ce que j'avais de plus précieux car, ajouta-t-elle, et je me souviens de ses paroles, «ils pourraient être d'une importance vitale pour l'avenir du royaume de France».

— Que voilà des mots bien propres à enflammer l'imagination, commente le père Massé. Ils ont dû éveiller chez l'un de nous, qui étions présents, le désir du pouvoir et de la richesse. Une chance extraordinaire se présente. Cette personne va-t-elle la laisser échapper? Certainement pas, si c'est une personne ambitieuse.

La déclaration du jésuite laisse les quatre hommes songeurs.

— M. de La Saussaye ne nous a pas tout dit, avant de mourir, reprend Clovis, après un moment de réflexion. Il ne nous a pas dit, par exemple où il avait placé l'enveloppe, s'il ne l'avait pas mise dans son coffre. Et que dire, mon père de cette phrase latine que vous citez dans votre lettre?

— C'est la parodie à peine déguisée du proverbe latin que vous connaissez sans doute.

— Ce que nous savons maintenant, dans cette affaire, c'est que les documents ont été volés à M. de La Saussaye, un jour, entre le 21 mai et le premier juillet, dit Clovis en conclusion. Qui donc a commis ce vol et quel jour l'a-t-il fait?

— Comment pouvons-nous connaître ce jour de façon précise? demande Chégumakun.

— Par les humeurs du commandant, répond Clovis.

— Comment cela? demande Massé.

— Nous savons qu'à partir du 21 mai, La Saussaye conserve les documents en sa possession, sans les mettre dans le coffre, puisqu'il vous l'a confessé lui-même, dit Clovis.

— Il n'avait pas besoin de me l'avouer, je le savais déjà.

— Ah? demande Clovis étonné et soupçonneux à la fois.

— Vous étiez beaucoup trop désolé ce jour-là, monsieur d'Adjimsek, pour prêter attention à ce qui se passait autour de vous. Vous n'avez pas entendu M. de La Saussaye, lorsqu'il ordonna à M. de La Mothe de faire voir au capitaine Argall tous les documents enfermés dans le coffre. S'il savait que l'enveloppe de Mme de Guercheville s'y trouvait, il n'aurait pas prononcé ces paroles.

— Vous ne vous en êtes souvenu que maintenant?

— Oui, monsieur. Voilà peut-être la réponse au mystérieux *Verba manent* qui causa beaucoup de remords à M. de La Saussaye, conclut Massé.

— Remords ou colère, reprend Clovis, peu importe, mais un sentiment violent a dû s'emparer de La Saussaye lorsqu'il constata la disparition des documents dont il avait la garde. J'ai besoin de savoir à quel moment le commandant a eu un changement d'humeur subit.

— Je n'ai remarqué de changement dans les humeurs du commandant, que quelques jours avant l'attaque de Saint-Sauveur, dit Massé après réflexion. Jusque-là, il ne paraissait pas avoir le moindre souci, s'occupant avec sérénité de semailles et d'agriculture. Il retardait tous les jours le débarquement des biens restés à bord du *Jonas*. Chaque fois que le capitaine Fleury le priait de faire vider son vaisseau, il trouvait une excuse pour remettre cette opération. Puis, la veille de l'attaque anglaise, Fleury étant revenu à la charge, La Saussaye, contrairement à son habitude, perdit patience et répondit au capitaine avec fort mauvaise humeur. J'étais présent, lors de cette discussion et j'eus à subir l'ire du commandant, lorsque je tentai d'appuyer les demandes de Fleury. Ce jour-là, quelque événement avait grandement contrarié La Saussaye.

— Ainsi, d'après vos dires, cet événement serait survenu le dernier jour du mois de juin ou peu avant. Dans ce cas, je vous affirme que ce jour-là, le commandant avait découvert le vol des documents de Mme de Guercheville.

— En quoi cela nous avance-t-il dans nos recherches? demande Chégumakun.

— Qui a rôdé autour de la cabine de monsieur de La Saussaye dans les derniers jours de juin? Vous et moi, mon père, sommes ici les deux seuls témoins de ces événements. Il faut nous creuser la mémoire.

— Je ferai la même demande au père Biard. Peut-être a-t-il gardé quelque souvenir, dit le jésuite.

— Que savez-vous de ce Jean-Jacques Simon, mon père? demande Clovis.

— Monsieur de La Saussaye le croyait son ennemi.

— Pourquoi cela?

— Je ne sais pas, répond le jésuite. Cependant, un jour que nous étions perdus en mer, je demandai à Simon s'il savait où étaient passés les documents de Mme de Guercheville. Il me répondit: «Ces documents sont la responsabilité de M. de La Saussaye. Je n'en suis pas le gardien.»

Clovis croit qu'il a fait le tour de la question avec l'ancien missionnaire d'Acadie. Vers la fin de l'entretien, le père Massé exprime le vœu que Clovis ne s'opposerait pas, le temps venu, au désir de Mme de Guercheville de confier Aakadé, maintenant âgé de sept ans, aux jésuites de La Flèche, pour continuer son éducation. Celui-ci reste vague, dans sa réponse, puis les trois hommes prennent congé du jésuite qui les assure de ses prières.

De retour à Paris, Clovis a beaucoup de mal à obtenir des renseignements sur les allées et venues de Jean-Jacques Simon et Nicolas de La Mothe. Ses recherches sont longues et, pendant plusieurs mois, elles demeurent infructueuses. Enfin, en janvier

1617, elles commencent à donner quelque résultat. Un ami haut placé de sa mère, ayant fait enquête, a appris que La Mothe, après avoir été fait prisonnier à Saint-Sauveur, a été emmené à Jamestown où il a séjourné un an. Conduit ensuite en Angleterre, il a été rapatrié en France, l'année suivante. On ne sait pas ce qu'il est advenu de lui par la suite. Le Chancelier croit qu'il est probablement retourné dans sa famille qui habite Brioude, en Auvergne.

Le 4 janvier 1617, Clovis s'y rend avec Ulnooé et Chégumakun. Hélas, cette démarche, qui leur demande près de trois semaines, ne leur apprend pas grand-chose car la famille de Nicolas n'a pas eu de ses nouvelles depuis 1610, année où il s'est brouillé avec elle. On ne possède de lui aucun bien, ni document, ni écrit d'aucune sorte. Nicolas de La Mothe se révèle aussi insaisissable que le pendu de Gaillon.

Quant à Jean-Jacques Simon, la première information que Clovis obtient à son sujet, vient d'une source inattendue. Une domestique de Mme de Guercheville, originaire de Rouen, a une sœur mariée au maréchal-ferrant de cette ville, nommé François Simon. En parlant avec la jeune femme, Clovis apprend que cet homme est le frère du secrétaire de La Saussaye à Saint-Sauveur. C'est ainsi que le 30 janvier, les trois cavaliers se retrouvent à Rouen, chez les parents de Jean-Jacques Simon. Hélas! comme les pistes précédentes, celle-ci les mène à un cul-de-sac. Ils apprennent que Simon est parti pour les Indes deux ans plus tôt et qu'il a péri en mer avant d'y arriver. Sa sœur, qui a hérité de tous ses biens, leur fait voir les maigres effets qu'il lui a laissés. D'enveloppe en parchemin, ou même d'écrits, il n'y a mie. Pourtant, tout ça ne prouve pas que Simon n'a jamais eu les fameux documents en sa possession. Enfin, voyant l'inutilité de prolonger leur séjour en cette ville, les trois hommes reviennent à Paris.

Clovis est surpris de trouver, dès son retour, une courte lettre du père Massé:

À Clovis de Pons, chez la marquise Guercheville.

Monsieur, J'ai appris que votre Nicolas de La Mothe est parti, il n'y a pas deux mois, pour la Nouvelle-France, se placer sous les ordres de M. Champlain. Si vous voulez plus de renseignements, demandez-les auprès du maréchal de Thémines. Ce gentilhomme était un des plus fidèles lieutenants du bon Roi Henri IV. Il est maintenant le Vice-Roi de Nouvelle-France.

Énemond Massé, s.j.

Peu après avoir reçu cette lettre, Clovis rencontre M. de Thémines qui lui confirme qu'en effet Nicolas de La Mothe est parti pour Québec quelques semaines plus tôt, pour servir sous les ordres de Samuel de Champlain.

Après avoir salué sa mère et son fils à Blois, où ils ont accompagné la Reine-Mère dans son exil, Clovis prend congé du Roi, au château de Saint-Germain-en-Laye. Une surprise l'y attend. Louis XIII lui donne, par lettres patentes, la région d'Adjimsek qu'il a érigée en seigneurie. «Toutes les terres en amont des chutes tourbillonnantes, sur une largeur d'une lieue de chaque côté du fleuve Saint-Jean, et ce jusqu'au lieu où la mer se rend, deux fois par jour», peut-on y lire. Cela signifie que Clovis est le seigneur de terres sur une longueur de quinze lieues environ de la rivière Saint-Jean. Enfin, le 31 juillet, *L'Éclair* met la voile vers la Nouvelle-France. Un mois plus tard, il mouille au pied du Cap Diamant, à l'ombre de l'Abitation de Samuel de Champlain.

Clovis, qui n'a pas vu son ancien compagnon de Port-Royal depuis onze ans, a une grande hâte de le retrouver. Hélas, à sa grande déception, il apprend que le commandant de Québec est lui-même parti pour la France, le 26 juillet, laissant Nicolas de La Mothe en charge de la place en son absence. Le lieutenant reçoit les trois hommes avec la plus grande cordialité. Il parle tout de suite de la défaite de Saint-Sauveur et raconte son odyssée en Virginie et en Angleterre. La Mothe est d'un caractère ouvert et optimiste. C'est un vaillant soldat dont Clovis a apprécié la valeur lors du combat contre Argall. Le sujet de la conversation roule bientôt sur la perte des documents de la marquise.

— Je me souviens parfaitement que vous les aviez remis à La Saussaye, dit La Mothe. J'étais convaincu que le commandant les avait placés dans son coffre, ainsi que vous l'en aviez prié. Aussi, comme tout le monde, j'ai cru qu'ils avaient été dérobés en même temps que les commissions du roi. Lorsque j'appris plus tard, en France, que c'était Argall lui-même qui avait vidé le coffre, je conclus qu'il avait aussi pris les documents de Mme de Guercheville. Vous me dites maintenant que La Saussaye avait gardé les documents pour lui, mais que quelqu'un d'autre les lui vola, avant l'attaque des Anglais. Je puis vous assurer, mon ami, que je ne suis pas celui-là.

Le ton de la voix, l'attitude de La Mothe, tout concourt à le disculper complètement. En peu de temps, Clovis est convaincu que l'ancien lieutenant de La Saussaye n'est pas homme à commettre ce genre de forfait. C'est un gentilhomme dont l'honneur et la franchise ne font aucun doute. Rassurés sur ce point, Clovis et son équipage acceptent l'invitation du Lieutenant et passent un mois à Québec. Clovis a de fréquents entretiens avec La Mothe pour qui il s'est découvert une très grande sympathie.

C'est aussi pendant ce premier séjour sur les bords du Saint-Laurent que Clovis s'adonne à d'importantes réflexions sur sa vie en Acadie et sur le rôle qu'il y joue. Sa mère, maintenant éloignée du centre du pouvoir, semble avoir perdu sa préoccupation pour la recherche des fameux documents. Il vient tout juste, d'ailleurs, de finir d'explorer, mais sans succès, la dernière piste qui pouvait le conduire à leur découverte. Que peut-il faire d'autre? Les documents ont peut-être disparu pour toujours avec la personne de Jean-Jacques Simon. Si tel est le cas, l'affaire restera éternellement un mystère. Clovis décide, à partir de ce moment, de mettre de côté cette affaire, et de se consacrer entièrement à celles d'Acadie. Après avoir exploré Québec et sa région, Clovis fait ses adieux à La Mothe le 28 septembre.

Le jour même, Clovis et son équipage mettent la voile et le 15 octobre, *L'Éclair* entre dans la baie française et s'en vient mouiller devant Port-Royal. Biencourt, La Tour et les trois Français sont en bonne santé et possèdent maintenant une barque qu'ils ont construite eux-mêmes au cours de l'hiver précédent. Clovis et ses Souriquois décident de passer quelques jours chez leurs amis.

Hélas, une nouvelle inquiétante leur parvient le lendemain de leur arrivée. Alors que Clovis et ses hommes sont à la pêche, en amont de la rivière Dauphin, un jeune Indien complètement nu et au corps ensanglanté, sort des sous-bois et vient s'effondrer au pied de Chégumakun. Ahuris, le commandant de *L'Éclair* et son équipage s'affairent auprès de lui pour le ranimer. Lorsqu'ils y arrivent enfin, c'est pour apprendre qu'il est Etchemin et vient de la Pentagouët. Ayant réussi à s'échapper, à la suite d'une attaque, il était venu chercher de l'aide.

— Qui vous a attaqué? demande Clovis qui voit bien que le jeune homme est au bout de ses forces.

Hélas, au bout de quelques minutes, le misérable rend l'âme sans qu'il ait pu en révéler davantage. Clovis s'inquiète pour le père de Charles de La Tour, qui habite toujours cette région. Sans même retourner à Port-Royal, afin de ne pas perdre de temps, Clovis et son équipage remontent sur *L'Éclair* et mettent aussitôt la voile en direction de Saint-Sauveur, qui est à l'embouchure de la Pentagouët. Dans le but de surprendre l'ennemi, s'il est encore sur place, les deux hommes abandonnent la route fluviale pour celle de la forêt. Ils laissent la flûte en aval, dissimulée dans une petite baie, avec son équipage, sous le commandement d'Ulnooé.

13

Il est près de six heures du soir, lorsque les deux hommes parviennent au sommet du petit promontoire qui domine la vallée de la rivière Pentagouët, à une dizaine de lieues en amont de son embouchure. L'après-midi de cette belle journée du mois d'août tire à sa fin et le soleil commence à descendre derrière les Appalaches, dont la ligne douce se dessine à l'horizon. L'air est lourd et chaud, la lumière éclatante et le vent trop léger pour troubler même les feuilles des bouleaux, des trembles, des érables et des peupliers qui, avec des sapins et des cèdres, en couvrent les rives. Seuls les criquets s'agitent; même les maringouins restent à l'ombre, dans une pareille chaleur.

Clovis et Chégumakun ne portent pour tout vêtement qu'une peau de daim autour des reins. Le premier est chaussé de mocassins, mais le deuxième, plus endurci, va pieds nus. Ils sont armés tous les deux d'arcs et de flèches et Clovis porte, de surcroît, un petit mousquet et des munitions. Les deux hommes aperçoivent, tout en bas, dans une clairière, une dizaine de ouaguams, plantés autour d'une maison de bois rond. C'est là qu'habite Claude de La Tour, le père de son ami Charles, depuis sa venue en Acadie, en 1610. C'est à cette époque qu'il a construit ce poste de traite[1] en amont de Saint-Sauveur, de triste mémoire. Depuis neuf ans, il y fait un florissant commerce de fourrures. Il vend ses peaux à des trafiquants français dont les navires, pendant la belle saison, croisent le long des côtes mal policées de l'Acadie, à la recherche de pelleteries de qualité.

Depuis trois ans, Claude vit avec une ravissante Malécite[2] qu'il a charmée et prise avec lui dans sa maison. Le voyant si prospère, des membres de la famille de sa femme se sont établis près de chez lui. Au cours de l'été, quelques-uns d'entre eux font le guet, à l'île des Monts-Déserts. Lorsqu'un navire français croise dans les parages, ils l'abordent et proposent des fourrures à son capitaine. Chaque fois, celui-ci acquiesce et les Sauvages le conduisent, par des routes détournées, jusqu'à Claude de La Tour. Après quelques jours passés chez l'excentrique marchand qui les reçoit à sa table bien garnie, avant de leur faire goûter l'hospitalité des femmes malécites, ils payent toujours le prix fort, mais ne repartent jamais déçus.

Longuement, mais encore à bonne distance, Clovis observe le campement qui semble désert. Autour de la maison en bois rond, il n'y a pas âme qui vive. Seuls deux chiens, qui paraissent accablés par la chaleur, dorment profondément à l'entrée des ouaguams.

---

1. Il était situé sur l'emplacement actuel de la ville de Bangor, dans le Maine.
2. Les Malécites sont aussi appelés Etchemins.

— Je ne vois personne, dit Clovis, mais ça ne veut rien dire.

— Plus l'eau est tranquille, ajoute Chégumakun, plus elle pue.

— Approchons-nous avec prudence.

Ils descendent lentement de leur promontoire, en s'arrêtant, de temps à autre, pour observer le campement. Mais toujours tout est calme à l'entour des ouaguams. Ils ne sont plus maintenant qu'à deux cents pieds. À travers les arbres, ils aperçoivent l'arrière de la maison en bois rond de Claude de La Tour. Soudain, une forte odeur de pourriture frappe les deux hommes en plein visage. Sans se consulter, comme s'ils étaient mus par le même ressort, Clovis et Chégumakun qui, jusque-là avançaient avec précaution, jettent la prudence aux quatre vents et se ruent à toute vitesse vers le poste de traite.

Les chiens endormis ne se réveillent même pas lorsqu'ils font irruption dans la petite clairière. Les bêtes gisent à leurs pieds, le ventre ouvert, grouillant de vermine et de moustiques que la chaleur du jour attire sur les tripes multicolores exposées au soleil. Plus effrayant encore que les images écœurantes qui s'offrent à leurs yeux, un silence mystérieux et alarmant enveloppe tout l'établissement, brisé seulement par le vol des moustiques affamés.

Une fois revenus de leur première stupeur, ils s'avancent, craintifs, vers la maison de Claude de La Tour. L'épaisse porte d'entrée en bois d'érable, équarri à la hache, est grande ouverte, comme si les habitants, sortis pour un moment, sont sur le point de revenir. Clovis entre le premier, suivi de Chégumakun. Ils sont aussitôt saisis par l'odeur nauséabonde qui règne dans la pièce unique, maigrement éclairée par deux petites fenêtres, dont l'une est défoncée et ses carreaux brisés.

Leurs yeux mettent un temps à s'habituer à la pénombre du poste de traite. Au bout de quelques minutes, ils distinguent, dans un coin, une alcôve aux rideaux fermés, au milieu de la pièce, une chaise et une table renversées et, le long du mur du fond, de la vaisselle cassée et des casseroles gisant pêle-mêle sur le plancher de bois brut.

Puis, leurs yeux s'étant encore plus accoutumés au demi-jour, ils se dirigent vers l'alcôve, en même temps que se rapproche l'odeur de pourriture.

Lentement, comme s'il a peur de perturber ce chaos, Clovis tire les rideaux. Immédiatement, les deux hommes sont saisis à la gorge par le vent puant que son geste a libéré. Pendant qu'ils reculent de quelques pas, repoussés par la violence du relent, ils peuvent distinguer des jambes qui pendent sur le rebord de la couche. Étendu sur le dos, le cadavre nu et décapité d'une femme gît en travers du lit. À droite, en plein milieu de l'oreiller, sa tête est posée, ridicule, les yeux grand ouverts qui regardent le plafond. Chégumakun, qui la connaît bien, n'a pas de mal à reconnaître la compagne malécite de Claude de La Tour. Après avoir jeté encore un coup d'œil autour d'eux, les deux hommes sortent rapidement de la cabane. Une fois dehors, ils prennent plusieurs grandes respirations, avant de retrouver leur souffle. Clovis est pâle et halète péniblement, tandis que Chégumakun, que le spectacle semble avoir fort peu troublé, est prêt à continuer.

— Viens, dit-il à son compagnon, allons visiter les ouaguams pour voir si nous ne découvrirons pas d'autres cadavres.

Péniblement, l'autre se relève et le suit dans la première tente. Ici, tout semble en ordre et rien ne paraît avoir été touché. C'est la même chose dans les six autres maisons d'écorce du petit hameau, un contraste frappant avec le bouleversement qui règne dans le poste de traite.

— Tout me semble bien calme, remarque Clovis à la suite de cette visite. J'ai bien peur que nous ne soyions pas au bout de nos surprises.

— C'est aussi mon avis, dit Chégumakun. Le plus curieux de toute cette affaire, c'est le village vide.

— Et l'absence de Claude de La Tour.

Autour des habitations, tous les objets sont en place, comme si la vie avait été interrompue soudainement. Ici, un banc sur lequel est posée une raquette qu'une femme était en train de réparer, devant un autre, à côté d'un chien éventré, un panier est ouvert, rempli de matachias. À côté, une robe en daim attend qu'on finisse de la décorer. Mais surtout, ce silence et le bourdonnement des insectes qui enveloppe toute la scène.

— Les Etchemins ont été attirés hors du village par une personne en qui ils avaient confiance, dit Clovis, puisqu'ils sont partis calmement, sans épouvante.

Chégumakun, un genou en terre, à l'orée de la forêt, examine le sol avec intérêt.

— Qu'as-tu trouvé? dit Clovis en se penchant vers lui.

— Tu vois ces traces, derrière les buissons? Ce sont celles d'un étranger.

— Comment peux-tu dire cela? demande Clovis.

— Parce que l'empreinte du genou, enfoncé dans la terre, porte un haut de chausse, comme ceux des

Normands. À côté, aussi visible dans ce sol mou, je vois une deuxième empreinte, celle d'une arme dont la construction m'est étrangère. Les Souriquois, pas plus que les Armouchiquois n'ont une massue qui ressemble à cette marque.

— Je comprends de moins en moins, dit Clovis.

— Cherchons encore, répond Chégumakun.

En disant ces mots, il se dirige vers un sentier qui commence à l'ouest du village. Tous les deux marchent quelques minutes, lorsque soudainement, ils sont arrêtés par un horrible spectacle qui glace Clovis d'épouvante. Chégumakun, comme s'il était insensible à cette vision, continue de s'avancer vers elle. À dix pas à peine, trois corps mutilés sont encore attachés aux bouleaux où ils ont été torturés. Le soleil couchant darde ses rayons sur les chairs déchirées, le pourpre se mêlant au brun rouille du sang séché. Pour compléter ce tableau d'apocalypse, les moustiques bourdonnent par milliers, autour des plaies béantes et cuites par la chaleur du jour.

— Ils ont été tués il y a quatre ou cinq soleils, dit Chégumakun en examinant les corps de près.

Clovis reste silencieux devant l'horreur du spectacle. Bien qu'il ait déjà été témoin, à maintes reprises, de scènes aussi affreuses, il n'arrive pas encore à maîtriser la révulsion naturelle qu'il éprouve en face des restes d'humains ou d'animaux massacrés. Sur leurs gibets sont accrochés deux Souriquois et un Français, qui est aisément reconnaissable par son pourpoint dont la couleur bleu ciel paraît ici et là, comme des taches, à travers le sang séché dont son vêtement est souillé. Ses chaussures, qui lui ont été retirées, gisent au devant de ses pieds dont chaque orteil, comme pour les Souriquois, a été sectionné. Les trois phalanges de chacun de leurs dix doigts ont été détachées une à une avec un couteau et jetées un peu partout à l'entour du lieu du massacre. Chaque crâne est complètement dénudé et privé de sa chevelure. La bouche, grande ouverte des trois suppliciés est fourrée de tisons éteints. À l'endroit des yeux, des piquets en bois sont enfoncés profondément dans les orbites. Leur scrotum a été brutalement arraché et leurs testicules retirés. Leur poitrine est tailladée dans tous les sens et marquée de profondes brûlures à plusieurs endroits. Au lieu de leur sein gauche s'étale un grand trou béant, par où le sang a coulé abondamment. En face des gibets, les restes calcinés d'un feu indiquent que les bourreaux ont terminé leur terrible rituel en faisant cuire à la broche, pour les manger, les testicules, les yeux, la langue et, sans doute aussi, le cœur de leurs victimes. Clovis, incapable d'articuler le moindre mot, ne peut détacher ses yeux de l'effroyable spectacle.

— Ceci n'est pas l'œuvre de Souriquois ni d'Armouchiquois, continue son compagnon en désignant les horribles restes du festin encore accrochés à leur broche. Il y a quelque chose, dans tout cela qui ne me paraît pas normal. Qu'en penses-tu?

N'obtenant pas de réponse, Chégumakun se tourne vers Clovis dont le masque est blanc comme neige et tordu par la révulsion. Comprenant aussitôt ce qui se passe chez son ami, il le saisit par le bras et le secoue vigoureusement, mais sans résultat. Il le tire vivement hors du lieu du massacre et le traîne en direction de la rivière Pentagouët qui n'est qu'à quelques centaines de pas. Clovis, le corps mou comme une guenille, se laisse tirer sans résistance. En quelques minutes, les deux hommes sont sur la rive du fleuve où Chégumakun se précipite, entraînant son ami avec lui. La fraîcheur de l'eau et l'intrépidité du courant secouent la torpeur dans laquelle Clovis était tombé et, en quelques minutes, les deux hommes nagent lentement jusqu'à la terre ferme où ils s'étendent sous les derniers rayons du soleil couchant pour se faire sécher. Pendant longtemps, Clovis reste silencieux. Sa respiration, peu à peu, redevient normale, pendant qu'il chasse de son esprit les images d'horreur qui l'habitent. Enfin, sa tête est vide, la paix revient en lui, son corps se détend et, de sa poitrine, s'exhale un grand soupir qu'il relâche bruyamment. Il est maintenant tout à fait remis de ses émotions.

— De quoi parlais-tu, plus tôt, Chégumakun, que tu ne trouvais pas normal? Pour ma part, je n'ai vu que les horreurs habituelles d'un massacre.

Le Souriquois regarde intensément son compagnon, mais ne répond pas tout de suite.

— Justement, cela n'a pas l'air d'un vrai massacre, finit-il par dire.

— Je ne comprends pas, répond Clovis.

— J'ai le sentiment que quelqu'un veut nous faire croire que ce carnage est l'œuvre des Sauvages.

— Je vois. Et qu'est-ce qui te faire croire qu'il ne l'est pas.

— Je ne sais pas. Mais, n'as-tu pas remarqué qu'il n'y a du sang, sur les cadavres, qu'à l'entour du trou qu'ils ont dans la poitrine. Les doigts, la langue, les yeux ont été arrachés, mais le sang n'a pas coulé.

— C'est donc qu'ils étaient morts, lorsque ces parties de leurs corps furent sectionnées, reprend Clovis qui commence à comprendre les conclusions de son ami.

— Tu vois. Les Souriquois ou les Armouchiquois n'auraient pas tué leurs victimes avant de les torturer. C'est un travail de Normand, à n'en pas douter.

— Si c'est vrai, pourquoi un Français est-il attaché à ce gibet? demande Clovis.

— C'est à toi à trouver la réponse à cette question, répond Chégumakun. Moi, j'ai fait ma part. N'as-tu pas de bonnes raisons de te méfier de celui qui n'est plus au campement, c'est-à-dire, Claude de La Tour?

— Seulement parce que, il y a plusieurs années déjà, ma mère m'a prévenu contre lui et son fils. Je connais Charles, il est mon ami. Je n'entretiens pas de doutes à son sujet. Mais de son père, je ne sais pas grand-chose.

— Aurais-tu quelque chose à craindre de lui?

— Si seulement je savais ce que contiennent les fameux documents de ma mère, je saurais sans doute de qui me méfier.

— Cela ne serait jamais arrivé chez les Souriquois, conclut Chégumakun. Nous n'avons pas de documents.

— Résumons un peu ce que nous savons déjà, dit Clovis après un temps de réflexion. Pendant l'absence de Claude de La Tour et des habitants du village, quelqu'un, connu des Souriquois, et en qui ils ont confiance, attire ces derniers en dehors du campement. Lorsqu'ils sont loin de leurs ouaguams et de leurs armes, des ennemis, cachés dans les bois, leur sautent dessus et les massacrent.

— Et la Malécite, trouvée dans l'habitation? demande Chégumakun. Qui l'a tuée?

— En effet, mon ami. Je n'ai pas d'explication pour ce meurtre.

Les propos des deux amis sont interrompus tout à coup par un bruit de voix joyeuses et mêlé à celui des avirons qui frappent le rebord d'un canot avant de replonger dans l'eau.

— Des embarcations qui descendent la Pentagouët, dit Clovis. Dissimulons-nous derrière ces buissons.

De leur poste d'observation, les deux hommes aperçoivent quatre canots, à la file indienne, qui apparaissent au tournant de la rivière. Claude de La Tour est assis au centre du premier, qui est conduit par deux Sauvages presque nus, l'un sur le devant, l'autre à l'arrière. Comme toujours, ce gentilhomme est vêtu, en pleine forêt acadienne, comme s'il était à la cour de France. Une belle fraise en dentelles, empesée, surmonte son pourpoint de velours jaune avec passements bleu pâle. Il est coiffé, même par cette chaleur, d'un magnifique feutre blanc, surmonté de trois plumes aux couleurs assorties à son costume. Les trois autres embarcations, dirigées aussi par deux Etchemins, sont chargées jusqu'à ras bords de pelleteries de toutes sortes. Les pagayeurs[3] s'interpellent d'une embarcation à l'autre, mais leurs paroles, renvoyées en écho sur les rives du cours d'eau, sont insaisissables. Rassurés par l'allure pacifique des voyageurs, les deux hommes quittent leur cachette et s'approchent de la rive. Clovis, les mains en porte-voix, crie le nom de Claude de La Tour. En quelques minutes, ils ont été repérés et les canots se dirigent vers la grève où ils atterrissent aussitôt.

Après les salutations d'usage, Clovis, avec le plus de ménagements possible, apprend à La Tour la triste nouvelle du meurtre de sa femme. Celui-ci est

---

3. Pagayeurs : Personnes qui manient la pagaye qui est une rame courte à large pelle.

visiblement bouleversé par l'annonce et veut courir aussitôt vers le poste de traite, mais les autres l'en empêchent.

— Le spectacle est affreux, monsieur. L'événement s'est produit il y a plusieurs jours et la grande chaleur a hâté la putréfaction du cadavre.

— Mais enfin, finit par dire le marchand de fourrures, comment tout cela est-il advenu?

— C'est vous, monsieur, qui nous pouvez l'apprendre, répond Clovis.

— Il y a tout juste une semaine, deux Français, dont le navire est ancré à l'île des Monts Déserts, m'ont été amenés par mes sentinelles que voici, dit La Tour en désignant les deux Sauvages qui conduisent son canot. Je traitai ces marchands avec toute la civilité qu'il convient et promis de leur vendre toute la cargaison de fourrures que je pourrais leur procurer en ce temps de l'année. Comme il n'y a pas de chasse d'animaux à fourrures pendant l'été, je leur dis qu'il me fallait aller en amont de la rivière pour trouver encore quelques pelleteries.

— Depuis combien de temps êtes-vous absents?

— Depuis six jours, monsieur, que nous sommes partis à la recherche de peaux. Ne voulant pas que ces marchands traitassent directement avec les Sauvages, je les laissai chez moi en compagnie de ma femme et des gens du village qui comptait trois hommes, deux femmes et deux enfants.

À ce moment de son récit, Claude de La Tour s'arrête et regarde Clovis, soudainement alarmé.

— Le village est vide, poursuit celui-ci, les femmes et les enfants ont disparu. Les deux Sauvages dont vous me parlez sont morts, torturés en même temps qu'un Français, peut-être l'un de ceux que vous aviez laissés au campement.

— Des malfaiteurs ont du s'introduire dans le village peu après notre départ et commis leur méfait aussitôt.

— Venez, monsieur, dit Clovis en entraînant le bonhomme à travers la forêt.

En peu se temps, ils arrivent devant les trois formes mutilées encore attachées à leur gibet. La Tour regarde attentivement les victimes, par devant, par derrière, sans manifester beaucoup d'émotion.

— C'est là besogne de Sauvages, prononce-t-il en se tournant vers Chégumakun. Des Armouchiquois, peut-être. Depuis la fameuse bataille de Saco, ils ne cherchent qu'à se venger.

— Je ne crois pas que vous teniez la vérité, monsieur, reprend calmement le Souriquois. Je suis plutôt d'avis que ces gens ont été massacrés par des Blancs.

Pendant que le marchand de fourrures prend un air incrédule, Clovis lui explique les conclusions de son ami. L'évidence est si grande qu'il est bien obligé de se mettre de leur avis.

— Qui donc pourraient être les auteurs d'un tel méfait? demande-t-il enfin. Et le troisième Sauvage, où est-il passé?

— Le troisième Sauvage, ayant par miracle échappé au massacre, est venu, au prix de sa vie, jusqu'à Adjimsek pour nous prévenir de quelque chose. Il ne put, hélas, que jeter l'alarme et ne nous dit rien de plus, car il ne survécut pas plus longtemps à ses blessures.

— Et l'autre Français? demande encore La Tour.

— L'autre Français s'est évanoui sans laisser de traces, comme les femmes et les enfants, répond Clovis en regardant le traiteur[4].

---

4. Traiteur: Autrefois, celui qui faisait la traite ou le commerce des fourrures.

— C'est un bien grand et triste mystère que cette histoire, monsieur, ajoute le gentilhomme sur un ton pensif.

— Qui sont ces marchands, monsieur? demande Clovis.

— Ils sont venus de La Rochelle avec un navire nommé *La Grâce* et en sont à leur premier voyage. Celui-ci s'appelait Tardier, dit-il en désignant la victime attachée à son gibet. L'autre répondait au nom de Marancy. Ils m'ont dit être à la solde d'un Grand de la cour.

— Un Grand de la cour? Qui est-ce?

— Justement, monsieur, ils en ont fait un bien grand mystère et n'ont pas voulu me révéler son nom, répond La Tour en évitant le regard de Clovis.

— C'est bien dommage qu'ils n'aient rien voulu vous dire, monsieur, relève Clovis avec humeur, car ce renseignement donnerait peut-être réponse à notre problème.

La Tour ne répond pas et baisse la tête en regardant ses chaussure à boucles d'argent qu'il parvient à garder propres en tout temps.

— Demain, continue le seigneur d'Adjimsek, vous viendrez avec nous, lorsque nous irons au devant de *La Grâce,* pour apprendre à son capitaine le malheur survenu à ce Tardier.

La Tour reste encore silencieux. Clovis continue de le regarder en se demandant bien si le bonhomme en sait davantage. Le soir tombe et tout le monde regagne le campement. Les sauvages ont tôt fait d'enlever le corps de la morte et de remettre de l'ordre dans le petit poste. Plus tard, à la lanterne, ils l'enterrent à côté du Français à l'endroit où celui-ci a été torturé. Les corps des deux Etchemins sont ensuite suspendus aux plus hautes branches d'un grand pin où le soleil desséchera leur carcasse, avant qu'elles ne reçoivent la sépulture accordée aux guerriers.

— Je veux garder M. de La Tour à l'œil, confie discrètement Clovis à Chégumakun, lorsqu'ils sont seuls. J'ai l'impression qu'il me cache quelque chose. Si c'est le cas, je ne veux pas qu'il fasse parvenir quelque message à un conjuré, s'il y a lieu.

— Les Etchemins me le diront, s'il demande à l'un d'eux de faire le courrier. Compte sur moi.

La douleur est grande chez les Sauvages qui ont perdu leur famille. Ils agissent comme si leurs femmes et leurs enfants étaient morts car, toute la nuit, ils font entendre leurs pleurs et leurs lamentations. Au petit jour, les Français, qui n'ont pas fermé l'œil de la nuit, sont parés à descendre la Pentagouët, jusqu'à son embouchure, afin d'y retrouver *La Grâce*. Claude de La Tour, vêtu d'un élégant costume brun sombre, et portant l'éternelle fraise empesée, s'approche du premier canot qui contient son siège, planté au milieu des fourrures.

— C'est la couleur qui se rapproche le plus du deuil, confie-t-il à Clovis, la larme à l'œil et d'une voix émue, en s'embarquant. J'ai vécu des années fort heureuses auprès de cette femme qui connaissait les manières civilisées, de façon naturelle.

«Je me suis peut-être trompé, se dit Clovis en regardant le bonhomme. Son silence et sa conduite étrange ne sont peut-être que l'effet d'une grande douleur, causée par la perte soudaine de celle qu'il aimait.»

Les mêmes quatre canots de la veille, avec les mêmes rameurs, se mettent en branle et commencent à descendre la Pentagouët. Ils font un premier arrêt dans une petite baie où est dissimulé *L'Éclair*.

Après être monté à bord avec La Tour et Chégumakun, Clovis donne le signal du départ et prend la tête du convoi. Ils mettent deux heures, avec le courant, à atteindre l'estuaire de la rivière qui longe la partie ouest de l'île des Monts Déserts. Encore une heure à naviguer parmi les îles de l'estuaire et ils découvrent, ancré devant une baie, un assez gros navire battant pavillon français.

— C'est *La Grâce,* dit La Tour en apercevant le deux mâts.

— Tiens, dit Clovis curieusement, comment le savez-vous?

— Pendant leur séjour chez moi, ces messieurs m'ont décrit avec de nombreux détails leur vaisseau qu'ils disaient assez grand pour contenir d'énormes quantités de fourrures. Ils ne m'avaient pas menti.

Lentement, *L'Éclair* s'approche du grand voilier, sur le pont duquel apparaissent les visages de quelques marins. Clovis, Chégumakun et Claude de La Tour montent à bord, pendant que les Sauvages attendent sur la flûte et dans les canots. À leur grande surprise, ils sont accueillis par une voix fort joyeuse, provenant du haut de la dunette.

— Monseigneur, crie-t-elle en fausset, vous avez tenu parole. Quelle joie de vous revoir.

Les interpellés lèvent la tête et aperçoivent un gros homme joufflu qui leur sourit en soulevant et en agitant son chapeau.

— C'est justement notre Marancy dont je vous ai parlé, dit La Tour à ses compagnons, en voyant descendre le marchand de fourrures. Son air radieux laisse à penser qu'il n'est pas au courant du sort fait à son compère.

Clovis est intrigué en regardant s'avancer vers eux cette boule enveloppée d'un costume de drap gris, avec manchettes et col de toile blanche. Ses mains potelées s'agitent joyeusement devant son ventre rebondi que traverse une large ceinture de cuir verni noir. Sur son nez, reposent des lunettes rondes cerclées de métal or. Ses petits yeux sourient autant que son visage qui ne cache pas le plaisir qu'il éprouve à l'arrivée des visiteurs.

— Les malfaiteurs n'ont sans doute pas eu à choisir, car ils n'auraient pas laissé s'échapper celui-ci, glisse discrètement Clovis en souriquois à son ami.

— En effet, ils auraient eu de quoi s'éclairer pendant des mois avec lui, répond Chégumakun dont le masque ne trahit pas le moindre sentiment.

— De là haut, Monseigneur, déclame le nouveau venu avec animation en montrant la dunette, j'ai pu voir la cargaison de belles fourrures que vous nous apportez. Croyez que nous vous en sommes très reconnaissants.

Tout en agitant beaucoup ses épaules qu'il roule en remuant les avant-bras d'avant en arrière, Marancy jette un coup d'œil curieux mais émerveillé dans la direction de Clovis et de Chégumakun. Comme la veille, ils sont encore habillés sommairement de leur peau de daim, leurs muscles et leur beau hâle étalés tant qu'on peut. Aujourd'hui, cependant, tous les deux sont pieds nus et leur front est ceint d'une bande de cuir où est plantée, à l'arrière de la tête, une magnifique plume d'aigle.

— Marancy, ces messieurs sont de mes amis. Voici Kitpoo d'Adjimsek et son ami Chégumakun de la tribu des Souriquois, dit La Tour en désignant ses compagnons d'un grand geste de la main.

Clovis regarde La Tour avec étonnement, en l'entendant utiliser son nom souriquois. Le Rochelois, lui, ne quitte pas Clovis des yeux, un sentiment de surprise et d'admiration se lisant à la fois sur son visage.

— Vous me voyez confus, monsieur. Je ne suis pas depuis longtemps en Acadie, mais vous êtes bien le premier Sauvage que je rencontre, dont la chevelure soit blonde et ondulée comme la vôtre, dit Marancy à Clovis, tout en secouant la tête légèrement et en effleurant sa propre crinière grisonnante du revers de la main droite.

Les deux hommes sont si étonnés de la méprise du Français, qu'ils ne songent pas à le détromper.

— Trêve de mondanités, Marancy, intervient La Tour avec une certaine brusquerie qui fait se relever vers lui le visage poupin du marchand. Je suis plutôt surpris de vous retrouver sur votre navire et non chez moi où je vous avais laissé, il y a quelques jours, pendant que j'allais chercher des pelleteries.

— Ah! Monseigneur, commence le gros homme, je me suis querellé avec Tardier, ne vous l'a-t-il point dit? C'est un homme au caractère fort difficile. Sur le navire, je peux toujours le fuir et me réfugier dans ma cabine. Mais votre habitation, avec tout le respect que je dois à Votre Excellence, était, par notre zizanie, devenue trop petite pour nous contenir tous les deux. Il fut donc décidé que l'un de nous retournerait au navire. Nous tirâmes au sort et c'est moi qu'on mit dans une petite embarcation en écorce et qu'on lança au gré du courant de la rivière Pentagouët. Je mis presque une journée entière, avant de rencontrer des Sauvages qui me conduisirent jusqu'à *La Grâce*.

— Eh bien, mon ami, vous fûtes bien inspiré en revenant ici, car votre compagnon et les trois guerriers, restés avec lui, ont été torturés et assassinés puis, les femmes et les enfants enlevés. Et qui plus est, ma femme également a été tuée de la plus atroce façon.

À cette dernière phrase, la voix de La Tour se brise pendant qu'il baisse la tête et se tait.

— Votre compagnon a reçu une sépulture décente, ajoute Clovis, pour faire diversion.

Marancy se retourne vivement vers lui, l'étonnement peint sur le visage, en entendant l'accent Français si parfait du jeune homme. Mais il se reprend aussi rapidement et regarde à nouveau La Tour. Cette fois, ses traits sont empreints de tristesse.

— Monseigneur, j'éprouve pour Votre Excellence une peine immense, à la nouvelle...

— Je vous en prie, monsieur, interrompt brusquement La Tour, si vous me dites votre chagrin, je vous dirai le mien et nous n'en finirons jamais. Laissons les morts enterrer les morts. Le but de ma visite auprès de vous n'en est pas un de condoléances, mais plutôt de vénalité. Je suis venu voir si notre marché, malgré les événements que je viens de vous dire, tient toujours.

— Ah, Excellence, bien sûr que notre marché tient toujours. Naturellement, je vous achète toutes vos peaux. Vous voyez bien les grandes cales de ce navire. Elles pourraient contenir encore bien plus que ce que vous m'apportez.

— La saison de la chasse est depuis longtemps terminée et d'autres bateaux sont venus avant vous, cette année, assure encore La Tour. Mais je ne suis pas le seul marchand de fourrures sur cette côte. Monsieur d'Adjimsek et ses amis de Port-Royal pourront sans doute vous en offrir autant que moi.

— En effet, monsieur, reprend Clovis, si vous voulez bien conduire votre navire jusqu'à la rivière Saint-Jean, je vous y ferai voir encore de nombreuses peaux que les Souriquois de Ouygoudy et d'Adjimsek ont à échanger.

— Comment saurons-nous où nous diriger, demande le Rochelois.

— Je serai avec vous sur *La Grâce,* afin que vous n'ayez aucune difficulté, répond Clovis avec courtoisie.

Marancy regarde le jeune homme à nouveau avec un plaisir évident. Ses petits yeux rieurs se plissent encore derrière ses besicles, en exprimant le ravissement, pendant qu'il croise ses mains sur son ventre et qu'un grand sourire éclaire son visage.

— Monsieur, nous achèterons... ou plutôt, j'achèterai, dit-il en se reprenant, toutes fourrures de qualité que vous voudrez bien me proposer. Les marchands de La Rochelle que je représente, nous ont demandé de revenir le bateau chargé à pleine capacité.

L'entente est rapidement conclue et, peu après, les fourrures amoncelées dans les canots, sont hissées à bord de *La Grâce,* puis placées dans des sacs et déposées dans ses cales. Pendant l'exécution de ce travail, *L'Éclair,* commandé par Chégumakun, part pour Adjimsek, dans le but de prendre la cargaison de peaux qui y est entreposée, pour redescendre ensuite à Ouygoudy. Vers la fin de l'après-midi, le travail de chargement est enfin terminé. Au moment de remonter en canot avec ses guerriers, Claude de La Tour fait ses adieux:

— Marancy, dit-il au marchand de La Rochelle, bien que vous ayez perdu un associé, ce voyage est pour vous une bonne affaire. Revenez aussi souvent que vous le voulez. J'aurai toujours pour vous les meilleures marchandises de la côte.

— Serez-vous en sécurité à Pentagouët? demande Clovis à La Tour.

— Je ne m'inquiète pas pour moi-même, mais je suis fort troublé par les événements récents.

— Ne devriez-vous pas revenir à Port-Royal?

— Mon fils et Biencourt n'ont pas besoin de moi. Je me débrouille fort bien avec mes Malécites. Je vous remercie de cette bonne pensée, monsieur d'Adjimsek.

Tout en prononçant ces paroles, La Tour, s'incline profondément devant Clovis. Marancy, frappé par les manières et le ton déférents du marchand envers le jeune Sauvage blond, regarde celui-ci avec un œil nouveau. Puis, aidé par deux de ses guerriers, le marchand de fourrures descend l'échelle pendue sur les flancs du navire et regagne son canot d'écorce. De son siège, il salue de la main, pendant que l'embarcation, mue par les bras puissants des rameurs, se dirige vivement vers l'embouchure de la Pentagouët.

Peu après, le capitaine de *La Grâce,* instruit par Clovis, donne l'ordre de cingler vers l'embouchure de la rivière Saint-Jean.

— Combien de temps prendront vos hommes à aller chercher les fourrures, demande Marancy qui ne cache pas son plaisir d'avoir pour lui seul la compagnie de Kitpoo.

— Nous avons cinq jours d'avance sur eux. Votre vaisseau ne prendra qu'une journée, pour atteindre Ouygoudy, où nous vous remettrons les peaux.

— Nous n'avons donc pas à nous presser, monsieur d'Adjimsek. Prenons tout le temps qu'il faut et vous me ferez visiter ce pays que vous connaissez si bien.

— Dans ce cas, nous pourrons suivre la côte à petites journées, si vous le désirez, répond prudemment Clovis.

— C'est cela, monsieur. Entre-temps, je prie Votre Excellence de considérer ce navire comme sa propre maison. Je vous fais conduire à votre cabine. Nous souperons à sept heures, ajoute Marancy en faisant signe à un matelot.

Une fois chez lui, Clovis s'étend confortablement sur sa couche, ferme les yeux et se met à réfléchir aux événements des derniers jours. Il continue d'éprouver un profond malaise en se les remémorant. Peut-être est-ce dû aux questions restées sans réponse. Après avoir revu plusieurs fois tous les faits dans son esprit, deux choses importantes retiennent surtout son attention. La première est: Qui a tué la compagne de La Tour? Si ce ne sont les Sauvages, c'est donc un Français. Est-ce Marancy? Il ne reste pas de témoin de ce massacre. Celui-ci peut raconter n'importe quoi, on ne pourra jamais vérifier ses dires. La seconde question importante à laquelle il peut obtenir réponse, s'il sait tirer parti de l'effet qu'il produit sur son hôte, c'est: Qui est donc ce mystérieux Grand de la cour qui a fait les frais de l'expédition de La Grâce?

Puis, d'autres petits détails lui reviennent à la mémoire, comme des refrains lancinants. Par exemple, pourquoi La Tour a-t-il présenté Clovis par son nom souriquois, sans jamais corriger la fausse impression créée? Et Marancy, pourquoi n'a-t-il rien dit lorsqu'il reconnut un Français en lui? Tout en laissant lentement son esprit s'alourdir et s'ensommeiller, il élabore un plan qui donnera les réponses désirées.

Il est passé six heures, lorsqu'un matelot frappe à la porte de Clovis pour lui rappeler qu'il est l'heure du souper. Celui-ci allume une chandelle posée sur une petite table et par le contenu d'un coffre, au pied du lit, il s'aperçoit qu'il est logé dans la cabine du défunt associé de Marancy. Après avoir fait l'inventaire de sa garde-robe, Clovis enfile une culotte de velours blanc qui descend à mi-jambes et une chemise en lin écru, largement échancrée, retenue à la ceinture. Comme Tardier était un peu plus petit que le seigneur d'Adjimsek, le costume n'en dissimule pas beaucoup plus que ne le faisait la peau de daim. Au contraire, il met en valeur certaines formes qui jusque-là était restées discrètement cachées. Après avoir jeté un coup d'œil satisfait dans une glace, Clovis se dirige immédiatement vers la salle à manger du commandant dont les appartements sont sur la dunette. L'entrée du jeune Sauvage blond dans la petite pièce où l'attend Marancy, fait sursauter celui-ci.

— Ah, Monseigneur, dit-il en se levant de sa chaise et en se dirigeant vers le nouveau venu, soyez le bienvenu dans mon humble demeure.

Humble demeure? se dit Clovis en regardant la table où sont disposés des plats d'argent et des carafes de cristal. Sur ce navire marchand, en tout cas, l'humilité vaut son pesant d'or.

— Veuillez vous asseoir, monsieur d'Adjimsek, continue le gros homme en indiquant la chaise en face de la sienne, de l'autre côté de la table.

Sur un signe de Marancy, un des deux jeunes matelots qui assurent le service, verse du vin dans des coupes en cristal.

— Votre Excellence est sans doute habituée aux grands cérémonials. Je la prie d'excuser la simplicité du service et la frugalité du repas, car nous faisons les choses bien nûment, lorsque nous sommes en mer. Après soixante jours de traversée depuis Honfleur et plus d'une semaine devant Pentagouët, nos garde-manger sont bien dégarnis. Nous devons nous contenter des denrées du lieu.

— Monsieur, l'ordinaire de ma maison, n'est que cela, très ordinaire, répond Clovis quelque peu amusé par cette petite comédie. Les Souriquois n'auraient que faire des cérémonials. Nous n'en usons jamais.

Assis en face de lui, son hôte le regarde par-dessus ses petites lunettes qu'il porte descendues à mi-chemin sur son nez. Ses yeux et tout son visage ont une expression de réjouissance et de béatitude, lorsqu'ils se posent avec satisfaction sur son invité. En même temps, les doigts boudinés de sa main droite caressent doucement la tige en cristal de sa coupe de vin. Cet homme ne s'en cache pas le moins du monde, réalise tout à coup Clovis, il est satisfait de lui-même comme on ne peut l'être davantage.

— À la bonne heure, reprend Marancy. Dans ce cas, nous ne nous formaliserons de rien. Ainsi, vous ne trouverez pas inconvenant que je vous avoue avoir été étonné et mystifié ce matin en vous apercevant pour la première fois. J'ai cru d'abord que vous étiez un Sauvage puis, à votre accent, lorsque je vous entendis parler, je me ravisai.

Sans dire un mot, Clovis hoche de la tête en souriant aimablement à son hôte. Pendant que la conversation continue à se dérouler agréablement à l'entour de Clovis et de sa vie en Acadie, les convives commencent un repas qui n'est pas aussi humble que le commandant de *La Grâce* l'avait laissé entendre. Les serviteurs apportent d'abord une terrine de foie de canard, suivie d'un pâté de héron, le tout arrosé d'un vin blanc de Muscat. Ce premier service est suivi d'une soupe aux choux et aux cuisses d'oie, accompagnée de pain de seigle.

Clovis, qui a perdu l'habitude de ce régime, mange lentement, en même temps qu'il fait à Marancy le récit de sa vie en Acadie. Sa coupe ne reste jamais vide, car les matelots semblent n'avoir de plus grande soin que de la remplir. En même temps, sur la table, défilent tour à tour des plats dignes des plus grandes rôtisseries de Paris. Respectivement posés sur des lits de haricots et de poireaux, apparaissent d'abord une perdrix et un lièvre rôtis que les deux convives dégustent lentement, en l'arrosant cette fois de vin d'Ay, un rouge délicieux, provenant de la Champagne. Puis, enfin les serviteurs apportent fièrement la pièce de résistance, un superbe cuissot de chevreuil, posé sur un grand plat où il est entouré de deux douzaines d'artichauts frais. Il est préparé à la dernière façon parisienne, c'est-à-dire assaisonné de thym, de poivre noir et de basilic que les Français commencent à préférer aux clous de girofle, au safran et à la noix de muscade, si populaires avec les viandes dans les provinces.

— Nous nous croirions à Paris, monsieur, commente Clovis qu'une agréable ivresse gagne lentement.

— Vous me flattez, Monseigneur. Votre Excellence a sans doute déjà vu, par ma rondeur, que ma table est souvent bien garnie, explique le gros homme en riant.

— J'en suis l'heureux bénéficiaire, monsieur. Vous m'en voyez bien satisfait.

Pendant que Marancy explique qu'il a obtenu des Sauvages la viande fraîche qu'ils consomment, Clovis tente de percer les vapeurs euphoriques de l'alcool qui envahissent sa tête, et à travers lesquelles il croit entendre une cloche qui sonne l'alarme dans le lointain. Il tente d'abord de la faire taire; elle est un trouble fête qui vient lui gâter le plaisir qu'il éprouve en ce moment.

— Vraiment, Monseigneur, entend-il son hôte lui dire, je n'ai jamais vu corps aussi parfait que le vôtre. Il rappelle les statues de Phidias dans la Grèce antique. Je suis un ami de la beauté et lorsque je la rencontre, je ne puis m'empêcher de l'admirer.

Clovis n'entend presque plus la voix de son hôte qui, maintenant, semble ne lui parvenir que de très loin. Ses yeux viennent de se poser, encore une fois, sur l'assiette contenant les artichauts frais. Cette fois, il ne peut en détacher son regard. Malgré son ivresse avancée, il est assez conscient pour réaliser que la présence de cette plante potagère, à ce repas, a une signification vitale qui lui échappe encore. Pendant qu'un matelot remplit une fois de plus sa coupe de vin, il tente de concentrer tous ses efforts pour découvrir le sens de ce mystère. Toujours, en fond de scène, les bribes de phrases prononcées par Marancy, qui réussissent à atteindre sa conscience. En même temps, au fond de son esprit, il distingue une faible lumière qui, il le sent, contient ce qu'il cherche. Lentement, mais avec opiniâtreté, il se dirige vers cette lueur en repoussant tout ce qui pourrait l'en distraire. Peu à peu, il approche du but, la vérité est maintenant tout près et va se révéler à lui. Ces artichauts ne peuvent être venus d'Europe, le voyage est beaucoup trop long. Ils viennent donc d'Amérique. Mais de quel endroit de la côte? Soudain, le voile se lève, la vérité lui apparaît: ils ont été apportés de Virginie où les Anglais, qui en raffolent, les cultivent pendant tout l'été. Dans ce cas, *La Grâce* arrive directement de Jamestown et non de Honfleur comme l'a affirmé Marancy.

Au moment même où Clovis, à travers les vapeurs du vin d'Ay, vient de réaliser qu'il n'est pas en territoire ami, un grand fracas le fait se lever de sa chaise, lorsque la porte de la salle à manger s'ouvre brusquement. Aussitôt, un homme, dont le visage lui semble vaguement familier, pénètre rapidement dans la pièce, suivi de quatre soldats qui, sans attendre les ordres, bousculent meubles et serviteurs et encadrent le seigneur d'Adjimsek.

Celui-ci, ramené brutalement à la réalité par cette invasion inattendue, esquisse un mouvement de défense, mais des mains puissantes lui saisissent les bras et les lient derrière son dos. En quelques instants, il est immobilisé complètement, incapable de faire le moindre mouvement. C'est alors seulement que, subitement dégrisé, il promène autour de lui un long regard et commence à comprendre ce qui vient d'arriver.

Lentement, il lève son regard vers le lieu où se trouvait la table du souper qui a été renversée par les soldats à leur entrée. À sa place, se tient maintenant le gros personnage au visage vaguement familier. Il croit reconnaître ces fortes épaules et ce ventre rebondi. Lorsqu'enfin ses yeux se posent sur son visage, ils rencontrent un regard dur et autoritaire qu'il voit pour la troisième fois. Car devant Clovis, se tient nul autre que le lieutenant-gouverneur de la Virginie, le terrible Samuel Argall lui-même. Si cette découverte est d'importance, ce n'est pas la seule que le seigneur d'Adjimsek est sur le point de faire ce soir-là.

— Monsieur, lui dit l'Anglais, c'est la seconde fois que je vous prend à faire du commerce en un pays appartenant au roi d'Angleterre. Vous n'échapperez pas aujourd'hui au juste châtiment qui vous attend, c'est-à-dire la mort.

Clovis reste impassible, comme s'il n'avait pas entendu.

— Monseigneur, intervient Marancy la voix suppliante, est-ce bien là ce que Monseigneur le duc de...

— Taisez-vous, imbécile, tranche brusquement le lieutenant-gouverneur comme s'il voulait empêcher le marchand de fourrures de révéler un secret. C'est moi qui mène cette affaire. Si vous ne vous montrez pas plus docile, je n'hésiterai pas à vous faire subir le même sort que je réserve à monsieur de Pons.

— Monsieur de Pons? répète avec surprise le gros Français. Ah, Monseigneur, vous me voyez bien confondu...

— À moins, bien entendu, continue abruptement Argall, que vous ne satisfaisiez ma curiosité.

Clovis continue à regarder, sans mot dire, le maître de Jamestown.

— Je veux dire par là, monsieur, que je vous laisserai la vie, si vous m'apprenez le contenu des documents secrets que vous avait confiés jadis madame votre mère.

Le même silence répond toujours à ses propos.

— Très bien, monsieur. Grâce à vos enseignements, je connais un moyen infaillible de vous faire parler.

Sur un signe, deux de ses hommes détachent les pieds de Clovis et, après l'avoir soulevé, le déposent sur deux chaises qu'ils écartent ensuite l'une de l'autre. Ils attachent ses mains à des câbles qu'ils glissent par-dessus une poutre et le forcent à se tenir péniblement sur la pointe des pieds. Satisfait des résultats, Argall s'approche du jeune homme et, avec son couteau, fait sauter la mince culotte qui recouvre son anatomie.

Clovis n'a pas besoin d'explications pour savoir ce qui se prépare. Lorsqu'une chandelle est placée sur une chaise en dessous de lui, il sait qu'il ne pourra rester silencieux. L'orgueil le garde muet plus longtemps qu'il ne devrait, mais lorsqu'il n'en peut vraiment plus, un cri déchirant fend l'air tendu de la petite cabine. Le matelot qui applique la torture est tellement effrayé par la réaction du prisonnier, qu'il laisse tomber le bougeoir dont la chandelle s'éteint sur le plancher.

— À la bonne heure, monsieur, dit Argall, je crois que la voix vous est enfin revenue. Mais hélas, elle ne m'a encore rien appris. Allume une autre chandelle, dit-il en s'adressant au matelot. Il faut encore de l'encouragement.

— Monseigneur, je vous prie, arrêtez ce supplice, demande, la voix chevrotante du gros Marancy qui avait enfoui son visage dans ses mains au moment du supplice.

— Sortez-moi cette femmelette, ordonne avec dégoût le lieutenant-gouverneur, il en a déjà trop dit.

Pendant que les soldats prennent Marancy par les bras pour l'évincer de la salle, la chandelle est à nouveau prête.

— Monsieur, dit enfin Clovis lorsque la flamme s'approche à nouveau de ses testicules, personne mieux que vous ne connaît l'efficacité de ce moyen. Je vous jure que je ne connais pas le contenu des documents secrets de ma mère. Si je le savais, je ne serais pas dans de si mauvais draps. D'ailleurs, la douleur que je viens de connaître aurait suffit à me les faire dire.

Sir Samuel regarde son prisonnier avec attention, avant de faire signe au matelot de déposer son bougeoir.

— Je ne vous crois pas, monsieur. Vous pensez me convaincre en me disant que vous êtes au même point où j'étais, lorsque je vous avouai la vérité, sous la même torture. Non, vous êtes trop futé pour céder aussi facilement.

Sur un autre signe d'Argall, le matelot remonte la flamme sous Clovis, mais beaucoup plus près, cette fois. Le cri horrible qu'il fait alors entendre, remplit la pièce d'une terrible violence, qui doit bien s'entendre sur tout le navire et jusque sur les côtes des Monts-Déserts. Lorsque le seigneur d'Adjimsek continue de garder le silence, l'Anglais fait un geste de la main, comme s'il abandonnait la partie et quitte aussitôt la petite cabine.

Sans attendre d'instructions, comme s'ils avaient déjà prévu cette éventualité, les matelots détachent les mains du jeune homme et les lient à nouveau derrière son dos. Sans le moindre ménagement et avec brusquerie, ils le conduisent ensuite sur le pont, où sont rangés en ligne l'équipage de *La Grâce* et celui du *Treasurer*. Le cœur de Clovis se serre, à la vue de la silhouette menaçante du navire anglais, ancré à une courte distance, et qui lui rappelle de bien sinistres souvenirs. Argall se tient debout, le long du bastingage, par-dessus lequel s'étire au dessus des flots un lourd madrier qui sert habituellement à faire glisser à la mer la dépouille des morts. Aussitôt, des soldats saisissent le prisonnier, lui lient les deux pieds, auxquels ils attachent un lourde pierre. Ceci fait ils hissent notre homme sur la planche où il est forcé de se tenir en précaire équilibre, un vide angoissant de chaque côté de lui.

— Cette fois, monsieur, c'est votre dernière chance. Vous me révélez le contenu des documents et je vous laisse la vie. Sinon, vous irez servir de nourriture aux poissons qui vous attendent avec impatience pour commencer leur festin.

Clovis ne dit toujours rien. Une angoisse indicible saisit son être tout entier. La douleur qu'elle lui cause est si grande et l'abîme au-dessus duquel flotte son esprit est si profond qu'il se met à trembler de tous ses membres. C'est d'abord un léger frisson qui le secoue intérieurement. Peu après, de petites secousses s'emparent de lui, suivies de spasmes et de convulsions. Le seigneur d'Adjimsek éprouve un désespoir sans fin, par l'humiliation que lui cause son incontrôlable agitation. Après quelques minutes, qui lui paraissent s'éterniser, la planche sous ses pieds commence à s'incliner lentement vers la mer. La pente est encore trop faible pour faire basculer le prisonnier, sans doute parce qu'Argall espère qu'à la dernière minute, la volonté de Clovis flanchera. Comme le silence persiste, la pièce de bois prend un angle plus prononcé. À ce moment-là, le capitaine anglais fait un geste bref de la main droite et les soldats relèvent brusquement l'extrémité du lourd madrier. Sentant ses pieds se dérober sous lui, Clovis fait un effort suprême en avant pour éviter que la planche ne heurte sa tête en tombant. Avec une rapidité saisissante, le corps nu du seigneur d'Adjimsek est englouti par les flots sinistres et noirs de la baie de Saint-Sauveur.

14

L'homme, au corps émacié, à la longue chevelure terne et décolorée, est assis sur son grabat, le dos courbé, ses longs bras maigres posés sur ses genoux. Il est vêtu d'une mince chemise de toile grise sans manches et d'un pantalon de laine d'un bleu délavé qui ne couvre les mollets qu'à moitié. En contraste avec le reste exposé de son corps, qui est sale et crasseux, ses jambes et ses poignets sont encerclés d'une large bande de peau blême qui, en ce jour, voient la lumière pour la première fois depuis plusieurs années. De temps à autre, l'homme avance une main et y pose longuement la paume pour sentir la chaleur de son propre corps. Puis, tendrement, il promène les doigts sur cette peau blanche et adoucie par le frottement du cuir de ses anciennes attaches. Après un certain temps de cet exercice, ses yeux se lèvent et se portent vers le mur où sont enfoncés quatre crochets de fer auxquels, jusqu'à ce matin encore, étaient attachées de longues et lourdes chaînes, reliées aux mains et aux pieds du prisonnier.

Pendant toutes ces années, il avait vécu, dans sa cellule, en traînant, au bout de ses membres, le

poids constant de ses liens qui lui permettaient tout
juste d'atteindre les quatre coins de son petit univers. Pas un moment du jour ou de la nuit pendant
lequel il avait pu oublier, par la contrainte qu'ils lui
imposaient, l'état de sa condition. Tous ses mouvements, ses moindres gestes avaient été ralentis et
alourdis par leur présence constante. Maintenant
qu'ils lui ont été retirés, la légèreté de son corps lui
paraît une chose incroyable. Il peut lever les bras,
bouger les pieds, se promener à travers la pièce avec
une agilité qu'il ne se connaissait plus.

La cellule, toute de grosses pierres douces et
grisâtres, ne comporte que trois ouvertures. La première, c'est la porte d'entrée, en gros bois de chêne,
bardé de fer, ouvrant du côté ouest. Elle est munie,
au bas, d'un petit vantail par où sont glissés les
plateaux des repas. La seconde, sur le mur d'en
face, est une petite fenêtre percée près du plafond et
obstruée par quatre barreaux. Sa hauteur est telle
que le prisonnier doit se hisser par la force des
poignets pour pouvoir jeter un coup d'œil à l'extérieur. Et encore, tout ce qu'il peut apercevoir c'est la
mer et le ciel qui s'étendent à perte de vue. Fort
affaibli par sa captivité, il y a plusieurs années qu'il
n'a plus été capable de faire l'effort nécessaire pour
voir au dehors.

Et puis, il y a la troisième ouverture qui est un
trou de cinq pouces de diamètre pratiqué dans une
dalle du plancher du coin sud-est de la cellule. C'est
par là qu'il jette tous ses détritus, humains ou
autres, qu'il recouvre ensuite d'une planche en bois,
pourvue à cette fin. La pièce où tombent les déchets
et les excréments est une autre cellule semblable à la
sienne et fermée en tout temps par une porte sans
judas. Dépourvue de toute ouverture, elle est

toujours dans le noir, sauf une fois le mois, lorsqu'un homme, s'éclairant d'une torche, vient enlever les ordures.

Le prisonnier a acquis la conviction qu'il est enfermé dans un château fort, construit au bord de la Manche, dans la partie sud de l'Angleterre. Cette conclusion lui était d'abord apparue incertaine, puis peu à peu, elle s'était raffermie. Le mouvement des navires, aperçus de sa fenêtre, lui avaient fait déduire qu'ils allaient en direction d'une côte toute proche, le Havre-de-Grâce, peut-être. C'était bien peu de choses, que ces découvertes, mais quand on n'a rien à quoi se raccrocher, les fétus de paille deviennent de grands vaisseaux.

Trois fois par jour, le gardien approche de sa cellule, ouvre le petit vantail au bas de la porte, retire le plateau du repas précédent et y glisse celui qui contient les aliments du nouveau repas. Le prisonnier connaît parfaitement bien le visage de son geôlier, même si celui-ci n'a jamais pénétré chez lui et si toujours une lourde porte les sépare. C'est grâce à l'entêtement et à la persévérance qu'il a réussi à connaître le visage de cet homme. Lorsqu'il entendait les pas s'approcher, le prisonnier allait jusqu'à la porte, s'agenouillait joue contre terre, dans le but de jeter un coup d'œil, même rapide, par l'ouverture du vantail, sur le visage de son gardien. Au début, celui-ci s'était placé si près de la porte qu'il n'avait pu apercevoir ses traits. Puis, peu à peu, se lassant de cette précaution, il avait ignoré les agissements du prisonnier. Grâce à ce relâchement, celui-ci avait réussi à composer dans sa tête l'image complète du visage qui ne lui avait été révélé que par bribes. Sa réussite était telle qu'il était persuadé de pouvoir reconnaître cet homme, même au milieu d'une grande foule.

Ce matin, contrairement à tous les autres jours, ce n'est pas le petit vantail qui s'était ouvert pour y laisser passer son déjeuner. C'est la porte même de sa cellule qui avait grincé sur ses gonds. Un homme qu'il ne connaissait pas et vêtu d'un uniforme différent de celui des gardes, avait pénétré dans son univers. Il portait le plateau de son repas dans la main droite et, dans la gauche, il tenait un grand panier d'où émergeaient une paire de lourdes tenailles et des outils de maréchal-ferrant. À cette vue, le prisonnier avait été saisi d'une grande frayeur; il était resté comme paralysé sur le lit où il était assis; ces nouveaux événements le déroutaient. Jusqu'à ce matin, les jours avaient apporté la même routine. L'heure des repas n'avait jamais varié d'un poil, devenant ainsi l'horloge immuable qui avait marqué le rythme de ses jours: déjeuner à sept heures du matin, dîner à midi et souper à cinq heures. Et ne voilà-t-il pas qu'aujourd'hui, sa mesure du temps, cette chose immuable, avait été brisée, peut-être détruite à jamais. Enfin, peu à peu, sa peur s'était changée en une grande émotion, lorsque le nouveau venu lui avait souri. Puis, sans souffler le moindre mot, il s'était approché de sa couche et, avec ses tenailles, il avait brisé les anneaux des chaînes reliées à ses entraves de cuir épais.

C'est pendant cette opération qu'il avait désiré violemment de poser ses doigts sur le cou de l'homme qui, penché au-dessus de ses pieds, s'occupait à libérer ses chevilles. Quand il avait voulu le faire, son bras s'était presque envolé de lui-même, mais il l'avait retenu à temps, ayant eu peur que sa maladresse effraie le visiteur. Mais, juste à ce moment-là, celui-ci, pour ouvrir le lien qui ne voulait pas se détacher de lui-même, avait pris la jambe du

prisonnier dans sa main gauche. Ce contact inattendu de sa peau avec celle d'un autre, avait produit
en lui un frisson qui avait parcouru tout son être en
un instant, depuis le sommet du crâne jusqu'aux ex-
trémités des orteils. Le gardien, surpris, avait levé la
tête et l'avait regardé attentivement. Son cœur s'était
mis à battre dans sa poitrine de façon si violente
qu'il avait pensé s'évanouir. Malgré la puissance de
ses émotions, il était resté complètement immobile,
son esprit ayant arrêté de fonctionner tout à fait,
pendant que son corps, devenu d'une incroyable
sensibilité, s'était bandé, comme s'il allait se dé-
tendre soudainement au moindre contact.

Pendant toutes ces années passées dans le plus
complet isolement, le prisonnier a fait de grands efforts pour ne pas voir sa raison sombrer dans la folie. Il croit y avoir réussi, mais il n'en est pas certain,
car il n'a plus de commune mesure à laquelle il peut
se comparer. Sauf une, sans laquelle il aurait sûrement chaviré, si elle lui avait été enlevée. Tout ce qui
lui reste de ce qu'il a connu avant son incarcération,
et à part son propre corps qui d'ailleurs a beaucoup
changé, ce sont le ciel, les nuages, le soleil et la re-
lation qu'il a avec eux. Tous les jours, il s'assoit sur
son grabat et contemple l'azur. Ce geste lui fait se
souvenir qu'il y a un monde en dehors du sien, qu'il
n'a qu'à tenir le coup et qu'il y retournera un jour.
Ce matin, grâce à un petit incident survenu pendant
la visite de l'ouvrier, cette assurance qu'il n'était pas
devenu fou, avait surgi à nouveau, plus forte que jamais.

Après lui avoir libéré les pieds et les mains,
l'homme s'était planté devant lui les jambes écartées
et l'avait regardé avec attention. Le prisonnier était
resté immobile, le dos légèrement voûté, les bras po-

sés sur ses cuisses et les mains pendantes entre ses jambes. Il avait relevé la tête et, d'un regard vide, il s'était mis à observer le visiteur. Celui-ci avait fait encore un pas en avant, s'était penché vers lui et avait dit à voix basse: «Clovis de Pons?» C'était à la fois une affirmation et une interrogation. Ces paroles d'une apparente légèreté, avaient produit, chez le prisonnier, un choc encore plus grand que celui qu'avait causé la main posée sur sa cheville. C'est comme si, l'ayant touché avec une baguette magique, il l'avait tiré d'un long sommeil où l'avait plongé autrefois quelque terrible maléfice. Non seulement, il venait d'entendre une voix humaine autre que la sienne, mais qui plus est, elle avait prononcé son nom dont il avait fini par oublier l'existence même. Jamais il n'aurait cru que trois petits mots pouvaient contenir tant de force et de puissance. Il était devenu si bouleversé par cette découverte, qu'il s'était mis à trembler de tout son corps. Dans sa tête d'abord, puis à haute voix, il avait répété lentement, en détachant bien les syllabes, comme s'il disait ces mots pour la première fois: «Clovis de Pons, Clovis de Pons.»

Sans prêter attention au trouble du prisonnier, l'homme avait poursuivi son travail. Cette fois, avec les outils de maréchal-ferrant, il avait besogné longuement pour séparer les chaînes des anneaux fixés au mur. Pendant cette partie du travail, un des maillons de fer s'était brisé en deux et un morceau avait été projeté sous le grabat du prisonnier. Sa tâche terminée, l'ouvrier avait repris ses outils et recueilli les chaînes dans le panier d'osier. Avant de sortir, il s'était avancé jusqu'à Clovis, assez près pour n'être entendu que de lui.

— *Sir Samuel is dead.*

Aussitôt après cette étonnante déclaration, il s'était empressé de sortir, comme s'il avait craint d'en avoir trop dit. La nouvelle, pour inattendue qu'elle était, ne paraissait pas avoir touché le conscient du prisonnier. On lui avait adressé la parole, mais il était incapable d'aller au delà des sons, jusqu'au sens des mots qu'ils formulaient. Pas une seule fois, pendant toutes ces années, il n'avait entendu la voix des différents geôliers qui s'étaient succédé. Il avait tenté souvent, mais en vain, au moment des repas, d'engager la conversation avec eux. Peu à peu, le prisonnier, lassé de n'écouter que le silence lui répondre, avait cessé d'interroger ses bourreaux.

Avec le temps, faute de pouvoir converser avec quelqu'un d'autre, il s'était mis à se parler à lui-même à haute voix. Au début, il l'avait fait par crainte de perdre l'usage de la parole, de peur que cet organe ne s'atrophie. Cette voix, qui était pourtant la sienne, avait emprunté la sonorité de celle d'une autre personne, d'une deuxième ensuite, puis d'une troisième encore, jusqu'à peupler sa cellule d'êtres surgis de son passé, avec qui il tenait des conversations interminables. Il agissait avec eux comme s'il les apercevait en chair et en os.

Le sujet de leurs entretiens ne portait jamais sur les événements importants qui avaient marqué son existence. Il n'était question que des gestes de la vie quotidienne, la promenade du jour autour de la chambre, les personnages rencontrés lors de leurs visites dans sa prison, le menu du repas ou la qualité du sommeil. À aucun moment il ne s'était entretenu avec eux de son arrestation et des circonstances qui l'avaient entourée. Pas une seule fois il n'avait prononcé le nom de Samuel Argall qui était, après tout, la cause de tous ses malheurs. Au début, il était certain que celui-ci allait le soumettre à la torture. Comme, en fin de compte, il ne l'avait jamais fait, il avait fini par oublier l'existence même de cet homme.

Les heures sont longues pour celui qui fait le guet. Le seul moment où sa présence est vraiment justifiée, c'est lorsque le prisonnier, à l'air débile et inoffensif, tient des conversations avec ses visiteurs imaginaires. Malgré les bouleversants événements de la matinée, Clovis ne change pas ses habitudes. Sa mère se trouve tout à coup assise à ses côtés sur son grabat. Le sujet qu'elle aborde, cependant, est tout à fait inattendu.

— Je m'inquiète toujours, mon fils, de la perte de mes documents. Jour et nuit j'y pense et je tremble à l'idée du mal que peut faire celui qui s'en emparera.

— Je ne sais quoi vous dire, madame, puisque, tel que vous me voyez, je ne puis aller à leur recherche.

— Je sais, voilà bien qui me désole.

Derrière la porte de la cellule, dans le corridor, un remue-ménage se fait entendre, lorsque les gardiens apprennent le sujet de l'entretien.

— Enfin, ma mère, allez-vous me dire quel mal peut causer celui qui en prendrait connaissance?

Un long silence suit la question de Clovis. Pendant ce temps, on entend les pas de plusieurs personnes qui accourent dans le corridor. Un garde est allé chercher des renforts, afin de ne pas perdre un seul mot des propos échangés entre le seigneur d'Adjimsek et sa mère.

— Il pourrait mettre en péril la sécurité du royaume de France. N'est-ce pas assez pour que nous nous préoccupions tous les deux de les retrouver avant que d'autres s'en emparent.

— S'ils sont d'une nature si incendiaire, madame, pourquoi permîtes-vous qu'ils quittassent, même pour un instant, la sécurité de votre maison?

— Vous oubliez, mon enfant, que lorsque je vous fis parvenir cette enveloppe par les soins de M. de La Saussaye, les conditions de la vie à Paris étaient difficiles. Le maréchal d'Ancre[1] était le véritable maître et l'avenir du petit roi Louis était loin d'être assuré. Je vivais auprès de la reine-mère, et rien de ce que je disais ou faisais alors échappait aux espions de M. Concini. Je n'avais aucun endroit protégé où déposer ces documents et il m'apparut que votre maison d'Acadie offrait l'abri le plus sûr que je puisse trouver.

— Cela ne me dit pourtant pas ce qu'ils contiennent de si explosif.

Les gardes, dans le corridor, ont l'oreille collée à la porte pour ne pas perdre un mot de ce qui va suivre. Enfin, ils vont être récompensés pour toutes ces années d'écoute. Hélas pour eux, un bruit de pas se rapprochant dans le corridor, interrompt le dialogue de la mère et du fils. Des jurons accueillent le nouveau venu, car son arrivée a chassé la marquise. Clovis s'étend alors sur sa couche, ignorant la commotion que ses propos ont causée.

Il ne se lève qu'à l'heure du dîner, lorsque le garde glisse le plateau de son repas sous le vantail. À sa grande surprise, il découvre que son ordinaire s'est grandement amélioré. Il comprend un excellent potage chaud, deux tranches de pain bis, un mor-

1. Concino Concini, maréchal d'Ancre, époux de Lénora Galigaï, confidente et sœur de lait de Marie de Médicis. Au début du règne de Louis XIII, il acquit un grand pouvoir qui le perdit.

ceau de poisson bouilli, du bœuf en sauce agréablement assaisonné et un pichet de vin rouge. Il mange avec grand appétit puis, alourdi par l'alcool, il s'étend sur sa couche et dort profondément. Lorsqu'il s'éveille, à la fin de la journée, il constate que la porte de sa cellule a été modifiée, sans qu'il en ait eu connaissance. À hauteur d'homme, une ouverture carrée de quatre pouces a été pratiquée, puis recouverte d'un grillage. Il est persuadé d'avoir succombé à une drogue, dissimulée dans son vin.

Cette nuit-là, le prisonnier est éveillé soudainement par des pas qui s'approchent de sa cellule. Celui qui vient tente de feutrer le bruit qu'il fait en marchant. Ne sachant à quoi s'attendre, après les événements de la veille, Clovis continue de respirer au rythme du sommeil. Cependant, tout son être est attentif au moindre bruit. Dans le noir, il ouvre les yeux, mais l'obscurité est si complète qu'il ne parvient pas à distinguer le moindre mouvement. Il ferme à nouveau ses paupières pour concentrer ses efforts sur l'entendement. Par le bruit, il sait que le visiteur se tient devant sa porte. Il scrute probablement l'obscurité par le nouveau petit judas. S'il tente d'entrer dans la pièce, le bruit des gonds attirera son attention. Tout est maintenant retombé dans le silence le plus complet. Il est si tendu, sa sensibilité est tellement aiguisée, que n'importe quelle partie de son corps serait capable de déceler même un léger déplacement d'air.

Tout le reste de la nuit, Clovis respire régulièrement pour donner l'illusion du sommeil; pas un instant il ne sombre dans l'inconscience. En même temps que son oreille est aux aguets, son esprit, guidé par une lucidité nouvelle, fait le tour de son malheur. Avant que le soleil ne vienne frapper de ses premiers rayons la porte de sa cellule, Clovis sait qu'il va s'évader. Lorsque les pas du visiteur nocturne s'éloignent, il sait aussi par quel moyen il y arrivera.

Dès le lendemain matin, le prisonnier met en branle son nouveau plan. Il commence par exécuter une série d'exercices dans le but de retrouver une bonne forme physique. Il s'avance sous la petite fenêtre de sa cellule, étend les bras vers le haut, saisit un barreau avec chaque main et hisse son visage devant l'ouverture. Après quelques mois, d'entraînement, il lui arrive de passer jusqu'à dix et quinze minutes, suspendu à force de bras, sans dire un mot, sans émettre un son.

Il est minuit. C'est le premier jour de la nouvelle lune du mois d'octobre et Clovis d'Adjimsek quitte son grabat dans l'obscurité la plus totale. Il franchit lentement et en toute confiance les huit pas qui le séparent du coin sud-est de sa cellule. Il ne rencontre aucun obstacle sur sa route car il les a éliminés la veille au soir, avant de s'endormir. Il fait une pause et écoute attentivement les bruits de la nuit. Du corridor, lui parvient le ronflement léger et régulier du gardien. Son ouïe est si développée qu'elle peut déceler, par de subtils changements dans la respiration du dormeur, le passage d'un rêve à un autre.

Une fois arrivé à destination, Clovis s'agenouille, sans faire le moindre bruit, sur les dalles froides du plancher. Devant lui, se trouve le couvercle en bois qui cache le trou de la vidange. Avec précaution, il le retire et le dépose à sa gauche. Il s'arrête ensuite un moment pour écouter les bruits venant du corridor. Lorsqu'il est rassuré, il se remet à sa besogne. Il prend, caché dans sa ceinture, la moitié de l'anneau de fer qu'il avait récupérée le jour où, il y a quelques années déjà, on lui avait retiré ses chaînes.

C'est alors que commence, pour Clovis, la partie la plus importante de son travail. C'est celle où il use, avec une patience infinie, depuis de si nombreuses lunes, le mortier qui soude la dalle trouée à celles qui l'entourent. Ce soir, il sait qu'il parviendra peut-être à détacher complètement cette pierre des autres et à pouvoir la soulever. Il attend ce jour depuis si longtemps, qu'il finit presque par en être effrayé. Une fois la dalle libérée, qu'arrivera-t-il? C'est cet inconnu qui lui fait peur. Bien sûr, il a repassé des milliers de fois dans son esprit tous les gestes, tous les moindres mouvements qu'il fera, une fois ce premier pas accompli. Pourtant, il reste inquiet, au cas où surgirait un obstacle imprévu, au moment de l'exécution de son plan.

Clovis s'arrête encore une fois de travailler, mais ce n'est pas pour écouter les ronflements de son gardien. C'est plutôt pour exorciser les peurs qui recommencent à l'habiter depuis quelque temps, alors qu'il approche du but final. Il ferme les yeux, écoute les battements de son cœur et examine attentivement ses frayeurs, sans chercher à en connaître la cause. Plus il les regarde, plus elles deviennent familières, plus elles semblent s'apprivoiser. Après quelques minutes de cet exercice, il les accepte avec tant d'aisance, qu'elles cessent de le tourmenter. Alors, doucement, le calme descend en lui et il est inondé par une joie immense. Il se sent alors capable de renverser tous les obstacles, capable de faire face aux plus grands dangers.

Dans la main droite, il glisse lentement le morceau de l'anneau dans l'interstice déjà creusé pro-

fondément entre les pierres. Avec le bout que sa bri-
sure a rendu pointu, il gratte doucement le mortier
qui se transforme en poussière, aussitôt délogée.
Après quelques minutes, il recueille soigneusement
toute parcelle de ce gâchis et les dépose en un endroit des dalles, toujours le même, où il les retrou-
vera le lendemain matin. Puis il prend encore une
fois l'anneau brisé et recommence le même geste sur
les quatre côtés de la pierre. Cette occupation dure
pendant des heures, au cours desquelles il s'interrompt régulièrement pour écouter les ronflements de
son gardien.

Cette nuit, cependant, tout est différent. Demain,
la lune paraîtra à nouveau et l'empêchera de poursuivre son travail pendant trois semaines. Il s'acharne
donc pour terminer sa tâche ce soir même. Il connaît
bien la longueur de ces nuits noires pour savoir qu'il
en vit en ce moment la dernière heure et que,
bientôt, la lumière du jour va l'obliger à regagner son
grabat. Une fébrilité s'empare de lui et il gratte avec
une ardeur plus grande, dans le but d'arriver plus
vite à la fin de son labeur. Il est tellement pris par la
fièvre de la réussite qu'il oublie de prêter l'oreille aux
bruits en provenance du corridor. Tout à coup, il
devine plus qu'il ne la voit, la lumière de la lampe
que le gardien vient d'allumer. Avec un réflexe que
des années de pratique ont préparé pour un moment
comme celui-ci, Clovis regagne son lit et s'y étend
comme en plein sommeil, le dos à la porte, juste au
moment où la lumière envahit sa cellule. Son cœur
bat la chamade, pendant que les pensées les plus
noires l'envahissent.

Il imagine, sans le voir, le gardien qui fouille la
cellule du regard, à la recherche d'une explication
pour le bruit qui l'a éveillé. D'abord, il découvre le

prisonnier, sur son grabat, dans la même position qu'il occupe habituellement lorsqu'il dort. Puis, ses petits yeux plissés, braqués dans le judas, fouillent la cellule, partout où pénètre la lumière de la lampe. À travers ses cils, Clovis peut voir ses reflets qui éclairent le mur sud, au pied duquel il était occupé à travailler. Pendant des secondes qui paraissent une éternité, la lumière s'est immobilisée à cet endroit. Aurait-il laissé des traces incriminantes, avant de regagner son lit à l'épouvante? Ciel oui, la planche! La maudite planche. Le gardien verra-t-il qu'elle ne recouvre plus le trou et qu'elle gît maintenant à la gauche de celui-ci?

Le cœur du prisonnier s'est arrêté. Sans réfléchir, il redresse paresseusement ses jambes, émet un petit grognement et se retourne sur sa couche, le visage vers la porte, avant de reprendre le rythme régulier de sa respiration. Ce geste attire l'attention du garde qui, maintenant rassuré, achève bientôt son inspection. Convaincu que le prisonnier a fait un cauchemar, il se recouche et peu après, son souffle recommence avec la même régularité qu'avant.

Il reste moins d'une heure avant le lever du jour, une heure seulement de noirceur qui lui permettra peut-être de dégager complètement la pierre. Est-ce prudent, de vouloir tout finir ce soir même? Il est si près du but que l'idée d'attendre encore trois semaines avant de terminer, lui donne l'élan nécessaire. Après avoir patienté une dizaine de minutes, pour s'assurer que le gardien dort profondément, il se lève à nouveau et retourne au travail dans le coin de la cellule.

Il promène ses doigts dans l'excavation et constate qu'il ne semble plus y avoir de mortier qui retienne la dalle. Il glisse alors la main par l'orifice percé en plein centre. Après avoir appuyé la paume sur le dessous de la pierre, il la tire doucement vers lui, dans le but de la dégager complètement. Il n'ose y mettre trop de force, de peur que, cédant subitement, elle ne l'envoie s'écraser avec fracas à l'autre bout de la pièce. À plusieurs reprises, il refait la même tentative, mais sans succès. Comme si elle était retenue par une force magique, la dalle reste solidement en place. Les espoirs du prisonnier de terminer le travail cette nuit même, s'évaporent rapidement, à mesure que les premières lueurs du jour commencent à percer par la petite fenêtre de la cellule. Bien à regret, Clovis recouvre l'orifice avec la planche et regagne son grabat où il s'étend et s'endort bientôt d'un sommeil agité.

Malgré la nuit blanche, passée à éroder le mortier, il s'éveille à son heure habituelle. Dans le but de donner le change à son gardien, il agit de la même façon que les autres jours. Lorsqu'il va au trou pour ses besoins quotidiens, il tente discrètement, encore une fois, de tirer la pierre vers lui. Mais elle ne bouge pas plus qu'au cours de la nuit précédente. Par la même occasion, il accomplit un rituel qui suit chacune de ses nuits de travail. Pendant que le gardien regarde ailleurs, il cache dans ses excréments la poussière du mortier qu'il a retirée pendant la nuit et déposée en un petit tas, à proximité.

Le soir venu, dans le but de reprendre le sommeil perdu, il se met au lit plus tôt, comme il le fait de temps à autre; ainsi le gardien n'y prête pas la moindre attention. Bientôt, il s'endort paisiblement, envahi par des rêves où il s'élance, à la façon d'un oiseau, à travers les barreaux de sa fenêtre, dans l'éblouissante lumière du jour.

Lorsqu'il ouvre les yeux, le lendemain matin, des rayons du soleil levant baignent son visage. Ses rêves d'évasion lui reviennent à l'esprit, pendant qu'il s'étire paresseusement sur sa couche. Après avoir pris son petit déjeuner, il va, comme d'habitude, vers la dalle trouée. Le garde, soit par pudeur, soit par ennui, ne prend plus la peine de le surveiller pendant ce moment intime. Il en profite alors et passe la main, encore une fois, par l'ouverture de la pierre et la tire tout doucement pour voir si elle ne va pas bouger. Et, oh! miracle, ne voilà-t-il pas que, pour des raisons inexplicables, elle se détache complètement du sol en cédant à ses efforts.

Clovis est dans un état d'agitation extrême. Il remet la dalle en place, la recouvre et regagne son lit où il s'étend quelques minutes, afin de réfléchir à ce nouveau développement. Il éprouve beaucoup de difficulté à contenir et dissimuler la joie qui l'envahit. Il ne faut, à aucun prix, qu'il laisse paraître ses émotions, car elles pourraient alerter le gardien sur ses projets. La réussite de cette partie de l'opération lui permet maintenant d'envisager la nouvelle phase qui devrait le conduire hors de la forteresse où il est enfermé depuis douze ans.

Ce jour-là, la matinée se déroule comme à l'habitude, étirements, bâillements, exercices. Au début de l'après-midi, qui est souvent l'heure des visites, le prisonnier se lève et commence à arpenter sa cellule de long en large. Il marche d'un pas lent et réfléchi, la tête penchée, les mains jointes derrière son dos. De temps à autre, sa poitrine se gonfle d'un long souffle, ses épaules se soulèvent légèrement, avant de retomber longuement, pendant qu'un soupir s'échappe de sa gorge. Malgré ses préoccupations,

Clovis n'est pas sans noter que le garde, sans doute intrigué par ses agissements, est allé chercher du renfort. Ils sont maintenant deux à épier ses moindres gestes, à noter ses moindres paroles. Ils retiennent leur souffle, les deux têtes pressées l'une contre l'autre, lorsque Aakadé vient rendre visite à son père. Comme c'est leur devoir, ils sont attentifs aux propos échangés; hélas, ce qu'ils entendent reste sans intérêt pour les geôliers, jusqu'au moment où le visiteur est sur le point de partir.

— Mon fils, dit Clovis à ce moment-là, allez auprès de ma mère et rassurez-la en lui disant que je serai auprès d'elle avant que cette année ne se termine.

— Vous quitterez donc votre prison, mon père?

— Oui, Aakadé, je ferai en sorte de m'évader.

— Mais vous êtes surveillé à chaque instant de la journée. Comment y parviendrez-vous?

— Cela est mon secret, mon fils. Mais sachez que j'aurai l'aide des esprits pour y arriver.

— Des esprits, mon père?

— Oui, mon enfant, mais ne m'en demandez pas plus. Je ne puis vous en dire davantage. Il suffit que vous sachiez que l'aoutmoin des Souriquois, avec l'aide des âmes des défunts de la tribu, va me venir chercher ici même, dans cette cellule, et me transportera auprès de ma mère, avant que ne commence une année nouvelle.

— Croyez, monsieur, que madame la marquise se réjouira de la nouvelle que je lui apporte.

— Adieu, mon enfant. Allez de ce pas la lui apprendre.

À ce moment-là, un bruit se fait entendre derrière la porte de la cellule et, peu après, un des gardes s'éloigne à pas rapides dans le corridor. Parce qu'il s'était vanté de pouvoir s'évader quand il le voudrait, la surveillance du prisonnier devient harassante. Tout le reste de la journée, de nombreuses personnes viennent jeter un coup d'œil par le judas, pour s'assurer qu'il est toujours là. De longs conciliabules se tiennent dans le corridor; on ne se cache même pas pour parler du prisonnier devant lui ou des plans pour empêcher son évasion. Allait-on se gêner pour un pauvre idiot qui ne se rend plus compte ni du lieu où il se trouve, ni des gens qui l'entourent? Il vit seul dans un monde imaginaire et troublé dont il ne sort jamais.

Il n'y a plus aucun doute, la visite d'Aakadé a causé le plus grand trouble chez ses geôliers. Les jours qui suivent reflètent leur inquiétude constante. Malgré les précautions prises, ceux qui retiennent le seigneur d'Adjimsek dans leurs donjons, ne prennent pas à la légère l'annonce de son évasion. La garde est doublée; le jour comme la nuit, un œil surveille les moindres mouvements du prisonnier. Cet excès de vigilance ne semble pas troubler ce dernier le moins du monde. Il continue à recevoir, tantôt la visite de son fils, tantôt celle de Chégumakun et, pour la première fois depuis un grand nombre de semaines, Biencourt et La Tour viennent s'entretenir avec lui. À chacun il annonce son évasion prochaine, sans jamais en préciser la date ni le mode. Tous le félicitent de sa décision et lui promettent leur concours, le cas échéant. De tels propos ne font qu'exciter l'imagination des veilleurs. Bien qu'ils savent pertinemment que le prisonnier ne peut s'évader, puisqu'ils gardent sans arrêt la seule sortie par où il pourrait le faire, ils ne peuvent s'empêcher d'ajouter foi à l'étonnante promesse qu'il a faite à son fils et à d'autres. Ils finissent, après toutes ces

années, par prêter au seigneur d'Adjimsek des qualités surnaturelles.

Clovis n'a cure de leurs actions. Il agit toujours
comme s'il vivait dans un monde dont ils sont exclus. Bien qu'il reste encore deux mois avant le
premier de l'an, la surveillance ne se relâche pas.
Plus le temps passe, plus la fébrilité des gardes est
exacerbée. Dès la fin du mois de novembre, il ne
s'écoule pas une journée qui n'apporte son contingent d'incidents violents ou de fausses alertes. Un
jour, par exemple, l'un des gardes devient surexcité
lorsque, ne voyant plus le prisonnier dans sa cellule,
il lance l'alarme générale. Après quelques instants
de panique chez les geôliers, Clovis réapparaît, en
rasant lentement le mur où est percée la porte.

Une semaine seulement après cet incident, c'est
le premier jour de la nouvelle lune du mois de décembre. Rien ne distingue la fin de cet après-midi de
ceux d'avant. Le prisonnier mange son souper
comme à l'habitude, marche de long en large dans
sa cellule et peu après, il s'étend sur son grabat
pour la nuit. Contrairement à l'habitude, les geôliers
laissent une lampe allumée derrière le judas, éclairant
ainsi, d'une lumière blafarde et timide, une partie de
la pièce.

Clovis, comme tout ce que font les gardes, ignore
ce changement d'habitude. Dans son lit, le dos
tourné vers la porte, il ne dort pas encore. Son esprit s'interroge sur cette lampe et la lumière qu'elle
jette dans sa cellule. Les gardes l'ont-ils allumée
pour mieux le surveiller, un soir de nouvelle lune? Si
oui, ils ont bien déjoué ses plans, car il compte sur
l'obscurité la plus totale pour les mettre à exécution.
Enfin, las de se poser la question, il s'endort quand
même, mais son sommeil est agité. Il rêve qu'il est

poursuivi par un monstre hideux auquel il tente d'échapper. Il appelle au secours, mais sa voix est si faible, qu'il ne parvient pas à se faire entendre. C'est à ce moment précis qu'il s'éveille, en pensant qu'il a crié à haute voix. Il ouvre alors les yeux pour se rendre compte que la lampe est éteinte et que sa cellule baigne maintenant dans la nuit la plus totale.

Son cœur tressaute dans sa poitrine. Il a attendu ce moment depuis des années. Plutôt que de se mettre à l'œuvre sur-le-champ, il reste étendu sans bouger et repasse encore une fois, dans son esprit, tous les gestes prévus dans son plan. Puis, il prend quelques minutes pour se recueillir avant de le mettre en marche.

Il se lève et se dirige vers le coin sud-est de la pièce, un chemin qu'il a parcouru ainsi des centaines de fois. Il exécute ses mouvements avec assurance et précision. D'abord il soulève la planche qui recouvre l'orifice et la range doucement sur la dalle à côté. Ceci fait, il insère sa main dans l'orifice et, silencieusement, il tire la pierre vers lui, avant de la déposer, aussi délicatement que la planche, le long du nouvel orifice. C'est alors que commence pour lui l'attente du lever du jour. Il lui faut maintenant poser les prochains gestes dans les derniers moments de l'obscurité totale. Il a besoin d'une minute à peine pour les terminer. Ses yeux sont maintenant tournés vers la fenêtre de sa cellule. Depuis plusieurs années, qu'il s'applique à reconnaître la qualité de la noirceur, juste au moment où celle-ci précède les premières lueurs du jour. Il est assis par terre, le visage tourné vers la petite fenêtre, pendant que ses yeux analysent la qualité de la nuit. Tout à coup, il le sent plutôt qu'il ne le sait: le moment est enfin venu pour lui d'agir.

Avec d'infinies précautions, il se glisse par le nouvel orifice dans le plancher. Puis, toujours à la force des poignets, il reste suspendu, les mains accrochées aux poutres qui courent de chaque côté de l'ouverture. Tout en se tenant d'une seule main, suspendu dans le vide, avec l'autre il fait glisser la dalle dans sa position originale. Il passe ensuite sa main par le petit orifice et tire par-dessus la planche qui le recouvre habituellement. Ainsi, au moment où le jour pénètre dans sa cellule, tout est en place pour son évasion.

Clovis peut rester accroché très longtemps dans le vide sans se fatiguer, grâce aux exercices qu'il fait depuis des années, pendu aux barreaux de la fenêtre de sa cellule. Cet effort le gêne beaucoup moins, cependant, que l'odeur nauséabonde qui s'élève jusqu'à lui. Il a tenté de se préparer à cette éventualité, mais il constate que ce qu'il s'était imaginé dans le passé, manque aujourd'hui de réalisme. Le relent des détritus qui monte vers lui par vagues suffocantes, lui fait tourner la tête et menace de lui faire lâcher prise. Les gardes ne semblent pas s'être encore éveillés, car c'est toujours le silence complet. Soudain, alors qu'il commence à avoir de sérieux doutes sur la réussite de son plan, un remue-ménage terrible éclate au-dessus de lui. Il entend des cris, la porte de sa cellule qui s'ouvre, les pas des deux gardes qui arpentent la pièce dans tous les sens. Or, il y a si peu où se dissimuler, qu'ils ont tôt fait de constater que le prisonnier s'est bel et bien envolé. Clovis imagine aisément leur stupéfaction et ne peut s'empêcher de se sourire à lui-même. Sa joie est immense et les odeurs nauséabondes ne l'indisposent plus. Il suit attentivement les déplacements et les paroles des geôliers.

— Je le savais, dit l'un d'eux. Cet homme fait commerce avec le diable.

— Ne dis pas de sottises, reprend l'autre qui ne croit à rien.

— Avec l'aide du malin, il a pu s'envoler par la fenêtre, dit il en se dirigeant vers l'ouverture.

— Ou il s'est peut-être coulé par le petit orifice du plancher, ironise l'autre. Pourquoi ne vas-tu pas voir?

Pendant que Clovis retient son souffle, il aperçoit un rayon de lumière qui se glisse près de lui lorsque le garde soulève la planche au-dessus de l'orifice. Le rire de l'autre lui parvient alors clairement, pendant que le premier, se sentant ridicule, remet vivement la planche en place. Dans son énervement, le garde n'a pas vu que le mortier avait été retiré autour de la dalle.

— Allons voir dans la pièce d'en bas, ajoute-t-il quelque peu embarrassé.

— Vas-y toi, c'est ton idée. Pour ma part, je crois qu'il est toujours ici. Je vais encore chercher.

Clovis est inquiet, les choses ne se passent pas tout à fait comme il les avait prévues. Au cours des années de préparation, il avait imaginé que les geôliers, énervés par sa disparition si mystérieuse, mais qu'il avait annoncée, allaient courir rapidement vers leurs chefs. Il comptait sur leur absence pour sortir de son trou et s'évader par la porte que, dans leur énervement, ils auraient laissée entrouverte.

La réalité, toute différente, l'a placé entre deux feux. Qu'il reste suspendu aux poutres ou qu'il sorte de sa cachette, il sera découvert. Que faire? Le temps n'est plus à la réflexion, mais à l'action. N'entendant plus un bruit au-dessus de lui, il repousse discrètement la planche qui obstrue l'ouverture, fait glisser la dalle sur celle d'à côté et grâce aux forces que lui donne l'état d'urgence, il se hisse rapidement sur le plancher de sa cellule, s'attendant à se retrouver face à face avec le garde incrédule. Mais à sa grande surprise, la pièce est vide.

Il va sans bruit vers la sortie, pour jeter un coup d'œil dans le corridor. Au moment où il approche de la porte, il entend un bruit qui trahit la présence du garde. Dans l'entrebâillement, il aperçoit celui-ci, penché sur une table, qui remet en place une bouteille de vin. Puis il se ravise, reprend la bouteille et boit une autre rasade. Clovis, sans réfléchir, saisit la planche de bois dans sa main droite et se cache derrière la porte ouverte. Le garde, savourant encore sa dernière lampée, revient dans la cellule, l'air content de lui-même. Une fois la porte dépassée, un coup puissant s'abat sur son occiput et la planche de bois éclate en morceaux. L'homme s'écroule comme un sac vide sans émettre le moindre son. Rapidement, Clovis déshabille sa victime, enfile ses vêtements, puis la tire vers la dalle aux détritus. Après s'être assuré que l'autre garde a déjà visité la pièce du dessous, il y laisse choir le corps qui va s'écraser lourdement sur le sol, en faisant éclabousser les excréments dans tous les sens.

Sans perdre une seconde, Clovis remet la dalle en place et quitte sa cellule. Une fois dans le corridor, il tourne à gauche sans hésiter. Bien qu'il ne connaisse pas les lieux pour s'y être promené lui-même, il en sait par cœur la configuration. À force d'entendre les pas des gardes venir et s'éloigner, il a fini par deviner la longueur du corridor, le temps qu'il faut pour le parcourir et la position de l'escalier. Il a aussi déduit que sa cellule est située au troisième étage de la forteresse, mais il ne sait pas ce qui l'attend au rez-de-chaussée.

Il n'a pas à faire face à ce problème tout de suite, car il entend les pas de l'autre garde qui résonnent dans l'escalier. À mesure que celui-ci approche, il appelle son compagnon d'une voix agitée, lui criant qu'il n'a pas trouvé le prisonnier dans la cellule d'en bas. Rapidement, Clovis reprend son poste derrière la porte, le cœur battant, le dos cloué au mur. Le garde est tellement surexcité par le déroulement des événements qu'il croit surnaturels, qu'il pénètre vivement dans la pièce sans se retourner. Entraîné par une agitation extrême, il se dirige vers la fenêtre de la cellule, par laquelle il est maintenant persuadé que le prisonnier s'est évadé. Voyant la chance lui sourire, Clovis n'attend pas que le geôlier se ravise et pendant que celui-ci fait des efforts surhumains pour se hisser jusqu'à l'ouverture, il se glisse silencieusement hors de la chambre en quelques enjambées bien feutrées. Sans attendre son reste, il s'élance à travers le corridor et dans les escaliers qu'il dégringole quatre à quatre jusqu'en bas, sans rencontrer âme qui vive.

Devant lui s'étend un passage conduisant dans deux directions opposées. Avec assurance, il va vers la gauche, car c'est de là qu'une bouffée d'air frais lui parvient. En quelques pas, il arrive devant une lourde porte en chêne, bardée de languettes de fer à plusieurs endroits. Doucement, il soulève la barre et la pousse avec précaution. D'abord, il ne voit personne et n'entend aucun bruit. Au moment où il va ouvrir la porte davantage, il entend la forte voix d'un homme à proximité.

— J'attends ici avec le premier cheval, pendant que tu vas seller l'autre.

— Non, viens avec moi, car c'est une bête difficile. Nous avons besoin d'être à deux pour la mâter.

— Bien, mais attends, j'attache celui-ci à l'anneau.

L'évadé, encouragé par les événements, pousse
encore le battant et par l'ouverture, il a juste le
temps de voir les palefreniers qui disparaissent dans
l'entrée de l'écurie. Tout à fait rassuré, il ouvre la
porte toute grande et se dirige rapidement vers le
cheval qui, attaché au mur, est prêt à être monté.
Clovis n'en croit pas sa chance. Le temps de le dire
il est près de la bête, l'enfourche et lui frappant les
flancs de ses talons, la dirige à toute vitesse dans la
direction opposée à l'écurie.

Il est sept heures du matin et Clovis d'Adjimsek
file à vive allure sur sa cavale exaltée. Pendant qu'il
court en direction de la mer, il se revoit à huit ans,
monté sans selle ni mors, sur une bête déchaînée.
Pendant qu'il se cramponne à la crinière de son
cheval, celui-ci l'entraîne dans une chevauchée folle,
à travers les champs et les bois du château de
Coarraze. À cette époque, sans le savoir, il fuyait un
grand danger. Il lui apparaît soudainement qu'après
toutes ces années il tente toujours d'échapper au
même ennemi dont il ne sait ni le nom ni le visage.

15

À plusieurs centaines de pieds du château de Liancourt, un cavalier, dissimulé dans les fourrés de la forêt qui l'entoure, observe avec intérêt, le va-et-vient affairé des carrosses et des domestiques. Des voitures arrivent et partent à tout moment, en même temps que des serviteurs, en livrée sombre, entrent et sortent sans cesse de la grande demeure Renaissance. Un observateur averti ne manquerait pas de noter la coupe fraîche des cheveux blonds et légèrement grisonnants du cavalier, la maigreur de ses mains noueuses et la souplesse de ses mouvements qui trahissent une force peu commune, pour un homme qui paraît être dans la quarantaine. Cet observateur serait aussi intrigué par son costume neuf de velours émeraude et sa fraise empesée qu'un gentilhomme digne de ce titre ne porte plus depuis plusieurs années. Son allure contraste en tout avec la sobriété et le manque d'éclat des habits des visiteurs, aussi bien que ceux des domestiques.

Lorsqu'un carrosse passe à proximité de sa cachette, l'homme a le temps d'entrevoir les voyageurs et de se rendre compte qu'ils portent des vêtements

de deuil. Son cœur se serre à cette vue qui lui
inspire les prémonitions les plus funestes. N'aurait-il
parcouru sans arrêt la route de Calais jusqu'à Paris,
puis jusqu'à Liancourt, que pour découvrir qu'il est
arrivé trop tard? Non, cela ne se peut pas! Dans ses
songes, la marquise de Guercheville, bien vivante, lui
parlait et lui tendait les bras. Ne lui avait-elle pas
promis de l'attendre? Le deuil qui s'étale tout autour
du château doit être à l'intention de quelqu'un
d'autre que sa mère.

De plus en plus inquiet, Clovis sort de sa cachette sans se soucier le moins du monde de la
commotion que son retour va provoquer au pays des
vivants. Il n'est pas loin de penser que sa vue va faire
aux domestiques de Mme de Guercheville, le même
effet que son retour avait eu sur les Sauvages de
Ouygoudy et d'Adjimsek, après les tragiques événements de Saint-Sauveur. En effet, il n'est pas encore
à cent pieds du château qu'un groupe de trois serviteurs s'arrêtent en regardant s'approcher le cavalier.
Ils ont à peine eu le temps de noter l'incongru de
son costume, que déjà la monture est sur eux. Pendant qu'il met pied à terre, les domestiques dévi-
sagent le nouveau venu. Au bout de quelques instants, l'un d'eux, un homme dans la soixantaine
pâlit soudainement, pendant qu'il s'accroche aux
bras de ses compagnons, beaucoup plus jeunes,
avant de s'évanouir.

— Pardonnez-lui, monseigneur, dit l'un d'eux,
mais sa santé est bien chancelante, ces derniers
temps.

— Ne vous en faites pas pour moi, mes braves.
Pendant que l'un de vous lui porte secours, que
l'autre me conduise auprès de Mme de Guercheville.

— Ah, dit le plus jeune, il est bien évident que monseigneur n'est pas de ce pays. Mme la marquise est morte il y a deux jours. C'est le jeune monsieur qui commande maintenant.

— La marquise morte depuis deux jours, le jeune monsieur... balbutie Clovis dont le visage a soudainement pâli.

— Que monseigneur me pardonne, reprend le jeune domestique, mais serait-il un parent de Mme la marquise qu'on avait oublié d'informer de son décès?

— Oui, justement, c'est cela, répond le cavalier d'un air absent.

Pendant cette conversation, le vieux serviteur revient à lui; ses yeux tombant à nouveau sur le visage de Clovis et il tourne de l'œil encore une fois.

— Sauf votre respect, monseigneur, c'est bien votre vue qui lui cause ces évanouissements.

— Conduis-moi auprès du jeune monsieur, reprend le cavalier qui a retrouvé son calme.

Sans plus attendre, le jeune domestique, après s'être assuré que les deux autres peuvent s'arranger sans lui, conduit le visiteur vers le château. Une fois entrés dans le grand hall d'honneur, Clovis retient le jeune domestique par le bras.

— Tu vas aller trouver M. Aakadé et tu lui diras que son père est revenu et qu'il désire le voir.

Le jeune homme lève les yeux et regarde l'homme avec attention. Il a, bien sûr, comme tous les domestiques, entendu raconter la triste histoire de Clovis de Pons et d'Adjimsek, le fils de la marquise de Guercheville, qui jadis, parti pour le Nouveau Monde, mourut bravement, pour le roi de France, en se battant contre les Anglais.

— Monseigneur n'est donc pas mort, dit avec une excitation non dissimulée, le jeune homme qui ne doit pas avoir plus de quinze ans. Dans ce cas, je vais chercher mon père. C'est lui qui sera heureux de retrouver Votre Excellence.

Clovis n'a pas le temps d'intervenir que le domestique s'échappe en courant vers le fond du couloir tout au bout du grand hall. Quelques minutes plus tard, ne voilà-t-il pas qu'il revient aussi rapidement qu'il était parti. Il est accompagné d'un homme beaucoup plus âgé. Lorsqu'ils sont tous les deux sur lui, le cœur du visiteur se serre à sa vue. Un grand sourire éclaire aussitôt le visage de Clovis qui n'a pas de mal à reconnaître son ancien écuyer, Emmanuel Desarray. Celui-ci, à sa vue, se jette à ses pieds, entoure ses jambes de ses deux bras, presse son visage contre elles et éclate en sanglots.

— Ah, monseigneur, répète-t-il entre les hoquets. C'est un bien grand miracle que votre retour. Dieu a donc protégé votre vie. Je n'en crois pas mes yeux. Nous vous avons cru mort pendant toutes ces années. M. Aakadé aura un grand choc. Depuis si longtemps, il a été élevé dans la croyance que vous n'étiez plus de ce monde.

— Relève-toi, Emmanuel, lui dit Clovis en le tirant vers lui. Je veux voir mon fils, mais je veux aussi que tu me parles de ma mère. Comment cela est-il arrivé?

— Madame la marquise est tombée gravement malade il y a plus d'un mois et elle est morte avant-hier, dans les bras de son petit-fils bien aimé. M. Aakadé, qui est médecin, saura mieux que moi vous raconter ses derniers moments.

Pendant que le fils d'Emmanuel court auprès de son jeune maître pour lui apprendre la bonne nouvelle, les deux amis le suivent d'un pas rapide. Clovis a pris le bras de son ancien écuyer et tout en se hâtant vers son fils, il le serre dans sa main droite. Son cœur bat fortement dans sa poitrine.

— Comment est-il, mon ami?

— Il est parfait, monseigneur. C'est un garçon merveilleux. Il sera là dans un instant. Vous serez très fier de lui.

Il sont interrompus par un bruit de pas qui se rapprochent en courant. Au tournant du corridor, paraît un grand jeune homme qui s'arrête aussitôt en apercevant Emmanuel et son compagnon.

Il est clair que la nouvelle a déjà produit un grand effet sur Aakadé, car contrairement à son tempérament qui ne laisse jamais voir ses émotions, il paraît bouleversé. Son visage est pâle, son souffle haletant et ses mains, qui tremblent légèrement, se tendent timidement, presque incrédules, vers le nouveau venu. Clovis, qui n'a pas ces réticences pour exprimer ce qu'il ressent, se précipite vers son fils, le prend dans ses bras et le tient longuement contre lui, pendant qu'il répète affectueusement son nom, comme une litanie. La poitrine de Clovis se soulève par spasmes, gonflée par les émotions qu'il est incapable, depuis la mort de Sésip, d'exprimer par des pleurs. Sur le visage de son fils, deux larmes coulent lentement de ses grands yeux sombres et mélancoliques. Sa joie n'est pas moindre que celle de son père, mais sa façon de l'exprimer est plus calme et moins démonstrative.

Après les premières effusions, le seigneur d'Adjimsek se recule et, tenant le jeune homme à bouts de bras, il l'examine avec une grande attention. Dans ses yeux brillent une fierté qu'il ne fait aucun effort pour dissimuler.

Aakadé, maintenant âgé de vingt ans, est grand et élancé. Ses membres sont longs et musclés et sa chevelure, qu'il porte courte, est brune et ondulée. Sa figure est imberbe et la couleur de sa peau, qui est légèrement sombre, donne à son visage un éclat si étonnant que chacun se retourne, fasciné par la qualité lumineuse de son teint. Ses dents, qu'il a blanches et fort droites, font ressortir davantage le ton olivâtre de sa peau. Ses yeux sont noirs, comme ceux de sa mère et ils brillent, dans leurs orbites, avec un intense feu intérieur.

Le visage du jeune homme est renfermé, sans être hostile. Il a la même habitude que son père de vous regarder droit dans les yeux, mais contrairement à celui-ci, rien dans sa figure ne trahit ses sentiments et ses pensées. Son ascendance souriquoise se manifeste, dans son caractère, par une grande réserve et un calme discret. Il parle peu et ses communications se font avec un minimum de mots. À La Flèche, où il a étudié, il ne s'est guère lié avec les autres garçons et ses maîtres ne lui connaissaient pas un seul compagnon préféré. Tout le monde aime Aakadé, mais personne n'est son ami intime.

Au collège, il a été un excellent étudiant. Aujourd'hui, il excelle à la chasse et à l'équitation. Aakadé d'Adjimsek est souvent l'objet des conversations à la cour, non parce qu'il la fréquente souvent, mais parce que ses rares apparitions ont excité les langues et fait naître des rumeurs que personne n'a jamais pu prouver. On dit que le roi en a secrètement fait son favori. La chose semble improbable, car le monarque n'a pas souvent eu l'occasion de rencontrer le jeune étudiant qu'il était. À quelques reprises, ils se sont croisés lorsque Louis venait visiter sa mère, et que Aakadé, rentré de La Flèche, habitait chez sa grand-mère, la première dame d'honneur de Marie de Médicis.

— Il y a plusieurs années, père, un marchand de La Rochelle qui était présent, lorsque le capitaine Argall avait jeté votre corps à la mer, est venu nous rendre visite et nous a raconté vos derniers instants sur cette terre.

— Cet homme s'appelait Marancy, mon fils. Il a donc eu la vie sauve?

— En effet. Selon ses dires, il avait été forcé d'assister à votre exécution. Argall lui avait laissé la liberté, pourvu qu'il retourne en France et ne revienne jamais plus en Acadie.

— Il ne vous a pas avoué, bien sûr, qu'il était de connivence avec Argall.

— Vous voulez dire qu'il a participé à votre meurtre déguisé?

— Il était le complice naïf et mal informé d'Argall. Sans qu'il s'en soit rendu compte, Marancy a donné au capitaine anglais les renseignements nécessaires pour que ce dernier mette en place un plan pour s'emparer de ma personne.

— Il a bien réussi.

— Oui, mais à quel prix? Pour arriver à ses tristes fins, il a fait assassiner la femme de La Tour, le compagnon de Marancy et trois Etchemins. De cette façon, il a réussi à faire porter les soupçons sur les Français. J'ai cru longtemps que La Tour y avait été pour quelque chose. Maintenant je sais bien qu'il n'en était rien.

— Et Marancy, durant ce drame, a-t-il tenté de vous porter secours?

— Pas tout à fait, car le pauvre homme n'avait pas compris le sens des événements. Il est intervenu à deux reprises, mais sans succès, lorsque le capitaine anglais m'a mis à la question. Toutefois, il était sur le pont du navire, lorsque je fus jeté à la mer.

— Marancy fut donc convaincu que vous aviez bel et bien été donné en nourriture aux poissons.

— Je crois même que le but de sa mission était de se débarrasser de ma personne. Par le plus grand des hasards, dans la baie Française, il avait rencontré le capitaine Argall qui lui avait révélé son inimitié pour moi. L'habile Anglais l'avait ensuite si bien emberlificoté, que Marancy avait fait une bonne partie du travail à sa place. Je crois qu'il ne sut jamais qu'il avait été roulé par le rusé capitaine.

— N'étant plus de ce monde, Marancy ne pourra pas connaître l'humiliation de la défaite.

— Ah bon! reprend Clovis. Voilà une autre piste que je perds. J'avais espéré de le retrouver pour savoir le nom de celui qui l'avait payé pour me faire mettre à mort.

— Justement, père, à propos de votre exécution, je suis bien curieux de savoir comment vous fîtes pour survivre après votre chute dans la mer.

— J'avais à peine été entraîné sous l'eau par le poids qui me pendait aux pieds, que je fus saisi par les bras puissants de deux marins anglais, qui n'attendaient que ma chute, dissimulés dans l'ombre du navire. Après m'avoir vivement remonté à la surface, ils tranchèrent le lien qui retenait le poids à mes chevilles. Puis, avec une égale rapidité, ils libérèrent mes mains et mes pieds. En moins de deux minutes après ma chute, j'avais été tiré dans une barque qui attendait à proximité, dans un lieu discret. Le soir même, je couchais à bord du *Treasurer* et, un mois plus tard, je fus placé dans une prison où j'ai passé toutes ces années avant d'avoir la chance de m'évader enfin.

— Je ne vois pas les motifs du capitaine anglais, père. Dans quel but avait-il joué cette comédie?

— Il avait compris que si j'étais utile, une fois mort, aux intérêts d'un Grand de la cour de France, je l'étais encore plus pour ses intérêts à lui, si je restais vivant.

— Comment pouvait-il penser cela?

— J'étais lié à l'affaire des documents secrets qu'il savait être d'une très grande valeur, puisque j'avais exécuté l'attaque de Jamestown dans l'espoir de les reprendre. C'est pourquoi il avait conçu l'idée de simuler mon exécution, puis de me retenir secrètement prisonnier afin de me forcer à lui révéler le contenu des documents.

— Il faut donc que le secret soit d'importance pour que cet homme se soit donné tant de mal pour le connaître. Avez-vous quelque idée, père, de ce qu'ils contiennent?

— Je ne sais pas, mon fils. Par contre ce que tous ces événements m'ont appris, c'est que ceux qui le connaissent veulent me tuer et ceux qui l'ignorent encore cherchent à en percer le mystère.

— Qui donc, monsieur est celui qui le connaît?

— Ah, si seulement je savais son nom, ma vie serait déjà beaucoup plus simple.

— Puisque Marancy a assisté à votre exécution, il a dû rapporter à son maître, en France, le succès de sa mission et l'annonce de votre décès.

— Je n'en doute pas un seul instant, mon fils.

À la suite de cette conversation, c'est au tour d'Aakadé de mettre son père au courant de ce qui s'est passé pendant sa longue absence. Le duc de Liancourt n'a pas survécu longtemps à l'annonce de la mort de Clovis. La marquise, que tout le monde s'attendait à voir suivre de près son mari dans la tombe, avait trompé toutes les prédictions. Après une brève maladie dont elle s'était remise tout à fait, elle avait repris courageusement la conduite de ses affaires et continué ses fonctions auprès de la reine mère.

À ce moment-là, Aakadé avait décidé de devenir médecin. Sa décision avait surpris son entourage et causé une grande déception à la marquise. Comme ses deux fils naturels, François de Silly et Henri de Liancourt menaient une vie tout à fait dissolue, au jeu et à l'amour, elle avait mis tous ses espoirs dans la carrière d'Aakadé. L'enfant ayant fait de brillantes études chez les jésuites de La Flèche, Antoinette de Guercheville le voyait déjà en officier du roi, une carrière qu'elle avait préparée pour lui de longue main avec l'aide de la reine mère. Lorsqu'il fit part à sa grand-mère de son dédain pour la vie militaire, elle en éprouva un grand chagrin. Son désappointement redoubla, lorsqu'elle découvrit qu'il ne désirait pas non plus entrer dans les ordres. Hélas, la vie ecclésiastique, même en violet, n'intéressait pas le moins du monde le jeune garçon. D'ailleurs, il lui avait fait remarquer que, à cause de la naissance obscure de son père, il n'aurait pu ambitionner qu'un petit évêché de quelque diocèse inconnu. Mme de Guercheville n'avait pas prisé cette remarque et lui avait rétorqué, avec une certaine hauteur, que Clovis, ayant été adopté légalement comme son propre fils, bénéficiait de tous les privilèges que lui conférait le rang élevé qu'occupait à la cour la maison de Liancourt. À la suite de cette pénible discussion, Aakadé avait annoncé à la marquise son intention de devenir médecin. Celle-ci, déçue d'un pareil choix, s'était empressée de jeter les hauts cris. Puis, devant la fermeté de son petit-fils, elle avait fini par se ranger à son avis. Il arrivait souvent, dans les familles nobles, que les fils choisissent des professions qui, jusque-là, avaient été l'apanage des bourgeois. Les temps ayant changé, elle était prête à aller avec son époque. Après ses études à La Flèche, Aakadé avait continué à l'université de Montpellier, avec les plus grands noms de la faculté. Peu après qu'il eut été reçu médecin, un an plus tôt, sa grand-mère était tombée sérieusement malade. C'est lui qui avait pris soin d'elle durant le cours de la maladie qui devait l'emporter. Il avait été d'un dévouement à toute épreuve et avait tenté l'impossible pour prolonger sa vie. Hélas, c'était une vieille dame qui avait connu bien des chagrins au cours de son existence. Malgré un cœur qui lui avait souvent causé des alarmes, elle avait vécu jusqu'à l'âge vénérable de soixante-douze ans.

La nouvelle du retour miraculeux de Clovis d'Adjimsek à Liancourt avait rapidement fait le tour de Paris. Le jour des funérailles, il y a autant de curieux que de sympathisants à se presser dans les couloirs et les salons du château. Pour le père et le fils, la journée est longue et difficile. Debout au centre du grand salon, le jeune duc de Liancourt et marquis de Guercheville reçoit les sympathies des visiteurs. Un peu en retrait, avec l'intention bien arrêtée de rester à l'écart, Clovis est pourtant l'objet de toutes les curiosités.

Vers la fin de la journée, alors que les derniers visiteurs vont se retirer, une rumeur court à travers le château. L'équipage imposant d'un grand personnage, celui du roi peut-être, approche de Liancourt. La nouvelle, aussitôt répandue, les gens se penchent aux fenêtres, ou simplement, sortent dans la cour d'honneur.

Quelque quinze minutes plus tard, un carrosse noir tiré par quatre chevaux blancs, s'engage à toute allure dans l'allée qui mène au château. Dans un nuage de poussière, l'attelage s'arrête au pied du perron qui domine l'entrée principale. Avant même que la voiture se soit arrêtée, les spectateurs n'ont pas été sans identifier les armes de l'occupant. Sur les portières, peintes en noir, s'étalent en couleurs vives les armes de César de Vendôme, prince du sang, fils premier né et fils légitimé du défunt roi Henri IV.

Le jeune marquis de Guercheville et le seigneur d'Adjimsek sont descendus au pied des marches pour accueillir cet important personnage. Un valet se précipite, ouvre la portière et un homme dans la trentaine, vêtu d'un costume de velours bleu marine et coiffé d'un chapeau noir surmonté de trois plumes blanches en descend avec souplesse et vivacité. Même après toutes ces années, Clovis reconnaît sans peine son ancien compagnon de jeux, le fils d'Henri le Grand et de Gabrielle d'Estrées.

Après avoir brièvement, trop brièvement même, présenté ses sympathies au petit-fils de la marquise, le nouveau venu se tourne brusquement vers le père, sans faire le moindre effort pour dissimuler le véritable but de sa visite.

— Monsieur d'Adjimsek, lui dit-il avec emphase, en le saluant d'un geste élégant de son chapeau, la joie de vous revoir est aussi grande que la surprise. Le roi, à qui j'ai parlé ce matin même, m'a exprimé toute sa satisfaction de vous savoir revenu de chez les morts. Croyez, monsieur, que je n'ai pas en cela de sentiments moins nobles que ceux de Sa Majesté.

— Monseigneur, la marquise de Guercheville a toujours été une servante dévouée de Leurs Majestés, répond-il en tâchant de ramener la conversation sur la véritable raison de la visite.

— Monsieur, il faut absolument que vous veniez à Saint-Germain raconter, pour notre bénéfice et celui du roi, l'incroyable aventure qui vous est advenue.

— Il n'y a là rien d'incroyable, monseigneur. Je n'ai eu recours qu'à la patience et à l'ingéniosité.

— Voilà bien ce qui est intéressant. Mon frère, le roi, brûle de savoir par quels artifices vous échappâtes si souvent à la mort.

Clovis regarde César de Vendôme avec intérêt, tout en se posant à lui-même plusieurs questions. «Est-ce bien le roi, se demande-t-il, ou bien n'est-ce pas vous-même, duc de Vendôme, qui désirez connaître les réponses à ces interrogations? Si vous cherchez à connaître ce que je sais, c'est peut-être que vous étiez du complot, vous et votre famille.» Pour la première fois, Clovis regarde le prince avec un œil différent. Pendant quelques instants, les deux hommes s'observent attentivement. Puis, César, sa mission accomplie, salue froidement le jeune duc de Liancourt et son père avec le même étalage de courbettes qu'à l'arrivée et remonte dans le carrosse qui l'emporte aussitôt vers Paris.

Pour des raisons qu'il ne peut s'expliquer, Clovis éprouve une grande antipathie pour cet homme. Bien que, dans le passé, il n'ait jamais été de ses intimes, il ne se souvient pourtant pas d'avoir déjà ressenti à son endroit un sentiment aussi détestable que celui-ci. Avant qu'il puisse faire part à Aakadé de ces réflexions, un autre gentilhomme se présente devant le jeune duc et lui offre ses sympathies. C'est un homme de quarante-cinq ans environ, la taille forte, le visage rouge et rond, la démarche militaire.

— Monsieur, dit-il en se tournant ensuite vers Clovis, madame la marquise de Guercheville aura vécu sans apprendre la nouvelle si réjouissante pour nous tous et pour la Nouvelle-France, du retour de votre seigneurie.

— Pour la Nouvelle-France, monsieur? demande Clovis intrigué par ce préambule.

— Permettez, monsieur, que je me présente. Je me nomme Isaac de Razilly[1] et je suis lieutenant-général du roi en Acadie.

— Un lieutenant-général du roi en Acadie? s'exclame Clovis, je n'en crois pas mes oreilles. Est-ce possible? Depuis quand Sa Majesté y a-t-elle nommé son représentant?

— Le traité de Saint-Germain-en-Laye vient de redonner à la France ses colonies d'Acadie. Le Cardinal de Richelieu m'y envoie accompagné de deux lieutenants, avec trois navires, trois cents marins et soldats, des artisans, des ouvriers et, pour la première fois, une vingtaine de familles, pour établir et développer les colonies.

— Vous ne pouvez savoir, monsieur, à quel point ces nouvelles me réjouissent. Que voilà bien un geste du roi attendu depuis fort longtemps.

— C'est ce que m'a aussi fait remarquer l'un de mes lieutenants.

— Vos lieutenants, monsieur, qui sont-ils? demande Clovis après un moment d'hésitation.

— L'un s'appelle Nicolas Denys. C'est un excellent homme que je connais depuis longtemps et que j'ai choisi moi-même. L'autre, c'est Charles de Menou d'Aulnay, qui est mon cousin, mais que je n'ai pas choisi. Son Éminence le cardinal de Riche-lieu, qui me l'impose comme premier lieutenant, se

---

1. Il avait rédigé pour Richelieu en 1626, un brillant mémoire portant sur «l'importance du commerce extérieur pour la prospérité de la France».

l'était lui-même fait imposer, tout juste hier, par monseigneur de Vendôme.

Clovis tressaille à la mention du nom du prince. Isaac de Razilly, pourtant, ne semble pas le remarquer.

— Tout juste hier, monsieur, dites-vous?

— Oui, monsieur. À la dernière minute, car j'avais déjà arrêté mon choix sur quelqu'un d'autre que je n'avais pas encore prévenu, fort heureusement.

Clovis reste pensif, pendant que le nouveau représentant du roi en Acadie explique ses déboires avec le cardinal, dans le choix de ses lieutenants.

— Monsieur d'Adjimsek, conclut-il enfin, je sais que vous revenez d'un lieu où vous vécûtes des temps fort difficiles et que le moment n'est peut-être pas bien choisi pour vous faire cette proposition.

— Une proposition, monsieur? S'il s'agit de l'Acadie, ne vous préoccupez pas de ma santé et dites plutôt, car je vous écoute.

— Croyez, monsieur, que votre réponse me réjouit. Je n'en attendais pas de différente. Laissez-moi vous confier que, lorsque j'appris votre retour parmi nous, j'ai aussitôt songé à vous demander de vous joindre à l'expédition comme premier lieutenant. Je ne puis maintenant que vous offrir le poste de conseiller. Si vous venez avec nous en Acadie à ce titre, j'aurai le bénéfice de votre précieuse expérience en ce pays. Vous le connaissez, ainsi que ses gens, mieux que tout autre; vous pourrez nous présenter à ceux qui sont déjà en place, pour qu'ils sachent que nous venons soutenir et continuer leur œuvre.

— Monsieur de Razilly, votre proposition me plaît beaucoup. Je l'accepte, mais j'y mets une condition qui n'est pas pour vous, mais pour mon fils que voici, dit-il en présentant Aakadé. Je me joindrai à vous pourvu qu'il m'accompagne.

Le jeune homme regarde son père, mais ne paraît pas surpris par ses paroles.

— Monsieur, lui répond-il sur le ton calme et sans émotion qui le caractérise, plus rien ne m'attache ici. Si vous retournez en Acadie, je n'ai pas de plus grand désir que de m'embarquer avec vous.

— Dans ce cas, monsieur, dit Clovis à Razilly, vous venez d'acquérir en même temps un conseiller et un médecin. Puisqu'il est question de l'Acadie, j'en ai été absent pendant si longtemps que je ne sais même plus qui commande, là-bas.

— Justement, le gouverneur est nul autre que votre ami, Charles de La Tour.

— Charles de La Tour? reprend Clovis. Et monsieur de Biencourt, qu'en est-il advenu?

— Ah! votre seigneurie n'a donc pas été mise au fait des événements survenus en Acadie pendant son absence. Permettez, monsieur, que je vous les résume en quelques mots. Il y a déjà dix ans, le gouverneur Charles de Biencourt est mort, dans la fleur de l'âge, d'une maladie qui l'a terrassé rapidement. Avant de rendre l'âme, il a fait de son ami La Tour son unique héritier. Celui-ci, peu après, a déménagé le siège de la colonie de Port-Royal au Cap-de-Sable.

Clovis revoit dans son esprit cette pointe de terre qui s'avance dans l'Atlantique, formant la partie sud-ouest de l'Acadie.

— C'est un heureux choix qu'a fait La Tour, dit-il à Razilly. Il y est peut-être moins bien protégé, mais il peut exercer un meilleur contrôle sur le trafic des navires de traite.

— Il y a deux ans à peine, M. de La Tour a obtenu du cardinal les fonds nécessaires à l'agrandissement et à la défense du fort Saint-Louis. En même temps, Son Éminence lui a expédié des ouvriers et des soldats pour construire et pourvoir en troupes un nouveau fort dans un endroit stratégique de la région. À cette fin, le gouverneur La Tour a choisi l'embouchure de la rivière Saint-Jean, où s'élève maintenant le fort Sainte-Marie, à proximité du village souriquois d'Ouygoudy.

Clovis note en passant que Razilly donne, sans hésiter, le titre de gouverneur à son ami La Tour. Cela lui paraît de bon augure.

— Vous étiez Sagamo d'une tribu, issue de ce village, poursuit le lieutenant-général, qui fait montre de vastes connaissances sur l'histoire de l'Acadie.

Dans l'esprit de Clovis surgissent aussitôt les images de son retour à Adjimsek, quelques années plus tôt et de l'accueil de son ami Chégumakun. Comme ce temps lui paraît lointain aujourd'hui!

— Vous ne sauriez pas, monsieur, ce qu'il est advenu du Souriquois Chégumakun et de son frère Ulnooé?

Razilly regarde le seigneur d'Adjimsek, hausse les épaules, secoue la tête de gauche à droite, la désolation se lisant dans son regard.

— Ce n'est qu'une fois là-bas que vous aurez réponse à toutes ces questions, répond-il enfin.

De sa famille acadienne, Chégumakun est, avec La Tour, le dernier lien qui lui reste. S'il vit toujours, il doit bien habiter du côté d'Adjimsek. Ah! comme il souhaite maintenant de retrouver au plus tôt ses amis.

Le lendemain de cet événement, un homme de loi s'amène au château pour la lecture du testament.

Devant Clovis et son fils, ainsi que les domestiques rassemblés, il dévoile les dernières volontés d'Antoinette de Pons, marquise de Guercheville, comtesse de La Roche-Guyon et duchesse de Liancourt.

«*Mon Dieu, je remets mon âme entre Vos mains. Je Vous prie d'avoir grande pitié de moi, quand je paraîtrai devant Vous et de me pardonner toutes mes fautes.*

Je Vous remercie pour toutes les grâces que Vous m'accordâtes sur cette terre. Seigneur Dieu, faites que je sois digne d'aller auprès de Vous et de tous ceux que j'ai aimés et que Vous avez déjà appelés près de Votre Trône.

Je prie Notre Seigneur Jésus, d'avoir pitié de l'âme de mes enfants, Ses serviteurs François de Silly, Henri de Liancourt et Clovis de Pons qu'Il a rappelés à lui. Je les ai aimés et fait en sorte qu'ils fussent élevés dans Sa Sainte Grâce.

Comme mon petit-fils, Aakadé d'Adjimsek, reste mon seul descendant sur cette terre, c'est à lui que vont le duché de Liancourt et le marquisat de Guercheville. Cher Aakadé, je vous remercie pour toutes les joies que vous me donnâtes et le bonheur que je connus par vous. Que Dieu vous aime et vous protège partout et en tout temps.

À ma fille, Gabrielle, duchesse de la Rochefoucauld, je lègue les terres et le château de La Roche-Guyon.

Avant de vous quitter, mes serviteurs fidèles, je vous remercie de tous les soins que vous apportâtes à l'accomplissement de vos tâches et si

parfois je vous ai blessés, je vous en demande
pardon.»

Antoinette de Pons, marquise de Guercheville

Vient ensuite une longue liste par laquelle elle
dispose de tous ses biens et indique les dons pour
chaque personne attachée à son service. Sur une
autre feuille, la marquise a ajouté une dernière dona-
tion.

«À *mon petit-fils, Aakadé de Liancourt, je lègue*
tous mes joyaux et pierres précieuses. Mon
homme de loi, qui me dit qu'ils ont une valeur de
huit cent cinquante mille livres[1], *a reçu les*
instructions pour vous amener à l'endroit où ces
bijoux sont assemblés et rangés. Je voudrais,
mon enfant, qu'ils restent toujours sous votre
garde et qu'après votre mort ils deviennent le
patrimoine de vos enfants et de leurs
descendants.»

Antoinette de Guercheville

---

1.   Environ dix-sept millions de dollars canadiens d'aujourd'hui.

16

Ayant passé toute sa vie à Paris, le jeune duc Aakadé de Liancourt n'a jamais vu, ou même imaginé rien d'aussi féerique que le décor sauvage de l'Acadie au mois de septembre, lorsque la forêt se transforme en palette d'artiste. Même celle de Saint-Germain en automne n'offre pas une telle orgie de couleurs, une telle violence de tons répandus à perte de vue. Le père et le fils, debout sur le gaillard d'avant du navire amiral d'Isaac de Razilly, contemplent, éblouis, le spectacle qui s'offre à leurs yeux, lorsque *L'Espérance-en-Dieu* débouche enfin dans l'estuaire de la rivière Saint-Jean.

Les voyageurs peuvent apercevoir quatre étendards blancs à lys d'or qui se découpent sur le fond bleu du ciel. Ils flottent au sommet d'un fort dont la fraîche palissade dorée, en pieux de cèdre encore ruisselants de leur sève, tranche superbement sur le rideau vert sombre des sapins et des pins. Au-delà des conifères, les rouges sang des érables, les jaunes lumineux des peupliers, les ocres chauds des ormes couvrent les collines sur le pourtour de l'immense hémicycle que forme l'entrée de la Saint-Jean.

L'Espérance-en-Dieu et ses escortes de plus petit tonnage, le *Saint-Jehan* et la *Marie-Jeanne* se dirigent, toutes voiles dehors, vers l'embouchure du cours d'eau à la droite de laquelle s'élève le fort Sainte-Marie. Ils arrivent de La Hève, où le nouveau lieutenant-général s'est d'abord arrêté pendant deux mois, pour y établir ses quartiers généraux. Au cours de cette halte, les Français y ont construit une habitation propre à recevoir la première administration coloniale en Acadie. Razilly a préféré s'établir ailleurs qu'à Port-Royal ou au Cap-de-Sable, afin de ne pas porter ombrage au gouverneur La Tour.

À mesure qu'ils approchent de la côte, ils distinguent les détails du fort Sainte-Marie. C'est une construction imposante, percée en son centre d'une grande porte à deux battants, et flanquée, à chaque extrémité, de plates-formes sur lesquelles trois canons sont pointés vers la mer. Par-dessus le sommet de la palissade, apparaissent les toits des habitations, construites sur le pourtour de l'enceinte. Un clocher sur le mur nord indique la présence d'une chapelle. La configuration rappelle à Clovis l'aménagement de l'habitation de Port-Royal. Pour Aakadé, qui n'a encore jamais vu étalé avec tant d'éclat et de muscle la présence française au Nouveau Monde, le spectacle est saisissant.

— Il n'en a pas toujours été ainsi, mon fils, lui dit Clovis. Au cours des vingt-cinq dernières années, l'Acadie s'est maintenue grâce au courage et la ténacité de quelques hommes de valeur, comme Jean de Poutrincourt, son fils Biencourt et mon ami Charles de La Tour. Tu arrives au moment même où, par ses actions, Louis XIII pose enfin les premiers gestes pour réaliser le grand dessein de son père, le bon roi Henri.

— C'est-à-dire?

— Alors que je n'avais que douze ans, j'ai entendu le roi Henri IV parler du dessein qu'il avait conçu pour le Nouveau Monde, celui d'y établir un immense empire français. Aujourd'hui, plus de quinze ans après sa mort, la Providence a permis que nous soyons témoins de l'arrivée des premières familles en Acadie, avec femmes et enfants. C'est de cette façon seulement, que commence une véritable colonisation.

— Que vous importe, mon père, que les Français ici se multiplient? demande Aakadé. Ne vous ont-ils pas nié pendant longtemps toute aide?

— Si je suis venu ici la première fois pour accroître le prestige de la France, j'y reviens aujourd'hui pour travailler à l'édification et à la croissance de l'Acadie.

— Comment y arriverez-vous? demande encore Aakadé.

— En y emmenant des centaines de familles. Si nous ne le faisons, d'autres le feront à notre place.

— Qui donc, monsieur?

— Les Anglais, par exemple. Ceux de Virginie emmènent des colons par milliers chaque année depuis bientôt trente ans. Voilà pourquoi ils sont si solidement implantés en Amérique. Pendant que nous nous querellions entre nous pour des motifs religieux, les Anglais, eux, prenaient racine dans le Nouveau Monde.

— Je vois. Ainsi, l'abondance de notre semence et notre célérité à la répandre, seront nos seules garanties d'un grand territoire, dit Aakadé.

— C'est juste. Toi-même, à ton tour, tu feras aussi ton devoir.

— Et mes enfants, seront-ils français?

— Non, ce seront des Acadiens.

— Quant à moi, combien d'années prendrai-je avant de devenir Acadien?

Les dernières paroles de son fils, jettent Clovis dans de profondes réflexions. Pendant qu'ils causaient, la flottille a ramené ses voiles, ralenti sa course et jeté l'ancre juste en face du fort Sainte-Marie. À sa gauche se dressent les ouaguams du village de Ouygoudy. Lorsqu'un canot se détache de la rive et se dirige vers eux, des images fraîches et vivantes surgissent dans l'esprit du seigneur d'Adjimsek. Il se revoit dans les puissantes chutes, à l'embouchure de la rivière, le jour de sa renaissance en Souriquois. Aakadé devra-t-il aussi renaître à son tour? Il se revoit encore, quelques années plus tard, à bord de *L'Éclair,* revenant en Acadie après le désastre de Saint-Sauveur. Qu'en serait-il, cette fois? Les Souriquois le reconnaîtront-ils?

Des remparts du fort Sainte-Marie, une petite fumée blanche s'échappe de la bouche d'un des canons, et presque aussitôt, les passagers des navires entendent la détonation de bienvenue. Les résidants du fort ont reconnu les couleurs royales et ils mettent une barque à la mer pour venir jusqu'à *L'Espérance-en-Dieu.* Clovis imagine aisément la joie et le soulagement des colons, à la vue d'un navire de ravitaillement qui arrive dans la baie Française. Il s'est déjà trouvé, lui aussi, à leur place, lorsque, l'automne venu, les habitants de la colonie désespéraient de voir arriver des secours avant l'hiver. Aujourd'hui, cependant, ils apportent plus que des secours pour le lendemain, ils apportent l'avenir, avec les femmes et les enfants. Le canot des Souriquois, conduit par Chégumakun et Ulnooé, atteint en premier le navire amiral. Ceux-ci montent vivement à bord, car ils connaissent déjà la nouvelle fabuleuse de la résurrection de Clovis et de son retour en Acadie.

À la vue de ces hommes au physique puissant et au costume bigarré, la mémoire d'Aakadé s'éveille tout à coup. Des images de son enfance, alors qu'il n'avait que deux ans, lui reviennent subitement à l'esprit. Il se revoit, dans un village souriquois, debout entre ses parents qui le tiennent par la main. Ils sont entourés de guerriers chaussés de mocassins en cuir de loup-marin et qui portent, autour des reins, la peau de daim traditionnelle. Sur les épaules, ils ont un long manteau en peau d'orignal, retenu au cou par une courroie. Leur tête est ceinte d'une bande de cuir où sont plantées des plumes d'aigles ou d'épervier. Puis, la scène change et il se revoit, sur le pont d'un navire, entouré de fumée et de cris. Sa mère le tient par la main et accourt vers son père. Celui-ci, à vingt pas, tente de se faire entendre. Une terreur muette paraît dans ses yeux, pendant qu'il fait des gestes désespérés vers sa femme. Tout à coup, Aakadé se sent soulevé de terre, puis projeté sur le pont où il s'abat, sa main toujours retenue dans celle de sa mère.

— Qu'as-tu, mon fils? lui demande Clovis, alarmé par la pâleur soudaine de son visage.

— Ce n'est rien. Un malaise passager seulement.

Le père regarde Aakadé avec attention. Il ne devine pas le drame que des souvenirs lointains viennent de réveiller en lui. Tout comme ses ancêtres, souriquois, le jeune homme réussit à dissimuler ses émotions et son visage reste impassible.

— Tu reviens chez toi, interrompt Chégumakun qui semble n'avoir rien remarqué. Il te faut maintenant apprendre tout ce que connaît un Souriquois.

— Je ne demande pas mieux, avoue Aakadé.

— Quant à toi, Clovis, tu as déjà connu la mort à trois reprises, dans le passé, dit-il à son ami retrouvé. Chaque fois en naquit un être nouveau. Qui es-tu, cette fois?

— La première fois je renaquis en Souriquois; la seconde, je revins en Normand. Cette fois, le Normand a donné naissance à un Acadien.

Pendant qu'ils tiennent ces propos, la barque du fort Sainte-Marie accoste le long du navire. Peu après, sur le pont, apparaît le gouverneur, Charles de La Tour. En apercevant son vieil ami, il s'arrête court, les bras ballants, la bouche grande ouverte, les yeux écarquillés d'incrédulité et d'amusement. Il est coiffé d'un bonnet en peau de castor, et vêtu d'un haut-de-chausses et d'un justaucorps en serge noire. Aux pieds il porte des mocassins en cuir d'orignal, attachés à la cheville, à la façon des Sauvages. Il est salué en même temps par Razilly, ses lieutenants, ainsi que Clovis de Pons et son fils. C'en est trop. Après un long moment, pendant lequel il ne réagit même pas, il se redresse soudainement et, ses yeux jetant des éclairs, il gonfle ses poumons et du fond de sa gorge, il lance le cri de victoire des Souriquois, en se jetant dans les bras de son ami.

Les premières minutes sont confuses. Les deux hommes parlent et rient en même temps, tour à tour se regardant à bout de bras, puis s'étreignant à nouveau. Lorsque les esprits sont quelque peu calmés, Clovis fait les présentations. Le nouveau lieutenant-général et ses seconds font bonne impression. L'heure est à la bonne volonté et à l'optimisme. À en juger par de tels débuts, l'avenir s'annonce prometteur.

Après que le nouveau représentant du roi a fait son entrée au fort Sainte-Marie et qu'il en a inspecté les lieux, un calme relatif est revenu dans la petite colonie. Le même soir, après le souper, Charles de La Tour se retrouve seul avec Clovis et Aakadé, pour commenter les événements de la journée. Le gouverneur parle doucement à ses visiteurs, assis en face de lui.

— Toi, Clovis, tu peux comprendre ce que représente pour l'Acadie l'arrivée de M. de Razilly et de ses colons. Nous récoltons aujourd'hui le fruit d'un long travail.

— Rappelle-nous comment tout cela a commencé, demande Clovis à son ami.

— Le roi, par la voix du cardinal de Richelieu, a manifesté son premier intérêt envers le peuplement de l'Acadie, quelques années seulement après ta disparition, donc au début des années 1620. C'est vers cette époque que la Compagnie de la Nouvelle-France nous a envoyé, à deux reprises, des secours en hommes et en matériaux qui, chaque fois, furent interceptés en mer par les Anglais. Évidemment, perdus que nous étions sur notre petite pointe du Cap-de-Sable, nous n'apprîmes pas tout de suite le sort malheureux subi par ces expéditions. Je connus la vérité beaucoup plus tard, lorsqu'un beau matin, au large du fort Saint-Louis, parurent deux navires de guerre battant pavillon anglais. Une barque se détacha de l'un d'eux et, avec un gentilhomme debout à sa proue, elle se dirigea rapidement vers nous, sans manifester ses intentions le moins du monde. À tout événement, j'avais fait armer le canon du fort et, avec quelques hommes et leurs mousquets en mains, nous attendions l'arrivée de la pinasse. Je fus l'homme le plus étonné du monde, lorsque je reconnus, à la proue, mon père, Claude de La Tour, vêtu en gentilhomme anglais. Mais je n'étais pas au bout de mes surprises. Avec lui était un Anglais appelé William Alexander, qui se disait un favori du roi James.

— Que pouvait bien vouloir ton père, vêtu d'un costume anglais? demande Clovis

— Figure-toi, mon ami, que mon père, ayant été fait prisonnier, alors qu'il revenait en Acadie sur le navire qui devait nous ravitailler, s'était laissé convaincre de se joindre à ses ravisseurs les Anglais, contre la France.

— Je suis renversé par l'audace d'un tel geste.

— Mais ce n'est encore rien. Mon père avait accepté, comme prix de sa trahison, une baronnie écossaise qui contenaient des terres qui étaient à moi. J'étais suffoqué par l'outrecuidance et l'effronterie du bonhomme. De plus il avait eu l'audace d'accepter en mon nom, le titre de baron de la Nouvelle-Écosse, tout comme le sien, pourvu que j'accepte de livrer à ce M. Alexander le territoire de l'Acadie.

— Comment réagis-tu à cette proposition? demande Clovis.

— Comme il se doit, bien sûr. Je la refusai net. C'est parce qu'il était mon père que je ne m'avisai pas de le garder prisonnier avec son comparse anglais et de le traiter avec toute la rigueur que la justice française me suggérait. Grand mal m'en prit.

— Tu veux dire qu'il y a pis encore?

— Bien pis, mon ami. Une fois de retour sur leurs navires, les Anglais, et mon père avec eux, passèrent à l'attaque du fort Saint-Louis. Malgré l'inégalité des forces et des armes, nous soutînmes, pendant deux jours, un siège féroce qui, heureusement, n'eut pas raison de notre vaillance. Les Anglais durent enfin baisser pavillon, lorsqu'ils reconnurent que, malgré notre position précaire, nous étions prêts à mourir pour défendre l'Acadie.

— Mais enfin, comment tout cela a-t-il fini? Tu es toujours ici, tu as donc remporté la partie.

— En effet, mon ami, après deux jours de bataille, William Alexander battit en retraite et s'en alla se réfugier à Port-Royal où il établit plusieurs familles de colons qu'il avait emmenées sur ses bateaux.

— Et qu'advint-il de ton père, dans toute cette histoire? demande encore Clovis.

— Mon père, figure-toi, avait épousé, en Angleterre, une demoiselle d'honneur de la reine et l'avait emmenée avec lui dans cette malheureuse expédition. N'ayant pas réussi à satisfaire ses nouveaux maîtres, qui lui en voulaient pour son échec du Cap-de-Sable, il chercha à se faire pardonner et à revenir habiter chez moi. Les liens du sang étant plus fort que tout, je ne me décidai pas à lui refuser ma porte et le logeai dans une petite habitation à proximité du fort avec sa femme qui refusa noblement de rester avec les Anglais à Port-Royal et choisit plutôt d'accompagner son mari dans son humiliante défaite.

À ce moment du récit de La Tour, une main timide frappe discrètement à la porte de la chambre. Aakadé, qui est le plus près, se lève et va ouvrir. Devant lui, se tient une fillette d'une dizaine d'années, au corps long et dégingandé, à la peau olivâtre et au visage couvert de couperose. Sa longue chevelure châtaine et frisée lui descend dans le dos jusqu'aux fesses qui bombent légèrement sous la longue tunique traditionnelle en daim des Souriquoises. Ses grands yeux bleus sont pudiquement baissés, lorsqu'elle aperçoit ce jeune homme étranger devant elle. Celui-ci, au lieu de l'inviter à entrer, reste figé dans l'embrasure de la porte, la main rivée sur la poignée, les yeux fixés sur la silhouette ingrate de la jeune fille.

La Tour ne se rend pas compte de l'embarras du jeune homme et met son hésitation sur l'étrangeté du pays et de ses habitants.

— Entre, ma fille, dit le gouverneur en l'apercevant. Mes amis, je vous présente Claude-Saint-Esprit, ma fille adoptive.

Pendant que les deux hommes quittent leur fauteuil et qu'Aakadé fait un pas en arrière pour laisser passer la nouvelle venue, celle-ci se dirige timidement vers son père. Lorsqu'elle est tout près de lui, il prend sa main gauche dans la sienne, et la tire vers lui.

— Elle est la fille de Charles de Biencourt.

— La fille de Charles? demande Clovis étonné.

— Oui, mon ami, une enfant qu'il a eue avec sa femme, Nébé, la fille du guerrier Onéméchin, défait à Saco par le célèbre Membertou. N'étais-tu pas justement de cette expédition?

— Oui, en effet, reprend Clovis que ce souvenir lointain émeut tout à coup. Je me souviens fort bien de Nébé que nous avions ramenée à Port-Royal avec sa mère, que la bataille avait rendue veuve.

— Eh bien, Charles a épousé Nébé que les Souriquois de Port-Royal avaient élevée comme l'une des leurs. Malheureusement, la jeune maman a quitté ce monde tout de suite après avoir donné le jour à une fille, que son père nomma Claude-Saint-Esprit.

— Quel nom étrange. Comment s'explique-t-il? demande Clovis.

— Tu t'en souviens peut-être, répond La Tour, Claude est le prénom de la mère de Charles de Biencourt. Quant au nom de Saint-Esprit, il a été inspiré au gouverneur par les circonstances entourant la disparition de la mère et la naissance de l'enfant.

— La disparition de la mère? Que veux-tu dire? Ne viens tu pas de me dire qu'elle était morte en couches?

— La vérité est que je ne le sais pas. Nébé est disparue ou peut-être morte, alors que Biencourt commençait la maladie qui devait l'emporter. La naissance de cette enfant est une histoire bien étrange.

Clovis jette un regard de côté vers la jeune fille qui continue de garder les yeux baissés.

— Je n'hésite pas à parler devant Claude, car elle connaît par cœur les événements auxquels j'étais présent et que je vais vous raconter. Ils font partie de l'histoire souriquoise que les Sauvages transmettent avec révérence à leurs enfants. Il faut dire qu'elle est loin d'être banale.

— Assoyons-nous, mon ami, pour écouter ton récit, suggère Clovis qui se rend bien compte que Aakadé n'est pas dans son état de réserve habituel.

— Lorsque le gouverneur Biencourt est tombé gravement malade, reprend La Tour après qu'ils ont regagné leurs fauteuils, je suis resté jour et nuit à son chevet, parce que son esprit, étant devenu plus troublé de jour en jour, il avait fini par ne plus avoir confiance qu'en moi pour lui prodiguer les soins qu'exigeaient sa condition. En même temps que sa maladie s'aggravait, Nébé se préparait à donner naissance à son enfant. C'était le printemps et nous étions logés dans la pièce qui avait été la grande salle de Port-Royal où se tenaient les agapes de l'Ordre de Bon Temps. Nous n'avions toujours pas restauré plus que la moitié des édifices incendiés par le capitaine Argall en 1613.

La Tour s'interrompt à ce moment de son récit, les yeux dans le vague, l'esprit sans doute transporté dans le passé troublant qu'il est sur le point de révéler. Clovis n'intervient pas et laisse son ami poursuivre sa rêverie.

— Où en étais-je? demande le gouverneur après un moment. Ah oui, j'y suis. Donc, Nébé avait auprès d'elle deux sages-femmes souriquoises pour l'aider à accoucher. Elle occupait le lit fermé de tentures, dans un coin de la pièce, près de la grande cheminée. Moi, je me tenais à côté de Biencourt qui était étendu sur un lit bas, en branches de cèdres, dans l'angle opposé. Il gémissait doucement et sans arrêt, car les douleurs que lui causaient son mal, le faisaient beaucoup souffrir. C'est alors que se produisit l'événement le plus incroyable de cet épisode dramatique. Pendant que la vie s'éteignait doucement dans un coin de la chambre, elle allait commencer à neuf dans l'angle opposé.

Encore une fois, La Tour s'interrompt, ferme les yeux, renverse la tête en arrière, comme s'il cherchait péniblement dans ses souvenirs avant de les raconter. Quand il reprend son récit, sa voix est plus basse, presque inaudible, le ton quasi religieux.

— Les deux sages-femmes, qui ressemblaient à des sorcières, passaient la plupart de leurs journées et même de leurs nuits — car nous fûmes au moins quatre jours dans ce capharnaüm — penchées au-dessus d'un grand chaudron noir en fonte, placé au-dessus du feu, et d'où émanaient des vapeurs odoriférantes qui remplissaient la pièce et nous enveloppaient tous du matin au soir. Selon les herbes qu'elles faisaient infuser dans leur chaudron, nous respirâmes tour à tour les essences du bouleau, du hêtre, de l'érable et du cèdre qu'elles tenaient pour une panacée. C'est ainsi que, épuisé par les veilles et l'esprit obnubilé par les effluves de leurs concoctions, je m'assoupis pendant plus d'une heure probablement, au cours de laquelle Nébé donna naissance à une fille, qui est Claude que voici.

La Tour se tourne vers sa fille adoptive et la regarde avec tendresse. Clovis se rend compte que la jeune fille a levé la tête et que ses yeux, tout grands ouverts et d'un bleu profond comme le lapis, sont tournées vers Aakadé, qu'ils regardent avec intensité.

— Je fus tiré de mon profond sommeil, que dis-je, de ma torpeur, poursuit enfin La Tour, par une lumière éclatante qui avait soudainement envahi la pièce. Jusque-là, la chambre n'avait été éclairée que par le feu de l'âtre où les sages-femmes préparaient leurs potions. Cet éclair était si violent, qu'il m'aveugla complètement et que, pour m'en protéger, je me jetai face contre terre, la tête entourée de mes deux bras. Combien de temps restai-je dans cette position, je ne saurais le dire. Dix minutes, une demi-heure, peut-être. Toujours est-il que lorsque je revins à moi et que je levai lentement la tête, l'éblouissante lumière avait disparu et le gouverneur Biencourt reposait paisiblement sur sa couche. Au même moment où je faisais cette constatation, je perçus une forte odeur de soufre dans l'air et j'entendis les pleurs et les gémissements d'un bébé. J'appris de cette façon que la naissance avait eu lieu. Je me dirigeai aussitôt vers le lit de Nébé, mais au lieu d'y trouver la jeune mère, je n'y découvris qu'une enfant nue et vagissante, la corde de vie tranchée et le corps complètement lavé et nettoyé. «Où est Nébé?» demandai-je avec inquiétude aux deux femmes, en voyant la place vide. C'est alors qu'elles me racontèrent une histoire incroyable. «Il y a quelque temps, pendant que tu dormais, me raconta l'une d'elles, la porte de cette chambre s'est ouverte brusquement avec un grand bruit accompagné d'une lumière fort intense. Puis, un char de feu est entré vivement dans la pièce et, dégageant une grande chaleur, il vint droit sur nous. Des chants accompagnaient son déplacement. La lumière qu'il projetait était si vive, que nous nous couvrîmes les yeux d'instinct, afin de les protéger. Mais, après quelques instants, la curiosité l'emportant, nous regardâmes à nouveau et voici ce que nous vîmes: des mains accrochées à de longs bras, sortirent mystérieusement des flammes qui enveloppaient le char et lentement elles soulevèrent le corps inanimé de Nébé, qui venait de donner naissance à sa fille. Puis, délicatement, elles le déposèrent dans le char de feu qui, aussitôt après, repartit vers la sortie et disparut rapidement dans le ciel, en laissant derrière lui une trace lumineuse qui disparut peu à peu et une odeur de soufre qu'on peut encore sentir.» Le récit de ces femmes me troubla profondément. Je pouvais reconnaître dans l'air de la pièce l'odeur dont elles parlaient. Il me sembla aussi que je voyais encore des restes de la lumière qui m'avait aveuglé.

À ce point de son récit, La Tour penche la tête sur sa poitrine et après un long soupir, il retombe dans le silence, trop accablé par la régurgitation de ce passé.

— Ajoutes-tu foi à cette histoire? demande Clovis après un long silence.

— Je ne vous ai pas encore dit, reprend La Tour, que Charles de Biencourt lui-même m'a assuré que les dires des sages-femmes étaient véridiques. Lorsque je lui demandai s'il avait lui-même été témoin de ces événements, il ne me répondit jamais ni par oui ni par non. Il me dit seulement qu'il était sorti de sa torpeur au moment même où la brillante lumière était apparue. Puis il ajouta sentencieusement: «J'ai vu ce que j'ai vu.» Il me répétera cette même phrase une autre fois avant de rendre l'âme, ce qui survint moins d'un mois après la naissance de Claude.

— Comment furent ses derniers jours?

— À la fin, il dépérissait graduellement, s'affaiblissant de jour en jour. Son esprit, qui avait donné des signes de trouble, avant la naissance de sa fille, sembla se rétablir tout à fait. Chose étonnante, il semblait avoir accepté sans mot dire la disparition de Nébé, qu'il aimait plus que tout au monde. À sa demande, je fis venir un des récollets qui vivaient au Cap-de-Sable et il baptisa l'enfant en présence du gouverneur. C'est à cette occasion qu'il lui donna le nom de Claude-Saint-Esprit. Par la suite, il fut assez lucide pour mettre ses affaires en ordre. Il me confia la garde de sa fille, me priant de l'adopter comme la mienne. Il me fit alors son héritier et me désigna comme gouverneur de l'Acadie, un titre confirmé par le roi en 1623. Peu après le décès de Biencourt, je déménageai, pour des raisons stratégiques, le siège de la colonie au Cap-de-Sable, où j'ai construit le fort Saint-Louis.

— Quelle étrange affaire, mon ami, dit Clovis. Et Nébé, on ne l'a jamais retrouvée?

— Non, jamais. Et les Souriquois que j'ai consultés là-dessus, acceptaient l'explication des sages-femmes. Avec le temps, j'ai fini par penser comme eux.

Pendant le séjour du lieutenant-général au fort Saint-Marie, La Tour et Razilly ne se trouvent point de querelles lorsque vient le moment de se partager les pouvoirs. Même les deux lieutenants, Charles de Menou d'Aulnay et Nicolas Denys, n'ont aucun mal à s'accommoder avec le maître du Cap-de-Sable et du fort Sainte-Marie. La véritable colonisation de l'Acadie commence enfin sous les plus heureux auspices.

Quelques jours seulement après ces événements, Clovis et Aakadé, se rendent à Adjimsek en canot, avec Chégumakun et Ulnooé. Leur premier soin est de mettre en lieu sûr les bijoux reçus en héritage de la marquise. À cette fin, ils construisent, au sommet du Mont-Louis, sous une immense pierre, partiellement enfouie au pied d'un chêne, un petit caveau où ils rangent les deux cassettes de métal, contenant les joyaux et les pierres précieuses.

Le seigneur d'Adjimsek et son fils font parvenir au lieutenant-général du roi, encore au fort Sainte-Marie, un message lui annonçant leur intention de passer l'hiver à Adjimsek.

Aakadé se met à l'apprentissage de sa nouvelle vie. Après quelques mois seulement, il parle souriquois. Tous les jours, il chasse et pêche avec des guerriers de la tribu d'Adjimsek qui deviennent vite de ses amis. Avant la fin de l'hiver, il a tué son premier orignal au cours d'une chasse dirigée par Chégumakun. Dès le début, Aakadé s'acquiert une réputation de grand chasseur et de brave guerrier, auprès de la tribu dont son père a déjà été le Sagamo. Grâce à ses connaissances en médecine, il fait plusieurs guérisons retentissantes auprès des Souriquois qui le considèrent, à partir de ce moment-là, comme un être doué de pouvoirs merveilleux.

À part des excursions de plus en plus fréquentes chez La Tour, au fort Sainte-Marie, Aakadé passe le plus clair de son temps à Adjimsek avec son père. Il est évident que la fascination du jeune homme pour la jeune Claude-Saint-Esprit est pour quelque chose dans ces visites. Avec le temps, celle-ci, affligée d'une grande timidité, finit par s'apprivoiser. Les attentions que lui porte Aakadé semblent avoir un effet bénéfique sur son développement. Son corps d'adolescente se transforme, son teint s'éclaircit et ses épaules se redressent. Lorsqu'elle vient pour la première fois, en 1635, passer l'été à Adjimsek, la jeune fille au visage ingrat, à la taille démesurée, a complètement disparu. À la place, apparaît une jeune femme rayonnant d'une étrange beauté. Ses bras et ses jambes démesurés donnent au reste de son corps une allure insolite. Son beau visage ovale, aux pommettes saillantes, au teint olivâtre, au menton pointu, au front bombé et haut, surmonte un cou merveilleusement long et parfaitement lisse. Sa longue chevelure, qui était autrefois d'un châtain clair, tire maintenant sur le roux et descend avec abondance dans son dos, en douces vagues ondulées qui, quelques années plus tôt, n'étaient que frisettes serrées, presque crépues.

Grâce à l'arrivée de cette jeune fille, comme autrefois avec Sésip, la félicité est, une fois de plus, revenue dans la maison d'Adjimsek. Clovis, qui observe avec envie la croissance du bonheur de ces deux enfants, ne peut s'empêcher de faire un rapprochement entre leur amour et le sentiment d'une nature éternelle qu'il porte encore à sa belle Souriquoise. En même temps, son cœur se serre d'angoisse pour eux, au souvenir de la fin soudaine et tragique de Sésip, plus de vingt ans auparavant.

Encore une fois, les événements viennent chambarder l'univers fragile des amoureux d'Adjimsek et bouleverser la vie paisible et maintenant prospère de l'Acadie. Au mois de décembre 1635, le gouverneur, Isaac de Razilly meurt subitement. Son décès tragique et inattendu, précipite la colonie sur le chemin de la débâcle, l'entraînant dans une des périodes les plus sanglantes de son histoire.

17

La mort du lieutenant-général de Razilly met fin à la plus grande prospérité que l'Acadie a jamais connue jusque-là. Pendant son bref règne de trois ans à peine, des douzaines de familles se sont établies à La Hève, aux forts Saint-Louis et Sainte-Marie et à Port-Royal, repris aux Écossais depuis que la paix avait été rétablie entre la France et l'Angleterre. Clovis d'Adjimsek et Charles de La Tour voyaient enfin se réaliser leur rêve d'une population indigène française prenant souche en Acadie.

Au cours des premières années, pendant lesquelles ils avaient été laissés à eux-mêmes, les lieutenants de Razilly, Charles de Menou d'Aulnay et Nicolas Denys avaient continué les politiques de leur ancien commandant. Hélas, d'Aulnay était un homme fort ambitieux qui rêvait d'étendre un jour sa domination et son influence sur toute l'Acadie française, depuis Canso jusqu'à Pentagouët. Il bénéficiait à la cour de la protection du duc César de Vendôme qui l'avait fait nommer à son poste. Fort de cet appui, il avait d'abord cherché, par tous les moyens, à s'emparer pour lui seul du commandement de La Hève. Pour arriver à ses fins, il avait fait de nombreuses tracasseries à Nicolas Denys qui, dégoûté, avait fini par vider la place et retourner à La Rochelle. Mais les ambitions de celui qui se faisait maintenant appeler le gouverneur de Port-Royal ne s'arrêtaient pas là. Il rêvait de devenir aussi le maître incontesté du fort Saint-Louis, au Cap-de-Sable, et du fort Sainte-Marie, à l'embouchure de la Saint-Jean qui étaient à Charles de La Tour, ainsi que Razilly l'avait toujours observé.

Enfin, d'Aulnay fit tant et si bien que, dès 1637, les bonnes relations qu'il avait toujours entretenues avec La Tour s'étaient détériorées au point que les deux hommes, ayant abandonné tout commerce entre eux, se considéraient comme des ennemis mortels. Ils n'allaient d'ailleurs plus jamais se rencontrer face à face par la suite, si ce n'est au bout d'un fusil, ou à portée de boulet de canon. Cette année-là, Nicolas Denys étant rentré en France, Menou d'Aulnay commandait seul à La Hève. Peu après, par la fortune des armes, il s'était approprié Port-Royal parce qu'il en avait chassé les Écossais qui s'y étaient installés depuis une dizaine d'années. Dans la même foulée, il avait repris le poste de Pentagouët aux Anglais.

Naturellement, de telles prétentions furent mal reçues par Charles de La Tour qui considérait comme siens ces deux territoires. N'avait-il pas reçu Port-Royal en héritage de Charles de Biencourt? Quant à Pentagouët, n'était-ce pas le poste qu'avait occupé son père pendant tant d'années, avant d'en être chassé par les Anglais? Persuadé que, devant de telles évidences, la cour lui donnerait raison, il avait écrit à Paris pour dénoncer l'ambition débridée de d'Aulnay. Il craignait que l'insatiable gouverneur de La Hève ne réussisse, par ses machinations auprès de son protecteur, le duc de Vendôme, à le déposséder de ses derniers domaines, le Cap-de-Sable, et surtout le fort Sainte-Marie. Pour Clovis, ce dernier poste était de la plus haute importance, car il dominait l'entrée de la rivière Saint-Jean qui était la route conduisant à ses terres d'Adjimsek. Comme elles avaient été accordées personnellement par Louis XIII à Clovis, d'Aulnay n'avait pas osé manifester d'ambitions sur elles, même si elles constituaient le plus riche territoire de chasse de toute l'Acadie.

L'année suivante, après avoir exercé à la cour les pressions nécessaires, Menou d'Aulnay avait reçu une lettre de directives écrite par des fonctionnaires du Roi qui lui reconnaissaient le titre de lieutenant-général en Acadie et consacraient son autorité sur Port-Royal, la Hève et Pentagouët. Entre-temps, La Tour devait mettre ses postes en tutelle, sous l'autorité détestable de d'Aulnay. Selon son mandat, celui-ci avait le droit de s'emparer par la force des postes de La Tour, advenant que celui-ci refuse de les rendre volontairement et les confier à des personnages fidèles qui devaient en assurer l'intégrité, jusqu'au règlement du conflit par la cour. Ce document n'était pas fait pour plaire à La Tour.

En même temps que des escarmouches souvent meurtrières opposaient les deux camps, La Tour poursuivait, par personne interposée, des projets matrimoniaux en France. À cette fin, il avait délégué Clovis qui avait été chargé de négocier les termes d'une entente, pour qu'une dame de sa connaissance, âgée de trente-neuf ans, consente à être son épouse. Les démarches ayant été couronnées de succès, le mariage de Charles de Saint-Étienne de

La Tour avec Françoise-Marie Jacquelin fut célébré au fort Sainte-Marie, le 17 juin 1640, le lendemain de l'arrivée de la fiancée en Acadie.

Françoise-Marie était une petite femme rondelette, aux cheveux roux et frisés, aux yeux rieurs et aux pommettes rondes et rouges. Ses lèvres charnues donnaient à sa bouche un air sensuel et gourmand, quand elle riait, ce qui était fréquent et une moue boudeuse quand elle ne riait plus.

Toute sa personne respirait la force et la santé. Il était évident qu'elle plaisait beaucoup à La Tour qui, au cours des mois précédant son arrivée, avait aménagé de grandes et luxueuses pièces au fort Sainte-Marie, pour l'accueillir.

Était-ce l'atmosphère créée par le mariage La Tour-Jacquelin, toujours est-il que Aakadé, maintenant âgé de vingt-neuf ans, avait fait part à son père de son désir d'épouser Claude-Saint-Esprit, âgée de dix-sept ans. Les deux jeunes gens se connaissaient depuis plusieurs années. Au début, chaque fois que Aakadé venait au Cap-de-Sable ou au fort Sainte-Marie, Claude était sa compagne de tous les instants. Depuis deux ans déjà, ils vivaient ensemble, au Mont-Louis, comme mari et femme, mais sans que leur union ait été sanctionnée par l'Église. Une fille leur était née, en 1639 et ils l'avaient nommée Antoinette. Plusieurs avaient cru qu'un mariage précéderait le baptême, mais il n'en avait rien été et personne n'avait soulevé la question. Donc, au mois de juillet 1642, Aakadé avait annoncé à son père son intention d'épouser Claude-Saint-Esprit, au cours d'une cérémonie à l'église, célébrée par l'un des capucins du Cap-de-Sable.

— Pourquoi maintenant? avait demandé Clovis. Qu'est-il arrivé qui te fasse prendre cette décision?

— C'est Claude. Depuis que nous sommes revenus du fort Sainte-Marie où nous avons assisté au mariage du gouverneur, elle ne me parle que de l'état de péché dans lequel nous vivons tous les deux.

— Je vois.

— Elle dit même que notre fille, Antoinette, est maudite de Dieu, n'ayant pas reçu le sacrement de baptême. C'est à cause de cela que Claude désire que nous nous marions et nous la fassions baptiser par la même occasion.

— Cette idée ne peut venir d'elle. Elle doit lui avoir été suggérée par les missionnaires.

— Par le père Augustin, pour être plus précis, monsieur. Je n'aime guère les propos qu'il lui tient à mon sujet.

— Ah oui?

— Pendant que nous étions au fort Sainte-Marie, il a pris Claude à part à trois reprises et, chaque fois, il lui a parlé de moi en des termes peu flatteurs.

— Qu'a-t-il dit de vous, mon fils?

—- Que je menais une vie scandaleuse, une vie sans Dieu, qu'il allait consulter ses supérieurs, car j'étais peut-être un hérétique. Il engagea Claude à prier Dieu, afin d'être éclairée sur la conduite à tenir.

— Mais de quelle conduite s'agit-il?

— D'après le père Augustin, les choses vont mal en ce pays parce que certains vivent sans le secours de la religion. Il me cita M. d'Aulnay en exemple, comme un homme obéissant aux lois de Dieu et de l'Église et faisant toute la volonté de Notre Seigneur. Quant à MM. de La Tour et d'Adjimsek, ils sont, avec leur clientèle, dévoyés, impies et souvent sacrilèges. Selon ce capucin, Claude, pour sauver son âme, doit s'éloigner de moi. J'ai pensé qu'en nous mariant, nous ferions taire les mauvaises langues et que tout rentrerait dans l'ordre.

— Sacrebleu, mon fils, nous nous sommes fait un ennemi de ce missionnaire. Malgré cela, je ne crois pas que vous devriez prendre des décisions si rapides en cédant à leur chantage. Laissez-moi lui parler, pour savoir la raison de ces propos. J'irai au Cap-de-Sable demain, afin de le rencontrer.

L'entretien de Clovis avec le père Augustin n'avait pas donné les résultats escomptés. Le capucin ne voulait pas démordre de son idée. Il prétendait que Dieu avait jeté l'anathème sur l'Acadie et que la mauvaise conduite de La Tour et de ses amis était la cause de tous ses troubles. Clovis apprit aussi que le père Augustin, pendant son séjour à Paris, avait reçu des consignes d'un confrère, le père Joseph du Tremblay. ancien confesseur et confident du tout puissant cardinal de Richelieu. Ce moine était mort dans les bras du père Augustin. Avant de rendre l'âme, il lui avait confié la mission de remettre l'Acadie sur la voie de la grâce divine. La colonie, selon lui, glissait rapidement sur la pente de l'enfer et seule une action vigoureuse et prompte pouvait la remettre dans la bonne voie. Le capucin avait donc fait bien comprendre à Clovis qu'il n'allait pas se dérober à une tâche qui lui avait été confiée *in extremis* par un saint homme dont les pouvoirs, bien qu'occultes, avaient été immenses. Puis, le père Augustin avait ajouté que le cardinal de Richelieu, qui était présent aux derniers moments du moine, avait approuvé ses dernières paroles.

Clovis avait vite fait de comprendre, tout comme son fils, que le mariage d'Aakadé avec Claude et le baptême d'Antoinette étaient le prix à payer pour obtenir que le cardinal de Richelieu continue son aide à l'Acadie et que les capucins restent favorables à La Tour. D'ailleurs, le seigneur d'Adjimsek et le gouverneur des forts Saint-Louis et Sainte-Marie avaient aussi à se réformer eux-mêmes, s'ils voulaient rentrer à nouveau dans le giron de l'Église, d'où leur conduite sans Dieu, depuis des années, les avait exclus. Clovis, quelque peu déconfit, avait rapporté les résultats de ses démarches à son fils qui avait pris la chose beaucoup plus calmement que son père. Il avait décidé, de concert avec Claude, qu'ils allaient se marier dans la chapelle du monastère des Capucins, au Cap-de-Sable.

Pendant ce temps, les relations entre d'Aulnay et La Tour s'envenimaient chaque jour davantage. Selon l'entente établie au temps de Razilly, les deux hommes devaient se partager, à parts égales, le produit du commerce des fourrures. Or La Tour avait toutes les raisons de croire que d'Aulnay cachait une bonne partie des bénéfices et gardait pour lui-même une quantité bien au-delà du cinquante pour cent permis. Afin d'avoir la preuve des malversations du maître de Port-Royal, il avait décidé de le prendre sur le fait et de s'emparer, par la force, des fourrures qui lui revenaient. Ce plan, hélas, avait échoué misérablement et d'Aulnay s'en était allé se plaindre en France de la conduite de La Tour. À son retour en Acadie, il avait transmis à celui-ci un ordre du Roi de se présenter devant la cour pour expliquer sa conduite. La Tour avait refusé catégoriquement de se soumettre à cette demande. Il était persuadé que l'ordre avait été émis à la suite d'un récit erroné des faits rapportés par d'Aulnay. Il croyait en outre que le roi et le cardinal, mal prévenus en sa faveur, ne lui feraient pas justice.

Les choses en sont là, au début du mois de juin 1642, lorsque Clovis, Aakadé, Claude-Saint-Esprit et la jeune Antoinette, âgée de deux ans, se mettent en route pour le Cap-de-Sable où doit avoir lieu le mariage et le baptême. Ils sont reçus avec beaucoup de faste par Du Val, qui commande en l'absence de La Tour, ainsi que par les capucins et les quelques Français qui assurent le service au fort. Clovis loge dans la maison qu'a occupée autrefois Claude de La Tour, tandis que Aakadé, Claude et leur fille se sont installés dans les quartiers réservés au gouverneur lui-même.

Le père Augustin a jugé nécessaire que les futurs époux fassent une neuvaine de prières, de jeûne et de sacrifices, avant de s'unir par les liens du mariage. L'un de ces sacrifices consiste, pour les jeunes gens, à vivre à part jusqu'après la cérémonie, leur fille étant confiée à une nourrice. À ces conditions seulement, selon l'avis du capucin, leur âme serait lavée, leurs péchés effacés et le Seigneur Dieu prêt à les accueillir dans son Église. De plus, le confesseur a jugé bon que Claude-Saint-Esprit, bien que baptisée, soit instruite davantage des choses de la religion, étant donné que, depuis sa naissance, elle n'en a connu les rudiments que par ouï-dire. Dès le 6 juin, premier jour de la neuvaine de purification, afin de ne pas mettre en péril les résultats de l'endoctrinement, Claude emménage donc dans une cellule inoccupée du monastère.

Tout le temps que dure cette attente, Aakadé, pendant le jour, s'adonne à la pêche avec Chéguma-kun qui est venu avec lui d'Adjimsek pour assister au mariage. La nuit tombée, il se morfond seul dans ses appartements. Il se retourne sans arrêt sur sa couche, tourmenté par l'absence de sa bien-aimée, cherchant en vain le sommeil qui lui échappe. Sa compagne lui manque au point de se sentir amputé d'un membre vital. Après une semaine de ces tourments auxquels il n'est pas habitué, Aakadé n'en peut plus. Il décide de mettre fin à ce supplice, dès le lendemain, par une célébration de son amour pour Claude-Saint-Esprit. Malgré l'interdiction expresse du père Augustin, le jeune homme prépare des plans qui ont pour but de le faire pénétrer secrètement, la nuit suivante, dans la cellule de la jeune femme.

Le 13 juin, avant-veille du mariage, le ciel est d'un bleu délavé. En fin d'après-midi, un vent, soufflant du golfe, a balayé les derniers nuages. Au coucher du soleil, des grillons stridulent dans l'air calme et doux de cette journée de printemps. La lune, dans son premier quartier, éclaire discrètement le début de la nuit. Le fort Saint-Louis est enveloppé d'un silence religieux; à part les moines, Du Val et ses domestiques, il n'abrite que Clovis, Aakadé, Claude et Antoinette. Les autres invités au mariage ne sont attendus que pour le lendemain.

Lorsque tout paraît endormi dans l'habitation et au monastère, Aakadé met son plan à exécution. Une fois sorti de chez lui, il se faufile silencieusement le long du mur de la chapelle et longe le bâtiment qui la prolonge à l'arrière. Celui-ci contient la salle commune, les cellules des moines et, tout au bout, celle où dort paisiblement Claude-Saint-Esprit. Celle-ci, en a ouvert tout grands les deux panneaux, afin de laisser pénétrer chez elle l'air parfumé de la nuit.

Arrivé au lieu dit, Aakadé, constatant que le chemin lui a été ouvert, y voit un signe de bon augure. Du lieu où il se tient, son visage au niveau de l'appui, il peut entendre la respiration régulière de

Claude, étendue sur la dure couche de bois qui lui sert de lit. Il n'a ensuite aucune difficulté à se hisser par-dessus le rebord de la fenêtre, puis à atterrir silencieusement de l'autre côté, dans la pièce. Claude est étendue sur le dos et sa poitrine, faiblement éclairée par le quartier de lune, continue de se soulever au rythme régulier de sa respiration. Aakadé s'approche d'elle, lui met la main sur la bouche et se penche vers son visage.

— C'est moi mon amour, lui dit-il tout bas.

La jeune femme se raidit aussitôt, envahie par une frayeur soudaine. Mais, lorsqu'elle entend les mots tendres de son mari et qu'elle a compris ce qui se passe, elle se détend tout à fait et jette ses bras autour du cou d'Aakadé, en poussant des petits cris de joie.

Celui-ci lui met à nouveau la main sur la bouche en lui chuchotant d'être discrète, s'ils ne veulent pas être pris en flagrant délit par les capucins. Claude rassure tout de suite son amoureux en lui disant que le moine le plus proche dormait à trois cellules de la sienne, à l'autre bout du monastère.

La jeune femme est vêtue d'une longue et ample tunique blanche en lin, serrée au cou et aux manches. Un cordon grossier et rugueux, semblable à ceux que portent les moines à la ceinture, lui enserre la taille, pénétrant dans les chairs à la façon d'un cilice. Sur le banc de bois où elle repose, la mince robe ne suffit pas à la protéger des morsures du cordon. Lorsque, en voulant la prendre à la taille, Aakadé lui arrache un cri de douleur, il s'enquiert de la cause de son mal. Il délie rapidement la corde grossière, tissée de plusieurs nœuds, deçà, delà, pour en augmenter les effets de sacrifices. Après avoir soulevé la robe pour voir les marques laissées par le cilice, il est horrifié par sa découverte. La peau douce et brune est rougie par endroits et si sensible au toucher que la jeune femme doit se mordre les lèvres pour ne pas crier. Le cœur d'Aakadé se gonfle de colère contre les capucins qui se sont permis d'attaquer sa bien-aimée jusque dans sa chair.

Avec rapidité, le jeune homme se dévêt complètement et étale ses vêtements sur le banc de bois. Puis, doucement, il retire à Claude sa tunique blanche qu'il étend sur le lit, en guise de couverture. Comme ils sont maintenant nus tous les deux, Aakadé prend sa bien-aimée dans ses bras et la serre sur sa poitrine, dans un geste protecteur. Ils se tiennent debout, dans le rayon de lune, les pieds sur le carrelage de pierre. Ils n'ont pas froid, car le désir a allumé en eux un feu qui les réchauffe et les enivre à la fois.

Après de longues minutes passées à étreindre Claude, Aakadé l'étend sur le banc de bois recouvert de leurs vêtements, sa longue chevelure noire s'étalant par terre au bout de la couche. Sa peau dorée contraste vivement avec la tunique dont la blancheur prend les éclats argentés de la lune. Il s'agenouille près d'elle et la contemple longuement. Ses petits seins, fermes et ronds, se soulèvent régulièrement, au rythme de sa respiration devenue plus rapide. Ses lèvres charnues et rouges sont légèrement entrouvertes et ses paupières sont à demi abaissées sur ses yeux pers et langoureux. Ses bras reposent le long de son corps et sa main droite s'appuie sur l'épaule gauche d'Aakadé. Son ventre plat de jeune femme, qui finit dans un pubis naturellement sans poil, vibre imperceptiblement, dans l'attente des caresses qu'elle pressent. Le mont de Vénus est encadré par les hanches qui se prolongent en longues jambes effilées, jusqu'à des pieds fins aux formes parfaites.

Longuement, Aakadé promène son regard amoureux sur ce corps qui l'enchante. Claude sait ce qu'il fait et ne veut en rien l'interrompre. Lorsqu'il se penche enfin pour l'embrasser tendrement sur la bouche, elle frémit doucement et ouvre grand les yeux. Elle le regarde avec amour pendant que, de ses lèvres enfiévrées, il taquine son menton, son cou, sa gorge et ses épaules. Il s'attarde plus longuement sur les beaux mamelons bruns de ses seins, effleure le ventre frémissant, les cuisses, les jambes et les pieds qu'il embrasse avec effusion. Après un temps de ce manège qui la tourmente délicieusement, n'en pouvant plus de se retenir, elle attire Aakadé sur elle et de ses lèvres goulues, elle dévore tour à tour ses yeux, ses oreilles, son nez, sa bouche, son cou, ses pectoraux et ses seins. À ce point, les deux amants ne peuvent plus contenir leur passion et de la couche étroite où ils sont restés jusque-là, ils roulent sur le plancher de pierres où ils continuent leurs ébats amoureux.

Une grande tendresse les guide et chacun, avec ses mains, avec sa bouche, avec tout son corps cherche à donner du bonheur à l'autre. Les deux amants nagent dans un état voisin de l'inconscience pendant une éternité au cours de laquelle ils se font mille caresses, échangent mille baisers et s'arrachent à l'un et l'autre des soupirs et des gémissements de plaisir qui remplissent la cellule, puis s'échappent par la fenêtre, dans la nuit calme de l'Acadie.

Claude et Aakadé sont si absorbés par leurs ébats, qu'ils n'ont plus la notion du temps qui passe. À mesure que s'écoulent les heures, leur passion, de plus en plus contenue, devient de plus en plus délicieuse. L'intensité de leurs sentiments et de leurs désirs augmente au point que les deux amants veulent en mourir de plaisir. Vient un temps où ils croient avoir atteint le sommet de leur passion, car ils en chevauchent la crête pendant longtemps. Mais ce n'est que pour être soulevés par une nouvelle vague qui les porte encore à un autre paroxysme. Quand ils ont accompli ce miracle à plusieurs reprises, ils croient qu'il va se renouveler sans arrêt, que leur bonheur est éternel et leur ivresse une nouvelle façon de vivre. Enfin, Aakadé prend Claude-Saint-Esprit au moment même où, dans le matin frémissant, le jour perce l'aurore de ses rayons violents qui éclaboussent à la fois le sable de la plage, les arbres de la forêt et les murs blanchis de la petite cellule du fort Saint-Louis.

La lumière du matin s'écrase sur le visage des deux amants avec un bruit si violent, qu'ils sursautent en même temps qu'ils arrivent au comble de l'orgasme. Le feu nourri provient en même temps du soleil et de deux navires, ancrés en face du Cap-de-Sable. Le grondement des canons se mêle aux derniers râles des amoureux qui se sont affaissés sur leur couche, à la fin de leur nuit d'ivresse. Comme le bruit de l'artillerie persiste, ils sont peu à peu dégrisés et ramenés à la réalité. Aakadé bondit aussitôt vers la fenêtre et reconnaît les couleurs du gouverneur d'Aulnay, flottant au grand mât des vaisseaux ancrés à portée de canon du fort Saint-Louis. La situation lui apparaît aussitôt dans toute sa clarté: Charles de Menou d'Aulnay, mécontent du refus de La Tour de se rendre à Paris pour comparaître devant le roi, a décidé de forcer le rebelle à se soumettre à la volonté royale. Lorsque plusieurs barques, remplies de soldats, sont mises à la mer et se dirigent vers la grève, Aakadé comprend qu'ils n'ont pas une minute à perdre s'ils ne veulent pas être faits prisonniers et traînés devant la justice de Paris, ou pis encore, devant celle du gouverneur d'Aulnay lui-même.

Les habitants du fort-Saint-Louis, éveillés par le bruit de l'artillerie, se précipitent en vêtements de nuit dans la cour centrale du fort, en compagnie de Clovis. À l'appel, il ne manque qu'Aakadé, Claude-Saint-Esprit et les capucins qui surgissent au même moment du monastère et rejoignent les autres aussitôt. Le choix de l'action à prendre n'est pas long à décider. Toute la population du fort Saint-Louis, ce matin-là, est composée de cinq femmes, trois enfants et sept hommes dont trois moines et un vieillard sur lesquels on ne peut compter. Les autres sont le commandant Du Val, Clovis et Aakadé qui ne pourraient suffire à repousser l'attaque d'une centaine d'hommes bien armés et supportés par le feu nourri des canons de deux navires. Il ne reste donc plus, comme solution, que la fuite qui s'organise rapidement.

En n'emportant que les vêtements qu'ils portent, la petite troupe court aussitôt vers les bois qui ne sont qu'à une centaine de pas derrière le fort. Pendant que Chégumakun conduit les autres vers le village souriquois, situé à quelques lieues seulement, du Val, Clovis, et Aakadé, cachés à l'orée de la forêt, s'attardent pour savoir ce que d'Aulnay va faire, lorsqu'il trouvera le fort complètement désert. Ils n'ont pas longtemps à attendre, car aussitôt débarqués, les soldats envahissent le poste dont la porte principale a été laissée grande ouverte. N'ayant trouvé personne, ils pillent tout ce qui leur tombe sous la main et au bout d'une heure, sur l'ordre de d'Aulnay, ils mettent le feu aux bâtiments. À la fin d'une saison plutôt sèche, le fort Saint-Louis flambe comme une meule de paille. Du lieu où ils se sont réfugiés, le commandant Du Val et ses compagnons regardent avec tristesse disparaître en fumée près de vingt ans d'histoire. Resté au bord de l'eau, comme si sa mission n'était que de détruire, non pas d'investir, Menou d'Aulnay regarde avec satisfaction le résultat de son action. À midi, il n'y a plus que les restes calcinés qui fument encore, pendant que le Gouverneur et ses hommes retournent à bord de leurs vaisseaux, et font voile aussitôt, sans même tenter d'aller à la poursuite des fuyards dans les bois. S'il manquait encore une preuve à Charles de La Tour sur les intentions de son ennemi, les événements de ce jour ne laissent planer aucun doute. Pour les témoins de l'autodafé, il est évident que, contrairement aux ordres du Roi, le but de d'Aulnay était la destruction complète du fort Saint-Louis. Il était venu avec une seule mission en tête et l'avait accomplie sans merci.

Vers la fin du jour, au moment même où le soleil va couler incandescent dans les eaux calmes de la baie Française, le navire de Charles de La Tour paraît entre les îles et jette l'ancre en face des ruines du fort Saint-Louis. Il arrive, avec sa femme et d'autres invités, pour assister au mariage d'Aakadé et de Claude-Saint-Esprit. Malgré la lumière diffuse, à cette heure du jour, il constate, avant même que de débarquer, le triste état où se trouve son habitation. Une fois à terre, Clovis lui fait le récit de l'attaque du fort par les forces de d'Aulnay.

— Comme tu arrives du fort Sainte-Marie, tu as dû croiser leurs navires, puisqu'ils sont partis aussitôt après leur méfait, ajoute-t-il en terminant.

— Je n'ai vu personne, répond La Tour, complètement effondré par le triste spectacle qu'offrent les
restes encore fumants de son ancienne demeure.

— C'est donc qu'ils sont en route vers Port-
Royal. Aurions nous quelque chance de les attraper,
si nous partions à l'instant? demande Aakadé, plus
brave que sage.

— Non, dit La Tour, les dents serrées, la mâ-
choire durcie. Je n'ai pas les forces qu'il faut. J'aurai
l'occasion de prendre ma revanche, sois en assuré.

— Charles, lui dit Clovis, je viens de voir de mes
yeux la malice du sieur d'Aulnay. Lorsque ton heure
sera venue, je serai à tes côtés.

— Merci, mon ami, tes paroles me vont droit au
cœur.

Les deux amis s'embrassent, comme pour sceller
leur pacte.

— Mais en attendant, nous oublions la raison
qui nous réunit ici, ajoute La Tour sur un ton soudainement enjoué.

Le mariage a lieu quand même le jour dit, à bord
du navire de La Tour. Il y a des réjouissances,
comme on peut s'y attendre. La tragédie, plutôt que
de diminuer l'enthousiasme des participants, semble
leur donner encore plus d'entrain, qui est une forme
de courage devant l'adversité. En dépit de toute
cette destruction, une lumière surgit, pendant cette
période si sombre de l'histoire de l'Acadie. Au mois
de février 1643, Claude-Saint-Esprit donne naissance à un garçon qui reçoit au baptême les prénoms de Clovis-Onéméchin, qui sont ceux de ces
deux grands-pères.

18

La destruction du fort Saint-Louis marque
clairement une escalade dans la guerre entre Menou
d'Aulnay et Charles de La Tour. À partir de ce jour,
les deux adversaires n'ont plus aucune retenue dans
l'expression de la haine qui les anime. Le premier
parce qu'il est persuadé d'être dans son droit, en
voulant chasser La Tour de l'Acadie, le tenant pour
un usurpateur et un mécréant de la pire espèce.
Après tout, n'était-ce pas lui, d'Aulnay, qui avait
commencé la véritable colonisation de l'Acadie?
N'est-il pas le seul gouverneur légitime de ce pays?
N'est-il pas vrai que La Tour n'a fait qu'exploiter les
richesses de la colonie, sans jamais pourvoir à sa
croissance et à son expansion? De plus, malgré la
présence de missionnaires capucins chez lui, n'a-t-il
pas professé ouvertement son manque de foi et son
mépris pour l'Église et ses institutions?

De son côté, La Tour se croit le droit du premier
occupant. Il est, après tout, l'héritier légitime de
Port-Royal. C'est lui qui a construit les forts Saint-
Louis du Cap-de-Sable et Sainte-Marie de la rivière
Saint-Jean. Grâce à son courage et sa ténacité, il a

conservé ce pays pour la couronne de France, pendant plus de vingt-cinq ans. D'Aulnay, à ses yeux, n'est qu'un voleur, un menteur et un profiteur dont les ambitions effrénées conduiront l'Acadie à la ruine. Chacun sur ses positions, les deux hommes se poursuivent avec une férocité qui n'a d'égale que leur conviction profonde d'avoir la vérité pour eux.

Même après avoir détruit complètement le fort Saint-Louis, contrairement aux ordres exprès du roi, Charles de Menou d'Aulnay est toujours le bienvenu à la cour. Ce n'est pas le cas de Charles de La Tour qui craint d'être arrêté et mis aux fers, s'il se montre en France. C'est pourquoi, lorsqu'il veut obtenir des secours pour la défense de ses postes, il délègue sa femme, Françoise Jacquelin. Cette première ambassade donne d'heureux résultats. À la grande surprise de tout le monde, la Compagnie de la Nouvelle-France accorde à La Tour un navire chargé de soldats et d'approvisionnements. Ce renfort extraordinaire convainc les Anglais de Boston de prendre parti pour La Tour et de lui accorder leur aide. C'est ainsi qu'à la tête d'une escadre de quatre navires, il fait lever le blocus que d'Aulnay a formé devant le fort Saint-Marie. Enhardi par ce premier succès, La Tour poursuit le gouverneur, qui s'est réfugié à Port-Royal, dans le but d'exiger de lui des réparations pour les pertes subies au fort Saint-Louis. Devant son refus de le dédommager, La Tour bombarde ses installations, s'empare des fourrures qu'il dit lui appartenir et incendie son moulin à farine. Dent pour dent.

D'Aulnay se plaint encore une fois à la cour et, par le fait même, discrédite complètement son adversaire auprès du roi. Françoise Jacquelin, qui est allée une seconde fois en France pour y chercher de l'aide, ne réussit même pas à obtenir une audience auprès de la reine régente. Pis encore, elle reçoit l'ordre de ne pas tenter de sortir du pays, sous peine d'être jetée en prison. C'est déguisée en matelot qu'elle quitte la France pour regagner l'Acadie. Mais lorsque son navire arrive aux environs de la baie Française, elle doit reprendre le large et filer vers Boston, car une escadre de guerre, conduite par d'Aulnay, commande l'entrée de la rivière Saint-Jean. Ce n'est qu'à la fin de l'automne qu'elle peut revenir au fort Sainte-Marie, dont le siège avait été levé. À ce moment-là, elle croise, sans le voir, le navire de son mari, en route vers Boston, pour chercher de l'aide auprès des Anglais.

Depuis le début de sa querelle meurtrière avec La Tour, d'Aulnay a réussi à s'emparer tour à tour des postes de Pentagouët et du Cap-de-Sable. À la suite de ces victoires, et avec l'appui inconditionnel de la cour, il s'est senti plus fort que jamais et a décidé de porter un grand coup, pour en finir une fois pour toutes avec ce rebelle. C'est ainsi, qu'à l'automne 1644, il entreprend, mais sans succès, le siège du fort Sainte-Marie. L'habitation compte trois canons de longue portée, tous assis sur le bastion, face à l'entrée de la rivière Saint-Jean. Les ripostes de La Tour ont un tel succès, malgré l'inégalité des forces, que d'Aulnay, voyant arriver la saison froide, décide de se retirer à Port-Royal et d'attendre une occasion plus propice avant d'agir.

Elle se présente au mois de février suivant, lorsque les trois capucins, qui ont servi La Tour pendant douze ans, le quittent subitement en compagnie de quelques soldats français, et s'en vont incontinent à Port-Royal, pour demander asile au gouverneur. Ils lui racontent que Mme de La Tour a apostasié pendant son séjour à Boston et qu'elle a été admise dans les rangs de l'Église réformée. Les moines font à d'Aulnay le récit fort imagé de la querelle religieuse qui les a forcés à abandonner leur mission du fort Sainte-Marie. Ils lui font part, aussi, du fait que La Tour est toujours à Boston et que la garnison ne compte que quarante-cinq hommes en tout, une bien petite troupe pour faire face à l'armée que d'Aulnay peut aisément lever.

Fort de ces renseignements, le vendredi 7 avril, le maître de Port-Royal fait monter trois cents hommes de troupe à bord du *Grand Cardinal,* un puissant navire de guerre armé de seize canons. Fin prêt, il met le cap sur le fort Sainte-Marie où il arrive le lendemain, vers l'heure du midi. Voulant profiter de la panique que sa venue a dû causer dans le fort, d'Aulnay passe aussitôt à l'attaque, croyant remporter, dès le premier assaut, cette forteresse affaiblie. Françoise Jacquelin ne recule pas devant son devoir et riposte avec une telle vigueur aux premières salves du *Grand Cardinal,* que d'Aulnay croit plus sage d'attendre quelques jours, avant d'ordonner un deuxième bombardement.

Profitant de cette accalmie, Françoise Jacquelin envoie un messager à Adjimsek pour y chercher de l'aide. Quelques jours plus tard, Clovis, Aakadé, Chégumakun et Ulnooé arrivent dans une pinasse qu'ils ancrent en amont des chutes et laissent à la garde de trois matelots. Sans attendre davantage, ils se dirigent vers le fort Sainte-Marie où le combat n'a, heureusement, pas encore repris. Ils trouvent les troupes de Françoise Jacquelin en bien mauvais état. La nourriture manque dans le fort et les hommes sont devenus trop faibles pour livrer une bataille de longue haleine. Il fait aussitôt quérir, par des soldats du fort, les provisions de bouche qu'il a apportées dans sa pinasse. Elles ne sont pas suffisantes pour durer longtemps, mais assez, quand même, pour redonner immédiatement aux troupes l'énergie que le froid et la disette leur ont fait perdre. Clovis apprend aussi le brave combat que les soldats de La Tour ont mené lors du premier bombardement. Françoise Jacquelin raconte la dispute qui l'a séparée des capucins. Pendant le récit qu'elle fait de ce pénible incident, il revient au seigneur d'Adjimsek le souvenir d'une autre chicane avec des missionnaires, des jésuites cette fois-là, qui avait causé le dispersement des forces de la colonie à Saint-Sauveur et le désastre qui l'avait suivi.

Cette réminiscence, qu'il garde pour lui-même, lui donne à réfléchir. Hélas! elle revient l'assaillir une seconde fois, quelques jours plus tard, lorsqu'il voit une barque se détacher du navire de d'Aulnay. À son bord, il reconnaît les missionnaires et leurs compagnons qui avaient abandonné La Tour pour passer du côté de d'Aulnay, au mois de février. Les nouveaux arrivants, ayant à leur tête le père André Ronsard, sont reçus les bras ouverts par les habitants de Sainte-Marie. Ceux-ci, qui n'ont pas l'expérience du seigneur d'Adjimsek, croient que ces hommes ne sont revenus que pour reconnaître leur erreur passée et rentrer au bercail. Comme ils ne disent rien qui puisse détromper les habitants de Sainte-Marie, ceux-ci, y compris Françoise Jacquelin, pensent qu'il s'agit là d'une première brèche dans l'armure de Charles d'Aulnay. Clovis, qui croit revivre un cauchemar, pense tout autrement. Pour lui, les missionnaires se ressemblent tous. Ceux-ci n'ont que leurs intérêts en tête et celui de leur communauté. La parole de Dieu, qu'ils sont censés répandre, n'est qu'un outil à leur disposition pour étendre leur propre pouvoir.

— Le seigneur d'Adjimsek est venu au secours des siens? entonne le supérieur des capucins, en apercevant Clovis.

— Le seigneur d'Adjimsek a une longue expérience de l'Acadie et de ses missionnaires, monsieur, répond Clovis sèchement.

— Dans ce cas, il doit bien savoir que Dieu est du côté du juste.

— Si ce que vous dites est vrai, énumérez à Mme de La Tour les raisons si justes qui vous ont amenés jusqu'ici.

Françoise Jacquelin et ses hommes sont surpris par le ton agressif de Clovis. Ils suivent le dialogue avec le plus grand intérêt.

— Nous sommes venus ici porter la parole de Dieu à nos frères catholiques. Nous voulons les sauver du malheur qui les attend, s'ils ne se repentent de leurs erreurs.

Un silence glacial accueille la déclaration du missionnaire. Ainsi, pensent Françoise et ses soldats, ces prêtres sont venus sous de faux prétextes, dans le but de ranimer la querelle qui a divisé et affaibli nos forces au cours de l'hiver.

— Le gouverneur nous a priés de vous transmettre le message suivant, continue le supérieur. Les brebis égarées qui accepteront la volonté de Dieu et du gouverneur et qui reviendront au bercail, y trouveront une vie saine, de la nourriture en abondance, une maison confortable et tout le salaire qu'ils auraient reçu, s'ils étaient restés au service de monseigneur d'Aulnay.

Le masque est enfin tombé. Ainsi, ils sont des envoyés de l'ennemi auquel ils sont restés fidèles.

Parmi les hommes du fort Sainte-Marie, un sourd grondement de colère s'élève. Seule la voix de la commandante arrête leurs bras vengeurs qui allaient faire un mauvais parti aux missionnaires.

— Messieurs, vous avez fait ici plus de mal que de bien. Retournez au lieu maudit d'où vous êtes venus. Partez avant que le courroux de mes hommes et ma propre fureur se déchaînent sur vos misérables carcasses et ne vous expédient dans l'autre monde, qui ne sera pas le meilleur, si j'en crois la fourberie qui vous anime.

Clovis est désolé de la tournure des événements. Il prend Françoise Jacquelin à part, afin de ne pas être entendu des missionnaires.

— Ne les laissez pas partir, madame, il vaut mieux les garder prisonniers et se servir d'eux comme d'une monnaie d'échange avec l'ennemi.

Mais Françoise Jacquelin, bien que courageuse et forte, n'a pas l'expérience de la guerre et ne sait pas tirer parti des événements. Elle hésite, et regarde Clovis d'un œil interrogateur. Hélas, elle n'a pas le temps de se raviser, car les capucins et leurs fidèles, effrayés par les propos de la commandante, n'attendent pas leur reste et quittent le fort rapidement. Ils s'enfuient à toutes jambes vers leur embarcation, sous les quolibets et les projectiles de toutes sortes.

— Mes hommes sont si contrariés par la tromperie des missionnaires, que j'aurais eu du mal à assurer leur sécurité, ajoute-t-elle en guise d'explication.

Leur départ devient le signal du branle-bas de combat, car personne ne doute maintenant qu'une attaque du Grand Cardinal est imminente.

Sans plus de discussion, Françoise Jacquelin prend charge de la situation. Son air décidé, sa conduite envers les capucins la mettent tout de suite en position avantageuse pour commander et s'attirer l'obéissance de ses troupes. Son allure rappelle beaucoup plus celle du soldat que de la femme normalement occupée aux travaux domestiques. Dans la main droite, elle tient un mousquet et porte en bandoulière, sur sa hanche gauche, le sac contenant ses munitions. Elle est vêtue d'une longue robe de serge grise foncée, cintrée à la taille et lacée à la poitrine. Sa chemise de toile blanche paraît dans l'échancrure, dans les longs crevés des manches et autour du cou, où elle forme un large col. Elle est chaussée de bottes noires lacées par-dessus la cheville.

Montée sur un affût de canon, le pied droit posé fermement sur la bouche du mortier, sa chevelure flottant au vent du large qui s'engouffre violemment par les portes du fort encore ouvertes, elle harangue ses hommes, pour les exciter au combat. Sa voix est rauque et percutante et ses yeux brûlent d'un puissant feu intérieur. Sa forte poitrine est tendue en avant, son double menton ferme et relevé; sa main droite est pointée vers la mer où sont ancrés le *Grand Cardinal* et la pinasse qui l'accompagne.

— Avec la grâce de Dieu qui est notre sauvegarde, s'écrie-t-elle en terminant, nous détruirons cette engeance qui nous menace. Nous sortirons vainqueurs d'un combat que nous n'avons pas cherché et pour lequel nous sommes prêts à payer de notre vie, afin que triomphe la justice et la plus grande gloire de Notre Seigneur Dieu.

Sur ces paroles braves et enflammées, elle quitte son piédestal et dispose aussitôt son maigre contingent d'hommes en trois points stratégiques. L'un est commandé par Aakadé sur la gauche, celui du centre par Clovis et celui du bastion par Françoise Jacquelin elle-même.

Durant les heures qui suivent, l'attente est longue et pénible. Pourquoi d'Aulnay n'attaque-t-il pas? Les capucins doivent être de retour depuis longtemps. Ils ont sûrement déjà dû rapporter au gouverneur les propos de Françoise et le traitement qu'ils ont reçu. Ce qu'on ignore, cependant, au fort Sainte-Marie, c'est que les missionnaires et les soldats n'étaient revenus auprès du gouverneur qu'au bout de plusieurs heures et que l'un d'entre eux manquait toujours à l'appel. Il s'agissait de leur supérieur, le père André Ronsard. En quittant le fort, les capucins et les soldats avaient tellement été intimidés par la réaction de Mme de La Tour, qu'ils avaient pris la poudre d'escampette dans le plus grand désordre et sans chercher le moins du monde à s'orienter. Dans l'énervement, le père Ronsard était parti dans une direction et le reste de la troupe dans une autre. Les moines, après avoir attendu près de la pinasse jusqu'à la tombée de la nuit, l'arrivée de leur supérieur, avaient conclu qu'il avait dû se perdre ou être capturé par les Souriquois, qui rôdent toujours aux alentours du fort. De peur de périr tous sous les flèches des Sauvages, ils étaient retournés au navire sans leur compagnon. En apprenant la disparition du capucin, d'Aulnay avait décidé de passer à l'action.

C'est donc le lendemain, à l'aube du dimanche de Pâques 1645, que commence véritablement la bataille du fort Sainte-Marie. Le ciel est gris et des nuages bas et menaçants annoncent une pluie de printemps, fine et persistante. Un petit vent, soufflant de la mer, à travers les minces cloisons des maisons, fait frissonner les habitants de Sainte-Marie qui n'ont guère fermé l'œil de la nuit. Au lever du jour, ils découvrent que, sous le couvert de l'obscurité, malgré les risques d'une telle opération, le *Grand Cardinal* s'était approché à deux cents pieds à peine de la rive dont le fort est à moins de cinquante pas. Le bâtiment est si près que, depuis les bastions, la commandante et ses hommes peuvent apercevoir d'Aulnay et ses soldats, déjà en position de combat. Cette nouvelle manœuvre du gouverneur ne les prend pourtant pas par surprise. Grâce à la discipline que Clovis et Aakadé leur ont imposée depuis leur arrivée, les troupes de Françoise Jacquelin prennent leurs postes en quelques minutes.

À trois reprises, Menou d'Aulnay, debout sur la dunette du *Grand Cardinal,* adresse un message à ceux qu'il tient pour des rebelles.

— Au nom de Sa Majesté le roi Louis XIV dont je suis ici le seul et légitime représentant, je vous somme de vous rendre et de vous soumettre à sa volonté. Auquel cas, il ne vous sera fait aucun mal et vous serez reçu avec toute l'indulgence que vous méritez.

Une forte salve répond à la troisième admonition du gouverneur. Les canons du bastion, en même temps que les fusils et les cris des soldats, répondent sans équivoque à l'appel de d'Aulnay.

Il n'en faut pas davantage pour que les seize pièces d'artillerie du *Grand Cardinal* crachent de tous feux sur le fort Sainte-Marie. Mais, par un mauvais tir, les premiers boulets de d'Aulnay viennent tous s'écraser au pied de la palissade, la manquant de quelques pas, tandis que les trois canons de Françoise Jacquelin atteignent leurs cibles: le mât de misaine du *Grand Cardinal* est abattu, une batterie du pont arrière est complètement détruite et un boulet fait un grand trou, juste au-dessus de la ligne de flottaison. Enhardis par ce premier succès, les hommes de Sainte-Marie poussent des cris et des hurlements de joie qui sont entendus sur le *Grand Cardinal*. Hélas, après la première salve, les trois canons de Sainte-Marie n'ont plus autant de succès, car le feu nourri des soldats de d'Aulnay les empêchent de répéter leur exploit.

Pendant les heures qui suivent et jusqu'au milieu de l'après-midi, les berges du bassin de la rivière Saint-Jean se renvoient les échos d'une féroce bataille. Entre les deux rives se répercutent le grondement des canons et le crépitement des fusils. Par une salve bien nourrie de d'Aulnay, les vitres du fort Saint-Marie volent en éclats, les ardoises des toits sont trouées en plusieurs endroits, pendant que les boulets s'enfoncent dans l'épaisse palissade, sans toutefois la traverser. Le mur de seize pieds de hauteur, est constitué de lourdes poutres de charpente de près d'un pied d'épaisseur. Au coin sud-est du fort, se dresse le bastion de pierres, surmonté de l'artillerie.

À trois heures de l'après-midi, l'issue de la bataille reste toujours indécise. Un seul homme du fort Sainte-Marie est tombé, mais six au moins, dans le camp de d'Aulnay ont été fauchés par un coup de canon bien placé. Cette différence dans le nombre de morts des deux factions n'est pas suffisante pour faire pencher la balance du côté de Françoise. Son visage, animé par l'excitation du combat, est noirci par la poudre des mousquets. Telle une Jeanne d'Arc à la tête de son armée, elle est partout à la fois. Elle va d'un poste de combat à l'autre, encourageant celui-ci, consolant celui-là, n'hésitant pas, pour donner l'exemple, à épauler son fusil et à répondre aux salves ennemies.

C'est pendant une visite de la commandante à son poste que Clovis lui fait part d'une découverte inquiétante. Un peu plus tôt, il a observé des mouvements à travers les branches des arbres à l'est du fort. Il a aussitôt envoyé Chégumakun en reconnaissance. Lorsque celui-ci était revenu au bout d'une demie-heure, il était porteur d'une mauvaise nouvelle. À l'insu des habitants de Sainte-Marie, vingt soldats du Gouverneur d'Aulnay avaient réussi à mettre pied à terre, du côté ouest, sans être repérés.

— Ils ont sans doute débarqué avec l'intention première de retrouver le père Ronsard. Pourtant, la batterie qu'ils ont apportée avec eux m'inquiète plus que tout. Elle paraît assez puissante pour faire une brèche mortelle dans la palissade.

— Que faire, monsieur d'Adjimsek? s'exclame Françoise, alarmée par de tels propos.

— Permettez-moi, madame, de sortir avec quelques hommes pour anéantir cette tête de pont.

— C'est un travail fort dangereux et je ne dispose pas d'un grand nombre de soldats pour vous accompagner, monsieur.

— Pourtant, madame, si nous ne sortons pour les détruire, en peu de temps, des dizaine de soldats viendront à terre et envahiront le fort. Nous n'aurons plus alors que le choix entre nous rendre ou bien être tués.

— Que me proposez-vous donc, monsieur d'Adjimsek?

— Je ne prendrai que Chégumakun et Aakadé avec moi et nous sortirons par la poudrière. N'est-elle pas vide, en ce moment, madame?

— Oui, monsieur. Toutes les munitions ont été distribuées aux soldats. Ma dame de compagnie et mon fils, qui n'a que trois ans, s'y sont réfugiés, avec une vieille servante.

— Nous sortirons par la petite porte dérobée qui s'y trouve et qui donne dans la forêt. Si peu nombreux, nous n'attirerons pas l'attention et pourrons cerner l'ennemi par derrière. L'effet de surprise nous permettra d'abattre le plus grand nombre et de faire le reste prisonnier. Croyez-moi, il s'agit bien là de la solution la plus simple, avec le plus de chances de réussir.

— Cette patrouille, une fois abattue, monsieur d'Aulnay ne la remplacera-t-il pas par une seconde, puis par une troisième?

— Je ne crois pas, madame. Il tentera plutôt de débarquer en force. Car il sait sûrement que nous sommes peu nombreux. Les capucins ont dû déjà l'informer de notre faiblesse. Je suis même fort étonné qu'il ne l'ait pas déjà fait, puisqu'ils sont huit fois plus nombreux que nous. Nous devons donc maintenir un feu nourri pour les empêcher de prendre pied.

— Soit, monsieur. Il en sera comme vous le conseillez. Je vous recommande d'être fort prudents, afin que vous nous reveniez sains et saufs. Nous avons besoin de préserver toutes nos forces pour remporter la victoire finale.

— Monsieur de La Tour, lorsqu'il connaîtra vos propos nobles et courageux, madame, n'aura aucun regret d'avoir laissé en des mains si habiles, le sort de sa maison.

Sur ces paroles, les trois hommes quittent la poudrière et s'engagent dans la forêt, à l'ouest du fort. Depuis le *Grand Cardinal,* un tir nourri continue toujours à pleuvoir sur Sainte-Marie. Malgré cela, ils contournent, par la forêt, la palissade nord et, sans être repérés, ils débouchent, après une demi-heure, à une centaine de pas de l'endroit où la batterie de d'Aulnay s'est installée. Les soldats s'affairent à préparer leur canon qui est dirigé vers la grande porte du fort, qu'ils ont sans doute pour mission d'abattre.

Après un bref conciliabule, il est décidé d'attaquer d'abord avec des flèches. Elles sont plus silencieuses que les mousquets et les arcs plus rapides à réarmer. Encore à l'abri des arbres, les quatre hommes choisissent chacun une première, une seconde et une troisième cible. Il leur faudra agir avec une grande rapidité et faire mouche à tout coup, s'ils veulent abattre, en moins de quinze secondes, plus de la moitié du contingent ennemi. À ces conditions seulement, il sera possible à Clovis et ses hommes, de créer des conditions de surprise et de panique, puis d'épauler leur fusil et d'abattre encore au moins quatre soldats. Ce serait ensuite un jeu d'enfant que de venir à bout des quatre ou cinq survivants et de prendre le poste d'assaut. Enfin, l'ambition de Clovis est de retourner le canon ainsi capturé, vers le *Grand Cardinal* et de tenter, à si courte distance et grâce à un boulet bien placé, de l'envoyer par le fond.

Après avoir soigneusement choisi leurs cibles et pris position, Clovis donne le signal de l'attaque. La première partie de l'opération marche comme prévu. Chacun des quatre hommes tire trois flèches successivement et avec grande rapidité. En moins de temps qu'il ne faut pour le dire, douze hommes sont tombés et les sept qui restent ne perdent pas de temps, lorsqu'ils se rendent compte de ce qui se passe.

Avant même que Clovis et ses compagnons ne saisissent leurs mousquets, les soldats de d'Aulnay épaulent déjà les leurs et tirent vers le lieu d'où sont parties les flèches. Il s'en faut de peu qu'Aakadé ne soit atteint. Il a la vie sauve parce qu'il s'est penché, juste à ce moment, pour prendre son arme. S'il était resté debout, il aurait été fauché par le tir ennemi. Quant à Clovis et Chégumakun, les balles sifflent à leurs oreilles et pendant qu'elles se perdent dans les bois, les deux hommes font feu à leur tour sur l'ennemi. Un soldat tombe encore, puis deux autres. Les quatre survivants, craignant maintenant pour leur propre vie, n'attendent pas une nouvelle attaque et s'enfuient aussitôt à toutes jambes vers l'embarcation dans laquelle ils était venus.

À peine les quatre soldats de d'Aulnay ont-ils disparu, qu'un lourde explosion se fait entendre, suivi du craquement distinct du bois qui éclate. Pour Clovis et ses hommes, le fracas paraît venir de la façade du fort. Comme leur mission est partiellement accomplie, ils se regroupent vivement et partent à toute vitesse vers le lieu de l'explosion. Ils sont maintenant à découvert, les balles sifflent à leurs oreilles et des boulets, à deux reprises viennent s'écraser derrière eux, les éclaboussant de terre et de pierres.

Ils ne ralentissent pas leur course pour autant et arrivent devant l'entrée du fort, pour constater que les grandes portes ont été abattues par un tir particulièrement efficace du *Grand Cardinal*. D'épaisses pièces de bois de chêne gisent de tous côtés, éparpillées comme des fétus de paille. Des morceaux de fer tordu pendent ici et là, ou jonchent le sol. Deux cadavres déchiquetés et démembrés ont été jetés de tous les côtés par la force de l'explosion.

D'Aulnay a dû concentrer le tir de trois ou quatre canons à la fois sur les grandes portes, pour qu'elles volent en éclat avec une telle violence. À l'intérieur du fort Sainte-Marie, Françoise Jacquelin, malgré le bruit de la bataille, hurle des commandements pour regrouper autour d'elle les forces qui lui restent.

Pendant ce temps, sur le *Grand Cardinal,* une centaine de soldats de d'Aulnay, après avoir réalisé que la voie leur est maintenant ouverte, sont montés dans une barque et se dirigent rapidement vers la rive. En moins de dix minutes, ils sont à terre, mousquet au poing, au moment même où Clovis et ses hommes pénètrent dans le fort par la brèche ouverte dans la porte d'entrée. De petits incendies, allumées ici et là, par le feu soutenu de l'artillerie ennemie, brûlent en amortissant. Une fumée épaisse et âcre s'en dégage et flotte à maints endroits, se mélangeant à l'odeur sulfureuse de la poudre des canons et à celle fétide et nauséabonde du sang.

Les cris des soldats de d'Aulnay, qui se ruent vers l'entrée béante du fort Sainte-Marie, ajoutent encore à la grande confusion qui règne déjà. Clovis donne l'ordre à Aakadé et Chégumakun d'aller protéger la famille de Mme de La Tour, encore enfermée dans le bastion. Au même moment, Françoise, montée sur l'affût d'un canon renversé, émerge de la fumée, donne l'ordre à ses hommes de tirer sur les envahisseurs. C'est pure folie, car elle n'a plus que vingt hommes mal équipés autour d'elle, pour faire face à des troupes huit fois plus nombreuses et bien armées. Malgré leur faiblesse numérique, les soldats de la commandante, enflammés par ses appels, épaulent vivement leurs mousquets et, à l'unisson, ils tirent une volée si bien placée qu'elle abat une dizaine d'hommes dans les premiers rangs de d'Aulnay, ce qui les fait ralentir, puis s'arrêter. Clovis et Aakadé se sont approchés de Françoise, la tirent de son perchoir et avec Chégumakun, ils n'ont que le temps de la pousser vers la fumée et de la dissimuler aux regards ennemis.

Au même moment, sur les ordres du gouverneur, ses soldats, bien entraînés, franchissent l'entrée, par-dessus les débris et s'avancent en deux rangs serrés à l'intérieur du fort. Encore un commandement et ils s'arrêtent devant l'écran de fumée, pendant que ceux du premier rang mettent un genou en terre. Ils épaulent leurs mousquets et la première rangée fait feu dans l'épaisse fumée qui a maintenant envahi presque tout l'intérieur de la palissade. Des cris de douleur répondent aussitôt à cette première fusillade qui est suivi peu après d'une autre, tirée par le deuxième rang. Pendant ce temps, Clovis et Aakadé tentent de se diriger vers le bastion pour y mettre Françoise en sécurité. Ils ont beaucoup de mal à y arriver, à cause du désordre de leurs troupes, des embûches sous leurs pas et de la fumée qui leur brûle les yeux. Ils savent qu'ils ont atteint leur but, lorsqu'ils rencontrent Chégumakun qui garde l'entrée de la poudrière où s'est réfugié la vieille servante avec le fils de La Tour.

Au moment où ils vont ouvrir la porte pour y mettre Françoise à l'abri, quatre soldats de d'Aulnay surgissent devant eux, comme s'ils avaient attendu en embuscade à cet endroit. Ce sont les survivants de l'attaque contre la batterie et qu'ils ont laissés s'échapper, un peu plus tôt. Ils semblent s'être ressaisis tous les quatre, car ils sont maintenant armés et prêts à passer à l'attaque. Leurs gestes sont rapides, précis et bien coordonnés. Avant que

Clovis, Aakadé ou Chégumakun, surpris par l'apparition soudaine, aient eu le temps de réagir, les quatre hommes lèvent leurs armes à l'unisson et les mettent aussitôt en joue.

Sur le *Grand Cardinal,* des soldats ont préparé une attaque concentrée de six canons sur la poudrière qu'ils croient remplie d'explosifs.

Au même instant, l'esprit de Clovis se met à tourner à une vitesse folle. Les quelques secondes qui s'écoulent entre le moment où les soldats lèvent le canon de leurs fusils et celui où ils se décident à presser la gâchette, forment dans sa tête un vaste espace de temps qui se remplit aussitôt d'images successives, plus réelles encore que le péril dans lequel il se trouve.

Les grands événements de sa vie se déroulent devant ses yeux avec une vitesse prodigieuse et une clarté éblouissante. Sur un fond de musique bourdonnante et soutenue, Mnésinou surgit devant lui et lève son poignard au-dessus de la tête de Membertou pour le trucider. Puis, tel un spectateur témoin d'un événement, il se voit brandir son propre sabre et, avec un grand cri, pourfendre en deux le guerrier armouchiquois. Cette scène fait aussitôt place à une autre qui lui paraît aussi vive que la première. Sur le pont du *Jonas,* il aperçoit Sésip qui s'avance au devant de lui, tenant Aakadé par la main. Son beau visage est défait par la terreur, sa longue chevelure noire et soyeuse, flottant au vent, dans le mouvement de sa course. Les odeurs du carnage qui l'enveloppent sont si réelles, que Clovis a tout à coup la sensation exaltante qu'une chance extraordinaire lui est accordée de changer le passé et de sauver la vie de Sésip. Une incroyable énergie s'empare de lui et il se rue, dans un grand cri, vers sa bien-aimée. Il est persuadé que cette fois il va l'atteindre et la sauver avant que le terrible engin de mort ne la fauche en plein milieu.

Six pièces d'artillerie du *Grand Cardinal* explosent simultanément et leurs boulets rouges fauchent tout sur leur passage.

Il semble alors à Clovis que l'univers s'est arrêté. Il a beau y mettre toutes ses forces, l'élan qui le portait vers Sésip est freiné par quelque force invisible. Cette immobilisation soudaine lui insuffle l'énergie du désespoir et lui arrache un grand cri. Au même moment, il réussit à saisir enfin la main de sa bien-aimée, en même temps qu'une grande douleur le frappe au côté droit. Un voile noir descend aussitôt devant ses yeux, la terre cède sous ses pas et son corps, devenu soudainement très lourd, s'engouffre dans un abîme sans fond.

Le coup, bien calculé, a frappé la palissade à côté de la poudrière, où il fait un grand trou. Cette dernière attaque produit de si grands résultats qu'elle met fin, peu après, au combat. Les soldats de Mme de La Tour se rendent, ayant été complètement encerclés par ceux de d'Aulnay. Peu à peu, le bruit de la bataille cesse complètement et tous ceux qui sont encore debout s'occupent d'éteindre les petits incendies qui brûlent ici et là, car la fumée épaisse qu'ils répandent empêche tout mouvement à l'intérieur du fort.

Près d'une heure plus tard, lorsque le théâtre du combat s'est éclairci, Charles de Menou d'Aulnay quitte son navire-amiral pour venir prendre possession du dernier poste qui le rend maître de l'Acadie tout entière. C'est avec une satisfaction non dissimulée qu'il pénètre enfin au cœur même du domaine de son ennemi pour constater l'importance de sa victoire. Malgré la désolation qui l'entoure, les cris

des blessés et l'étendue du désastre, le maître de
Port-Royal sent une joie immense l'envahir. Debout
au milieu des débris et des cadavres, le sourire aux
lèvres, il contemple son œuvre avec orgueil.

Après une brève tournée des lieux, il parvient au
pied de la poudrière. Sur le sol, la face contre terre,
gît Françoise Jacquelin, qui ne paraît qu'évanouie.
Ironiquement, les quatre soldats de d'Aulnay, qui se
trouvaient en ce lieu, ont été fauchés par le tir du
Grand Cardinal. Un médecin, aussitôt appelé,
constate leur décès, puis se penche sur le corps de
Mme de La Tour. En quelques minutes, elle reprend
conscience et peu après, elle se relève par elle-même
pour faire face à son vainqueur. L'ayant aussitôt reconnu, elle se tient debout, droit devant lui, la tête
découverte, le menton levé, le regard fier et plein de
défi.

— Une rapide inspection, madame, m'ont appris
que quelques-uns de vos soldats vous ont désertée,
lui déclare d'Aulnay de but en blanc.

La commandante soutient le regard du gouverneur, mais reste silencieuse.

— Je ne vois pas ici les cadavres du seigneur
d'Adjimsek, ni celui de son fils. Je sais, par les capucins, qu'ils étaient avec vous au moment de
l'attaque. Vous auraient-ils abandonnée avant le
combat, ou bien auraient-ils déserté votre compagnie, incapables de supporter l'ardeur de la bataille?

Le ton du gouverneur est calme mais cinglant.
Sous l'ironie des derniers mots, perce une colère
montante.

— Je ne vous permettrai pas, monsieur, d'insulter
le nom de mes amis, reprend vivement Françoise
Jacquelin, l'œil courroucé, la voix à nouveau ferme
et dure.

— Vous ne paraissez pas avoir appris votre leçon, madame. Vous n'avez plus à permettre ou à nier
quoi que ce soit en ces lieux. Vous êtes ma prison-
nière, parce que vous avez perdu, lui crache-t-il avec
mépris.

Puis, se tournant vers ses soldats qui n'attendent
que ce moment, il fait un grand geste de la main en
désignant les lieux. Aussitôt, deux cents détrous-
seurs se répandent dans les moindres recoins du fort
Sainte-Marie et s'adonnent au pillage de tout ce qui
a survécu aux bombardements.

D'Aulnay fait entreprendre une battue des environs, pour savoir où sont passés Clovis et son fils.
Après plusieurs heures de recherches, ses hommes
étant revenus bredouilles, il abandonne les fouilles,
sachant bien que leur connaissance des lieux et la
protection que leur accordent les Souriquois les
rendent hors d'atteinte. Il avisera bien plus tard de la
conduite à tenir à leur endroit.

Pendant ce temps, il fait mettre aux fers les dix-
huit survivants du combat, permet à Françoise de se
retirer avec son fils et la vieille servante, dans un des
bâtiments épargné par miracle et remet sa justice au
lendemain. Ce qui ne fait rien pour adoucir le sort
des vaincus. Car le gouverneur ne décolère pas que
les hommes de La Tour lui aient résisté avec autant
d'acharnement. Il juge qu'une telle conduite mérite la
mort et les condamne à être pendus. Françoise
Jacquelin est condamnée à assister à la lente stran-
gulation de ses soldats dont quelques-uns sont déjà
à moitié morts. Ce spectacle barbare prend toute la
journée du lendemain, après quoi, les capucins rendent les derniers devoirs aux exécutés qui sont en-

terrés dans une fosse commune, creusée devant le fort.

Malgré la force de caractère qu'elle a manifestée dès le premier jour de son arrivée en Acadie, la commandante de La Tour est moralement brisée après avoir été témoin du supplice infligé à ses hommes dont plusieurs, avec les années, étaient devenus des amis fidèles et des serviteurs dévoués. Quelques jours plus tard, un des hommes de d'Aulnay la surprend à tenter de faire parvenir un message à son mari, à Boston, par un courrier souriquois. Rendu furieux par les agissements de Françoise Jacquelin, le gouverneur ordonne aussitôt qu'elle soit séquestrée chez elle, dans un bâtiment à moitié détruit. Le lundi 8 mai 1645, quelques semaines seulement après la chute du fort Sainte-Marie, la commandante de La Tour rend l'âme dans des circonstances incertaines.

19

À bord de la pinasse qui a amené Clovis depuis Adjimsek jusqu'au fort Saint-Marie, les trois matelots qui la gardent ont passé le dimanche de Pâques partagés entre l'inquiétude et l'angoisse. Durant toute la journée, les échos de la canonnade leur sont parvenus en se répercutant sur les collines le long de la rivière Saint-Jean. L'un d'eux, qui se croit des dons de voyance, a tenté, à plusieurs reprises, de se porter au secours de son maître. Les deux autres l'en ont dissuadé car, dirent-ils, celui-ci leur avait donné comme consigne de rester à bord de la pinasse afin d'être prêts en tout temps à faire voile rapidement vers Adjimsek. Mais, à un moment, vers la fin de l'après-midi, le bruit de la bataille s'étant considérablement intensifié, l'illuminé avait sauté dans la rivière pour aller prêter main-forte aux assiégés. Les deux autres avaient eu beaucoup de mal à le ramener à bord, car il se démenait comme un diable en criant que le seigneur d'Adjimsek faisait face à un mortel danger. Cette dernière crise ayant ébranlé ses compagnons, ceux-ci avaient décidé d'ignorer la consigne et d'aller aux nouvelles, du côté du fort Sainte-Marie.

C'est déjà la fin de l'après-midi, lorsqu'ils se mettent en marche. Il leur faut se hâter s'ils veulent arriver avant la brunante. Ils ont à peine quitté la petite embarcation, qu'ils aperçoivent, se dessinant à l'horizon, le profil d'une étonnante caravane qui vient vers eux. Lentement, mais craintivement, ils continuent à avancer dans sa direction. À mesure qu'ils se rapprochent d'elle, ils distinguent deux hommes qui marchent lentement en tirant chacun un cheval par la bride. Les matelots, inquiets, tiennent leur arme prête, juste au cas. Mais lorsqu'ils ne sont plus qu'à une centaine de pas, ils n'ont aucune peine à reconnaître Chégumakun et Ulnooé qui marchent devant les chevaux. La première bête porte en selle deux hommes dont l'un, qui paraît être un moine, soutient l'autre par derrière avec ses bras. Sur la seconde, en travers de la selle, est étendu le corps d'un homme dont les bras et les jambes se balancent au rythme de la marche de l'animal.

Un des matelots appelle Chégumakun par son nom, mais le Souriquois ne répond pas. Lorsque les chevaux se sont immobilisées, c'est le moine qui prend la parole.

— Venez m'aider à descendre monseigneur d'Adjimsek. Il est gravement blessé. Il nous faut lui donner des soins immédiatement.

Avec précaution, les marins de la pinasse et les Souriquois transportent Clovis à bord du navire et le déposent sur un lit improvisé, vers l'avant de la pinasse.

— Si les nouvelles ne sont pas bonnes pour votre maître, continue le capucin, elles sont encore plus mauvaises pour son fils. Il est mort, fauché par le tir des soldats du gouverneur.

— Je le savais, dit celui qui a des visions. J'ai eu des prémonitions si funestes que j'ai voulu me porter à son secours.

— Comment cela s'est-il passé, Chégumakun? demande l'un des matelots au Souriquois.

— Tout est arrivé rapidement, vers la fin de l'après-midi. Clovis, Aakadé, Ulnooé et moi-même allions tous être tués par quatre soldats de M. d'Aulnay, surgis près de nous lorsque, au même moment, une terrible canonnade les faucha tous les quatre. Hélas, elle tua aussi Aakadé et blessa Clovis fort sérieusement. Par quelque miracle, mon frère Ulnooé et moi fûmes épargnés. Après être revenus du choc de l'explosion, nous découvrîmes Clovis gisant la face contre terre. Il tenait, serrée dans la sienne, la main de son fils, dont le cadavre, avec un trou en pleine poitrine, était étendu à ses côtés. À la faveur de la fumée qui cachait nos mouvements, mon frère et moi transportâmes les deux corps à l'arrière du fort où nous savions qu'il y avait des chevaux. Nous fîmes diligence et nous pûmes nous échapper avant que les hommes de d'Aulnay n'envahissent Sainte-Marie pour le piller. C'est ainsi que nous découvrîmes le père Ronsard, tapi au fond d'un épais taillis à quelques centaines de pas du fort, et tremblant de peur. Ayant été séparé de ses compagnons la veille, au moment où ils s'étaient enfuis soudainement, il se terrait dans la forêt depuis ce temps, trop effrayé par le bruit de la bataille pour sortir de sa cachette.

— Je suis un homme de paix, dit le capucin, et non un homme de guerre. Dieu est ma seule arme.

Pendant le récit de Chégumakun, le corps d'Aakadé est transporté à bord du navire et placé au fond, vers l'arrière. Le missionnaire, après avoir dit quelques prières pour le repos de son âme, se rend au chevet de Clovis qu'il veille le reste de la nuit.

Le lendemain matin, dès la barre du jour, la pinasse met la voile vers Adjimsek où, grâce à un bon vent, elle jette l'ancre entre chien et loup, le même jour. Claude-Saint-Esprit, son fils dans ses bras et entourée des domestiques du Mont-Louis, est au quai pour l'arrivée du navire. À la mine sombre des voyageurs et à leur réticence à répondre aux salutations de bienvenue, elle a le pressentiment qu'un malheur est arrivé. Lorsque, dans un silence terrible, le corps inanimé de son beau-père est descendu à terre et transporté immédiatement à l'intérieur de l'habitation, la jeune femme est effondrée. Elle soupçonne tout de suite la vérité, lorsque des regards muets et attristés répondent à ses questions sur le sort de son mari. Quand le capucin lui apprend, avec ménagement, la nouvelle de sa mort, les servantes qui l'entourent croient qu'elle va se trouver mal. Pendant que l'une d'elles, par précaution, s'empare de l'enfant, la jeune femme devient toute pâle, sa bouche se met à trembler. Pas un son pourtant, ne passe ses lèvres, pendant que ses yeux se mouillent et que deux larmes descendent lentement sur la peau soyeuse de ses joues.

Alors que les marins transportent le cadavre d'Aakadé dans une chambre du Mont-Louis, Claude-Saint-Esprit suit lentement derrière, le corps droit, la tête baissée. Une fois dans la maison, son visage est redevenu impassible, sa douleur muette et insondable. Peu après, elle demande des nouvelles de son beau-père.

— Vous le verrez dans quelques minutes, madame. Il est encore inconscient, répond le père Ronsard.

— Va-t-il mourir, mon père?

— Dieu seul peut répondre à cette question, madame.

— Conduisez-moi auprès de lui, ordonne-t-elle au capucin avec beaucoup d'autorité.

Le père Ronsard ne croit pas bon de lui tenir tête et la mène dans la chambre de Clovis. Le maître d'Adjimsek est étendu sur le dos, toujours inconscient. Les servantes lui ont retiré ses vêtements et il repose sous les draps, les bras étendus le long du corps. Sa belle tête à l'abondante chevelure grisonnante, relevée par un coussin, est rejetée en arrière. Sa respiration est si faible qu'on voit à peine sa poitrine se soulever. Claude regarde Clovis quelques instants, se penche près de sa bouche et met la main sur son front qu'elle trouve brûlant de fièvre.

— Fais chercher l'aoutmoin, dit-elle à Chégumakun qui l'a suivi dans la chambre de son ami.

— Mais, madame... interrompt le père Ronsard.

Mais il n'achève pas sa phrase, car le regard de Claude suffit à lui faire taire ses scrupules. Peu après, ayant aussitôt répondu à l'appel, le médecin des Souriquois demande qu'on le laisse seul avec le malade. Il passe auprès de lui plus d'une heure au bout de laquelle il émerge de la chambre, pour dire que le maître d'Adjimsek demande à parler à sa belle-fille. L'aoutmoin s'efface pour la laisser passer. Claude-Saint-Esprit entre chez son beau-père et s'approche de sa couche.

Clovis a les yeux mi-ouverts et sa respiration est haletante. À la vue de sa belle fille, un faible sourire effleure ses lèvres et il serre dans la sienne la main qu'elle y dépose.

— Venez tout près, ma fille. Mes forces diminuent bien rapidement. Il me faut mettre de l'ordre dans mes affaires, car le Seigneur Dieu va me rappeler à lui.

Claude tressaille à ces paroles, mais ne dit pas un mot. Elle presse légèrement la main de son beau-père qui s'interrompt un moment avant de continuer.

— Il est déjà venu chercher mon fils, votre époux, qui a donné sa vie pour sauver la mienne. Que ces quelques heures qui me restent sur cette terre prouvent que son sacrifice n'aura pas été tout à fait vain et qu'elles servent à me bien préparer à l'aller rejoindre.

Une fois ces paroles prononcées avec grand effort, Clovis ferme les yeux, son souffle devient un peu plus rapide et il retombe dans l'inconscience. Claude-Saint-Esprit se tourne vers l'aoutmoin pour qu'il revienne auprès du malade. Mais il est déjà parti et c'est le père Ronsard qui répond à sa place. Claude ne s'en formalise pas, car elle ne se leurre pas sur la condition de son beau-père. Il a peu de chances de survivre à ses blessures qui sont au côté droit. Pourvu qu'il retrouve ses esprits, pense-t-elle, et qu'il puisse faire ses adieux à chacun comme il le désire. La jeune femme a oublié sa propre douleur et ne pense plus qu'au seigneur d'Adjimsek dont elle désire faire les dernières volontés.

Aussitôt qu'il approche, Ronsard vient s'agenouiller près de la couche du mourant et commence à réciter à haute voix la prière des agonisants. Dans la pièce attenante, les marins et les domestiques du Mont-Louis ont fait comme le prêtre et se sont mis à genoux, répétant les paroles après lui. Le murmure de la prière s'élève lentement et une sorte de bourdonnement emplit la demeure, s'échappant ensuite par les fenêtres et par les portes entrouvertes.

Le capucin continue les oraisons jusqu'à dix heures du soir, alors que la lassitude commence à gagner les fidèles. Claude-Saint-Esprit, qui n'a pas quitté son beau-père un seul instant, a la joie de lui voir remuer les lèvres, de façon à peine perceptible. Elle étend la main, touche son front brûlant de fièvre et pour la centième fois, elle trempe une plume dans l'eau et la glisse sur les lèvres desséchées du mourant. Cette fois, il entrouvre la bouche, pour laisser pénétrer l'eau. Claude en dépose encore quelques gouttes et ses lèvres ont un léger mouvement, comme si le malade essaie de dire quelque chose. La jeune femme continue le même traitement et après quelques tentatives, Clovis réussit à faire entendre des sons. D'un geste de la main, Claude-Saint-Esprit fait taire les prières et dans le silence soudainement retrouvé, tout le monde peut entendre les efforts que le seigneur d'Adjimsek fait pour livrer son dernier message. Même la brise, qui plus tôt glissait par les fenêtres ouvertes, s'est arrêtée, comme si toute l'Acadie était dans l'attente. Après un moment, Clovis entrouvre les yeux et regarde droit devant lui, son visage éclairé par la lumière des chandelles qui créent des ombres dansantes sur les murs de la chambre.

— Oh, Père céleste, vous avez entendu nos prières et vous nous avez rendu votre serviteur, Clovis, le temps qu'il vous plaira. Béni soit votre saint nom, prononce le père Ronsard.

— Béni soit votre saint nom, reprend en chœur l'auditoire.

— Claude-Saint-Esprit! prononce Clovis dans un murmure.

— Oui, père, je suis là, répond la jeune femme. Quelle est votre volonté?

Clovis prend de longues minutes avant de répondre, comme s'il rassemblait ses forces, pour donner à ses dernières paroles toute l'énergie dont il est capable.

— Ma fille, dit enfin le malade, voici mon testament.

Il y a encore une très longue pause, pendant laquelle l'auditoire reste silencieux.

— Je veux m'adresser à mes serviteurs, continue Clovis. Je vous dis merci pour tous les services que vous m'avez rendus sur cette terre. Si j'ai eu le malheur de vous offenser, je vous en demande pardon de même que je pardonne à tous ceux qui m'ont offensé. Je sais que mon fils bien-aimé m'a précédé auprès du Très-Haut. Seigneur, ayez pitié de votre fidèle serviteur Aakadé et recevez-le avec la plus grande joie, lui qui n'a jamais fait que votre sainte volonté. Veillez sur tous les miens qui me survivront, ils sont bons et honnêtes serviteurs de votre Divinité qu'ils honorent, chacun dans sa langue et chacun à sa façon. Je veux maintenant dire adieu à mes frères, les Souriquois. Faites venir Chégumakun et Ulnooé auprès de moi.

— Mes amis, mes frères, leur dit Clovis, lorsque les deux hommes sont agenouillés près de sa couche.

Il étend les deux mains vers eux. Instinctivement, ceux-ci en saisissent chacun une dans les leurs. Les Souriquois, pour qui la mort ne suscite pas chez eux autant d'émotions que chez les Français, prennent, malgré eux, un air solennel.

— Chkoudun et vous, vous m'avez redonné la vie, pendant laquelle j'ai appris ce que c'était que d'être Souriquois. Je suis devenu un homme nouveau lorsque vous m'avez reçu dans votre tribu. Je vous en remercie de tout cœur. Je m'en vais maintenant chez le Grand Manitou. Mais je ne vous abandonne pas et je vous reverrai au pays des chasses éternelles.

Après le départ des deux hommes, Claude-Saint-Esprit revient s'agenouiller auprès de Clovis.

— Bonne et douce Claude-Saint-Esprit. Vous ignorez toujours la vérité entourant votre naissance. Comme j'ai fini par l'apprendre, je ne voudrais pas vous quitter sans vous l'avoir révélée. Votre mère, Nébé, avait donné sa vie en échange de la vôtre. Les deux sages-femmes souriquoises qui avaient aidé à l'accouchement, prirent peur lorsqu'elle rendit l'âme, tout de suite après vous avoir donné le jour. Craignant les foudres du gouverneur Biencourt, elles subtilisèrent le corps de votre mère et lui donnèrent une sépulture appropriée, quelque temps plus tard. Afin de se disculper, les deux femmes racontèrent qu'un char de feu était venu du ciel et avait emporté Nébé qui échappait ainsi aux souffrances terrestres. La puissante lumière qui avait pénétré dans la chambre et qui avait fait croire à la théorie du char de feu, n'était que l'éclat du soleil, entrant soudainement par la porte ouverte, lorsque les deux femmes sortirent le cadavre de Nébé. Comme Biencourt et La Tour venaient de vivre plusieurs jours dans la demi-obscurité, ils furent aveuglés par cette illumination subite et extraordinaire. Je n'ai su que beaucoup plus tard, par Membertouchoichis, le véritable rôle joué par les deux femmes, mais je ne vous l'ai jamais révélé, car je voulais tant que ce char de feu fût vrai et qu'il eût emporté votre mère auprès du Grand Manitou. Aujourd'hui, je souhaite qu'un char de feu vînt aussi me chercher et me menât auprès de Nébé, de mon fils Aakadé et de mon épouse Sésip. Je verrai aussi ma mère, la marquise de Guercheville et mon père, le duc de Liancourt. Ils m'attendent tous dans le havre de paix où j'aspire à aller bientôt les rejoindre.

La voix de Clovis paraît s'éteindre, en prononçant ces dernières paroles. Il reste silencieux pendant de longues minutes. Lorsqu'il recommence à parler, sa voix est à nouveau claire et ferme.

— Ma fille, allez chercher, dans mon cabinet, le coffre que vous savez, et dans lequel je garde les papiers importants de la maison d'Adjimsek. Apportez-le moi, afin que je vous transmette son contenu.

Claude s'exécute aussitôt et, quelques instants plus tard, elle revient avec un coffre rectangulaire en bois d'ébène, fermé par un couvercle arrondi aux ferrures de cuivre jaune. Elle le dépose sur le rebord du lit, à la droite de Clovis. Trop faible pour le faire lui-même, le malade prie sa belle-fille de prendre à son cou une chaînette à laquelle est suspendue une petite clé d'or, finement ciselée et lui ordonne de s'en servir pour ouvrir le coffre.

— Je lègue tous mes biens à mon petit-fils Onéméchin, qui deviendra bientôt le deuxième seigneur d'Adjimsek. Tant qu'il ne sera pas majeur, ma fille, c'est vous qui en ferez la gestion. Mes biens consistent en les terres d'Adjimsek, y compris l'habitation. Onéméchin hérite aussi des biens de son père, qui comprennent les bijoux et joyaux qu'il a reçus à la mort de sa grand mère. Nous les avons enfouis, il y a longtemps, en un lieu secret qui n'était connu que d'Aakadé et de moi-même. Comme il n'est plus pour vous y conduire, vous trouverez dans ce coffre une carte qui indique le lieu de cette cachette et le trésor qu'elle contient. La marquise de Guercheville avait spécifié, dans son testament, que ces joyaux et ces pierres précieuses devaient former le patrimoine de ses enfants et de leurs descendants. À part cette consigne de ma mère, je vous donne comme tâche d'assurer la survivance matérielle de tous mes serviteurs jusqu'à leur mort. En dehors de cette exigence, vous ferez comme vous l'entendrez, de tout ce que je laisse.

Puis, le Seigneur d'Adjimsek s'arrête un moment et ferme les yeux. Sa respiration, à nouveau est devenue striduleuse. L'effort qu'il vient de fournir l'a beaucoup fatigué. Claude craint, pendant un moment, qu'il retombe à nouveau dans l'inconscience. Elle va demander d'aller à nouveau chercher l'aoutmoin, lorsque Clovis ouvre doucement les yeux et sourit faiblement à sa belle-fille.

— Claude, faites approcher votre fils.

Lorsque Onéméchin, qui n'a pas encore trois ans, est amené auprès de son grand-père, il se tient avec le plus grand sérieux le long de la couche, en regardant le malade droit dans les yeux. Clovis le fait venir plus près encore et prend ses deux mains dans les siennes. L'enfant n'a pas peur. Impressionné par la solennité du moment, il sent instinctivement qu'il doit accorder toute son attention à ce qui se passe.

— Onéméchin, mon enfant, commence Clovis, vous serez bientôt le chef de la maison d'Adjimsek, pour laquelle Notre Seigneur Dieu a de grands desseins. Il m'a mené en ce Nouveau Monde, m'y a guidé pendant près de quarante ans, m'y a fait prendre racine et assuré la croissance de ma race dont vous êtes le descendant. Soyez à l'écoute de sa parole, afin qu'il vous guide dans l'accomplissement de sa volonté.

Ayant dit ces mots, Clovis se tait, pendant qu'Onéméchin contemple son grand-père avec gravité.

— Faites maintenant venir le prêtre, ma fille, ajoute-t-il à l'intention de Claude-Saint-Esprit, il est temps de mettre de l'ordre dans mes affaires avec Dieu.

Le père André Ronsard, qui se tient tout près, n'attend que le moment de procurer au moribond, les secours de l'Église.

— Je veux, mon père, que vous entendiez ma confession, que vous me donniez les derniers sacrements et que vous célébriez ensuite la messe, ici même, dans ma chambre.

— Je veux bien vous donner le sacrement de pénitence, monseigneur, je n'y vois aucune difficulté. Mais, venu jusqu'ici à l'épouvante, je n'ai pas avec moi les objets du culte et les vêtements liturgiques nécessaires...

— Qu'à cela ne tienne, révérend père, interrompt Clovis avec lassitude. Claude, faites chercher la caisse qui est dans mes entrepôts et dont je vous ai déjà dit qu'elle venait de la colonie de Saint-Sauveur.

— Oui, père, répond la jeune femme, en s'exécutant.

— Votre seigneurie aurait-elle donc tout ce qu'il faut pour célébrer la sainte messe?

— Oui, monsieur. Ce sont les ornements et vases que ma mère et des nobles de la cour du roi Henri IV, donnèrent aux jésuites, en l'année 1613, pour les besoins de la nouvelle mission d'Acadie. Après la destruction de Saint-Sauveur et le retour en France des jésuites, ceux-ci me rendirent ces objets, afin que je les transmette au continuateur de leur œuvre. Hélas, je m'en confesse, j'ai failli en cette tâche, ayant oublié la promesse que j'avais faite au père Biard. Dieu voulut que je m'en souvins en ce jour, afin que je puisse lui rendre grâce pour tout ce qu'il m'a accordé.

Pendant ce temps, Claude a fait apporter, dans la chambre du malade, une caisse en bois de cèdre, dont les côtés sont retenus par des bandes de métal rouillé. Ils déposent ce lourd objet près du lit de Clovis et se mettent en frais d'ouvrir le couvercle qui est fermé depuis plus de trente ans. Il faut de grands efforts pour y arriver, mais enfin il cède, livrant aux yeux des spectateurs ébahis, les riches couleurs rouges, noires, blanches, vertes, mauves et or des vêtements liturgiques. Avec des gestes remplis de révérence, le père Ronsard déplie chasubles, manipules, étoles, amicts et aubes. Tous ces vêtements sont encore en excellent état, tant ils avaient été rangés avec soin dans ce coffre aux parois de plus de deux pouces d'épaisseur.

— Ronsard, dit Clovis de sa faible voix, je veux que vous revêtiez les vêtements de couleur or. Que la messe que vous allez chanter, en soit une de joie, non de tristesse, de célébration, non de regrets.

— Oui, monseigneur, répond le capucin en sortant de la caisse les ornements brodés d'or.

Avec d'infinies précautions, il prend dans ses mains la chasuble qui va servir au sacrifice de la messe, la déplie délicatement, puis la soulève par les épaules, afin de la bien faire voir à Clovis et aux fidèles. En faisant ce geste, le vêtement s'ouvre à la grandeur et de ses plis, tombe sur le plancher un objet inattendu. Claude-Saint-Esprit se penche aussitôt et prend dans ses mains une longue et épaisse enveloppe en parchemin. À l'arrière, on peut voir encore les restes séchés d'un sceau en cire rouge. Instinctivement, elle la remet à Clovis qui, malgré sa faiblesse, n'a rien perdu de ce qui s'est passé. La vue de cet objet, qu'il a tout de suite reconnu, lui donne une émotion si forte, que Claude-Saint-Esprit croit que son beau-père va rendre le dernier soupir, mais le malade tient le coup. Pendant un moment, il contemple l'enveloppe qu'il retourne dans tous les sens, un peu comme on fait d'un objet qu'on voit pour la première fois, pour en deviner le contenu sans l'ouvrir. Sur un côté sont écrits les mots: «À ouvrir après ma mort. A. de Pons de Guercheville.» Des larmes viennent aux yeux de Clovis, pendant que mille pensées s'entrechoquent dans sa tête. La perte de cette enveloppe, qui a causé tant de chagrin à sa mère, qui lui a occasionné tant de peines quand il s'est mis à sa recherche, s'était trouvée, tout ce temps, en sa possession, sans qu'il s'en doute un seul instant. Si Clovis avait accompli la promesse faite au père Biard de rendre aux missionnaires d'Acadie les vêtements liturgiques que celui-ci leur destinait, le mystère aurait été depuis longtemps éclairci. C'est donc cette cachette que quelqu'un avait choisi, pour mettre en lieu sûr, les documents que Clovis avait confiés à René Le Coq de La Saussaye. Cette personne, qui restait toujours inconnue, ne s'attendait sans doute pas qu'il faudrait autant de temps avant qu'ils ne revoient le jour. Il n'y a plus, dans cette pièce, d'autres témoins de cette époque, que Clovis, Chégumakun et Ulnooé. Personne d'autre qu'eux trois, ainsi que sa belle-fille, à qui il l'a racontée, ne connaît la fameuse histoire des documents disparus. Sans savoir pourquoi, les témoins de cette scène ont deviné qu'il vient de se produire un événement d'importance dans l'histoire de la maison d'Adjimsek.

Clovis ferme les yeux, et des larmes, qu'il n'a pas versées depuis la tragédie de Saint-Sauveur, coulent lentement sur ses joues creusées. C'est comme si ses émotions avaient été suspendues, à cette occasion et n'avaient attendu que le retour d'un symbole de ces temps lointains, pour se manifester à nouveau. Claude-Saint-Esprit, surprise et inquiète à la fois par la nouveauté du phénomène, s'approche de son beau-père et le regarde avec sollicitude.

— Père, lui dit-elle, ne tenez-vous point maintenant, ce que vous avez tant cherché?

— Oui, ma fille, vous avez bien deviné, répond celui-ci.

— Que voulez-vous que je fasse?

— Ronsard, répond-il en s'adressant au missionnaire, je suis bien faible et je voudrais que Dieu me donne encore une heure de vie, car il me reste une tâche à accomplir ici-bas. Vous allez entendre ma confession et me donner les derniers sacrements, après quoi vous direz la messe dans la pièce d'en face, pendant que ma belle-fille me lira les documents que nous venons de découvrir. Le Seigneur-Dieu ne pourra m'en vouloir d'utiliser le temps de la messe pour mes affaires, car il s'agit d'un message d'outre-tombe. Faites ainsi que je vous le demande.

Pendant que les gens sortent et que d'autres préparent l'autel dans la pièce d'en face, le père Ronsard s'assied près du lit de Clovis. Penché vers lui, le capucin entend la confession du seigneur d'Adjimsek. À la toute fin, le religieux s'arrête et regarde le moribond, tenant toujours l'enveloppe dans ses mains, comme s'il craignait qu'elle lui échappe une fois de plus

— Monseigneur, n'est-ce pas là le document que cherchait depuis si longtemps monseigneur de Vendôme? demande le capucin en désignant le pli en parchemin.

Clovis, étonné par le remarque, regarde le religieux avec un intérêt si soutenu, que celui-ci finit par se troubler.

— Ne vous inquiétez pas, mon père. Sans le savoir vous venez de donner réponse à une question qui m'a troublé toute ma vie durant. Lorsque vous retournerez en France et à la cour, et que vous reverrez le duc de Vendôme, dites-lui bien que si vous avez assisté à ma mort, vous n'avez pas connu l'extinction de ma race.

Clovis fait une longue pause pour reprendre son souffle, avant de continuer.

— Maintenant, donnez-moi les derniers sacrements.

Après avoir administré l'extrême-onction au malade, le capucin le laisse ensuite seul avec sa belle-fille. Clovis lui remet alors l'enveloppe.

— Il ne me reste plus beaucoup de temps, ma fille. Hâtez-vous.

Claude-Saint-Esprit s'assied sur le bord du lit, tourné vers son beau-père, prend les précieux documents. D'un doigt, elle ouvre aisément l'enveloppe dont le pli n'est plus retenu par le cachet de cire. Le sceau, devenu fragile et sec avec le temps, s'était-il cassé de lui-même, en plusieurs morceaux? Ou bien quelqu'un l'avait-il brisé pour prendre connaissance du contenu des documents? Clovis va mourir sans connaître la réponse à cette question. Pendant que Claude-Saint-Esprit retire de l'enveloppe les longues feuilles de papier jauni qu'elle contient, la voix du père Ronsard leur parvient de la pièce d'en face.

— *Confiteor, Deo omnipotenti, beatae Mariae semper virgini, beato Michaeli archangelo, beato Johanni Baptistae, sanctis apostolis Petro et Paulo; omnibus sanctis et tibi, pater, quia peccavi nimis cogitatione, verbo et opere: mea culpa, mea culpa, mea maxima culpa.*

Clovis ferme les yeux et croise ses mains sur sa poitrine. Alors, la jeune Souriquoise commence d'une voix claire la lecture de la première feuille de ce qui paraît être une longue lettre de la marquise Antoinette de Guercheville.

20

À mon fils, Clovis de Pons et d'Adjimsek.

Mon cher enfant, quand vous lirez ces lignes, le Seigneur Dieu m'aura rappelée à Lui et j'espère que, dans Sa Grande Miséricorde, Il aura pitié de mon âme de misérable pécheresse. Toute ma vie, j'ai voulu faire Son Œuvre, accomplir Sa Volonté, mais j'ai souvent été distraite du droit chemin par les artifices du Malin qui a placé maintes embûches sur ma route.

Jusqu'à ce jour, vous avez été tenu dans l'ignorance d'un grand nombre de faits concernant votre naissance et vous n'avez jamais su le nom de vos parents naturels. Je veux que, par cette lettre, vous appreniez la vérité afin que vous puissiez suivre la voie que Dieu vous a tracée sur cette terre. Mon fils, ne jugez pas mes actions, laissez à Dieu ce soin car c'est en Sa Mansuétude que j'ai grande espérance.

C'est le 18 décembre de l'année 1574 que je vis Henri de Navarre pour la première fois. J'étais à la cour du nouveau roi Henri III où mon père,

Antoine de Pons, Comte de Marennes, m'avait présentée l'année d'avant. Le Roi de Navarre rentrait de la chasse, ce jour-là, et son visage était fort animé par l'excitation que lui avait causé cet exercice. J'avais quatorze ans, il en avait vingt et un et je le trouvai beau.

Quelque chose en ce prince me frappa et m'exalta à la fois. J'éprouvai, à sa rencontre, une émotion si forte que ma cousine de La Trémoïlle, qui m'accompagnait, dut me pousser vers un fauteuil. Elle crut que je m'étais trouvée mal par la trop grande chaleur qu'il faisait dans la pièce où nous nous trouvions. Je réussis si bien a lui cacher la véritable cause de mon émoi que, jusqu'à ce jour, ma cousine croit toujours que je suis de santé fragile.

Lorsque je lui fus présentée, le Roi ne prêta pas la moindre attention à ma personne. Au moment de faire ma révérence, il me dit seulement: «N'êtes-vous point la fille de M. de Marennes avec qui nous avons chassé à Fontainebleau, le mois dernier?» Je fus trop émue pour oser lui répondre. Heureusement, M. de Rosny qui était avec lui, le fit à ma place. Puis, le Roi de Navarre se tourna vers ses gentilshommes et leur raconta un incident survenu au cours de cette chasse. Je fus fort marrie par son indifférence qui me transperça le cœur.

Cependant, avec le temps, je commençai de voir les choses d'un tout autre œil. Depuis le premier jour où je le rencontrai, je sus que je ne désirerais jamais qu'une seule chose, c'était d'être à lui pour toujours et de ne le jamais partager avec personne. Si le prince de Navarre eût éprouvé pour moi une émotion semblable à

celle que je ressentis pour lui, nous eussions été
placés dans une bien délicate position. Je savais
que son caractère volage ne pouvait l'attacher à
un seul être. De plus, le Roi était déjà marié. Or,
j'avais été élevée dans la croyance que Dieu ne
permettait l'intimité entre l'homme et la femme
que par le sacrement de mariage. Je n'eus jamais
voulu, pour rien au monde, offenser mon
Seigneur-Dieu en devenant la maîtresse de ce
grand prince.

L'émotion que j'avais éprouvée avait été si intense et ses conséquences, si je m'y abandonnais,
auraient été si désastreuses que je pris la décision,
sur-le-champ, de ne jamais la révéler à qui que ce
fût. Mon sens du devoir prévalut, car elle est
restée cachée jusqu'à ce jour. Je fus heureuse
seulement d'avoir vécu auprès du Roi et d'avoir
pu le servir de quelque façon.

Vous êtes le premier à qui je fais ces
confidences qui n'ont plus d'importance dans le
lieu où je me trouve maintenant. Je ne les ai
même jamais dites à Sa Majesté ou encore, à mon
confesseur, le père Coton. C'est un secret entre
Dieu et moi. Pourtant, je crois que vers la fin de
sa vie, le Roi a commencé à comprendre l'intensité
de mon amour pour lui.

Je ne prends que quelques lignes, mon
fils, pour vous exprimer mes pensées les plus
intimes. Cependant, pour les comprendre clairement, je mis plusieurs années, pendant lesquelles
j'éprouvai des souffrances infinies. Sans doute,
Notre Seigneur, dans Sa Mansuétude, m'en épargna de plus grands, car pendant les quinze années qui suivirent, je réussis à mettre cette émotion en veilleuse, sinon à éteindre complètement

cette grande passion qui me dévorait si ardem-
ment.

Ce n'est que vers la fin de l'an 1589 que le Roi
de Navarre, devenu plus tôt cette année-là, Roi de
France, me remarqua pour la première fois et
réveilla en moi la grande passion que j'avais cru
éteinte. J'assistais à Dieppe, ce jour-là, à une fête
que donnait le gouverneur de la ville, le sieur
Aymard de Chaste, en l'honneur de Sa Majesté
qui le tenait en fort haute estime.

Pendant la soirée, le Roi, dont c'était la manière, me fit ouvertement la cour; sans ambages il
m'obligea à comprendre qu'il aurait voulu que les
choses allassent plus loin que je ne le lui laissais
espérer. Je fus trop bouleversée, en cet instant,
pour lui faire connaître mes sentiments; mes actes
lui firent croire à mon indifférence. Cependant,
quand j'eus plus tard recouvré tous mes esprits,
je lui opposai le refus qu'il convenait. Ma résistance, plutôt que de le décourager, lui fit redou-
bler ses efforts pour arriver à ses fins. J'étais au
bord du désespoir; si le Roi poursuivait encore ses
avances, je ne savais pas si j'aurais la force de lui
résister bien longtemps.

Fort heureusement, je m'ouvris au père Coton
des agissements de Sa Majesté qui, d'ailleurs,
n'étaient plus un secret pour personne. Mon confesseur m'encouragea à la prière, afin d'obtenir
que Dieu m'accordât la force de résister aux
appâts de l'honneur et du pouvoir. Ce n'était
pourtant pas là ce qui m'attirait chez le Roi, mais
je ne dis rien pour le détromper.

Les choses allèrent de cette façon pendant plusieurs mois où Henri me faisait une cour de plus
en plus pressante et me demandait de devenir sa

maîtresse, allant jusqu'à me promettre de me prendre ensuite comme épouse. Je savais la chose impossible, puisque, d'une part, Sa Majesté était déjà mariée à Mme Marguerite de Valois et que, d'autre part, je n'étais pas d'une maison où l'on choisissait les reines. La tradition qui gouvernait les accouplements des princes héritiers du trône de France, voulait qu'ils choisissent des princesses étrangères, venant souvent d'Espagne ou de Toscane. À la réflexion, je sais bien que ce ne sont là que lamentables excuses. La vérité est que j'aurais aimé mieux mourir que de partager l'affection du Roi avec d'autres femmes.

Le printemps suivant, les choses en étaient encore là et la difficulté semblait ne jamais pouvoir être surmontée. À ma grande surprise, une solution commença de paraître, venant de milieux qui, jusque-là, étaient les plus improbables du monde. C'est le père Coton, mon confesseur lui-même, qui me l'apporta, après avoir longuement prié Dieu de l'éclairer.

Le saint homme me dit que le Ciel m'avait appelée à une très grande vocation et que, dans ces cas, la commune mesure ne s'appliquait plus. Les rois, avait-il ajouté, étaient oints du Seigneur, ce qui les plaçait au-dessus de leurs sujets. On ne pouvait leur appliquer les lois qui gouvernaient ordinairement les autres hommes. Mon confesseur convenait avec moi que je ne pouvais être l'épouse du Roi. Cependant, si pour son bonheur et le plus grand bien de l'État, il fallait que je partageasse sa couche, Dieu verrait d'un œil favorable une pareille union. Ce qui était pour le commun une faute mortelle devenait dans ce cas un acte de grande vertu. Les cieux s'étaient ouverts.

Afin de vous éclairer davantage sur la façon de voir qu'avait le père Coton, je transcris ici un passage d'une lettre qu'il m'écrivit à cette époque.

«*Dans des circonstances d'exception, il faut des actes d'exception. Dieu vous a placée en position privilégiée, vous appelant à jouer un rôle qu'Il ne va pas assigner à d'autres.*

«*Bien que votre âme aspire à une grande pureté, elle doit accepter que sa vocation lui en désigne une autre, d'une nature semblable à celle que connut la Sainte Mère de Dieu à la visite de l'Archange Gabriel. Je vous engage à faire, le plus tôt possible, une longue confession par laquelle vous pourrez épancher votre âme.*

«*Mettez, Madame, toute votre conduite avec Sa Majesté sous le signe de la plus grande discrétion. S'il plaisait à Dieu que vous connussiez le Roi, que pareil événement demeure un secret et ne le partagez qu'avec Sa Majesté. Si vous devez faire si grand sacrifice de votre pudeur, Dieu vous saura gré que vous ne le claironniez pas.*»

En apparence, je ne me rendis pas de suite au raisonnement de mon confesseur mais, dans mon cœur, c'était comme si j'y étais déjà. Je revis le Roi à plusieurs reprises, mais nous n'étions jamais très longtemps seuls et c'était toujours dans des endroits où il y avait beaucoup de gens. Un jour pourtant, la chance me sourit et je pus échanger quelques mots avec Sa Majesté. C'était le 16 avril de l'an 1590, pendant une fête donnée au château de M. de Rosny, chez qui Sa Majesté venait de faire une chasse.

Dans un bref aparté, le Roi mit un objet dans ma main en me disant qu'il me trouvait la plus belle de toutes les femmes et qu'il m'aimait plus que tout au monde. Je ne répondis pas à ces expressions de Sa Majesté qui étaient toujours extrêmes et je baissai pudiquement les yeux. En fin de compte, des gentilshommes de ses amis survinrent et me tirèrent de cette embarrassante situation.

Quelque peu étourdie, après cet incident, je ne restai pas plus longtemps à la fête et je rentrai chez moi, serrant toujours dans mes jupes l'objet que le Roi y avait mis. Une fois seule, je l'examinai avec émotion. C'était un sachet de soie rouge, retenu par des cordons de fil d'or. Lorsque je l'ouvris enfin, il livra à mes yeux éblouis la plus belle et la plus grosse pierre précieuse que j'aie encore jamais vue. C'était un énorme saphir d'un bleu si lumineux que je ne me lassais pas de le regarder tant il me fascinait. Dans le sachet, je trouvai un mot du Roi que j'ai joint à cette lettre pour vous montrer combien Sa Majesté mettait de la force dans ses arguments.

«Mon cœur, ne soyez plus cruelle et faites-moi la grâce d'accueillir dans votre intimité celui qui ne vit et n'aspire qu'à faire votre plus grand bonheur. Quand vous serez prête, portez cette pierre à votre cou. Par ce signe, je deviendrai le plus heureux des hommes. Dans l'attente, madame, de faire de vous la plus heureuse des femmes, je baise un million de fois vos blanches mains.

                                                    Henry

Ce trentième jour de mai 1590»

Il s'écoula encore une semaine avant que je me décide à porter le saphir que m'avait offert Sa Majesté. L'occasion m'en fut donnée par une petite ruse du Roi qui voulait jouer au galant. Sous prétexte que la nuit l'avait surpris à la chasse dans les terres de M. de Rosny, il m'envoya un compagnon, M. de Loménie, avec un billet me priant de lui accorder l'hospitalité pour la nuit.

Je sentis tout de suite que les événements me servaient à souhait et acquiesçai avec reconnaissance à la requête royale. Parée de l'étincelant saphir, je reçus le Roi avec magnificence. Il crut, avec justesse, qu'il avait atteint son but. À peine s'était-il retiré dans les appartements que j'avais fait préparer pour lui et où il croyait que j'allais l'y rejoindre, que je fis atteler mon coche et m'en fus chez Mme de P., dont le château était à moins d'une lieue de chez moi, ostensiblement pour faire voir au Roi et à son entourage, que je n'allais pas devenir sa maîtresse.

Comme on peut s'y attendre, Henri fut fort dépité et c'est dans une grande colère qu'il regagna ses appartements. Sa Majesté, ainsi que je l'avais voulu, se crut trahie par ma fuite et son ire, si authentique, donna à penser aux gens présents, que j'avais, à mes grands périls, rejeté ses avances, une fois pour toutes. Le Roi était si contrarié par ce qui venait d'arriver, qu'il se mit au lit aussitôt et renvoya ses gens, les priant de le laisser seul pour la nuit.

C'est moi qui, avec ma fidèle Josephte, avait préparé la suite des événements. Ma gouvernante était, depuis longtemps, celle en qui je pouvais déverser toutes mes confidences, sans courir le risque qu'elles soient jamais portées au grand jour. Je lui fis part de mes conversations avec le père Coton et de ma décision de céder une fois aux avances du Roi, à condition que notre rencontre ne fut jamais connue de qui que ce soit. Je lui expliquai ensuite ce que j'attendais d'elle et le rôle qu'elle aurait à jouer, pour que j'arrive à mes fins. Josephte me promit de faire ainsi que je le lui demandais, assurée qu'elle était, que j'agissais toujours pour la plus grande gloire de Dieu et du Roi.

Donc, après que j'eus publiquement rejeté les avances de Sa Majesté, je me retirai chez mon amie, Mme de P., qui m'avait prêté sa demeure, pendant qu'elle était à Paris. J'y fus en quelques minutes et dans une chambre que j'avais fait préparer pour cette occasion, j'attendis le Roi, dans un état qui alternait entre l'angoisse et l'euphorie.

Pendant ce temps, Josephte avait pénétré, par un passage secret, jusque dans la chambre royale. Pour ce faire, elle avait emprunté une galerie de l'ancien château fort qui s'élevait derrière La Roche-Guyon. Elle ne fit connaître sa présence à Sa Majesté qu'après que celle-ci eut demandé à ses gens de La laisser seule. L'étonnement du Roi fut immense, mais sa joie plus grande encore. En peu de temps, il avait donné la consigne à son entourage de ne plus le déranger pour la nuit. Guidé ensuite par Josephte, il fut conduit hors du château par le même passage dérobé, jusqu'en un lieu discret où l'attendait une monture. Il n'eut plus qu'à se laisser guider par la lumière de la lampe qui brûlait à la fenêtre de la chambre où je l'attendais. C'est ainsi que je connus le Roi.

Puis, le lendemain matin, ainsi que Sa Majesté me l'ordonna, je partis en exil, n'emmenant avec moi que ma demoiselle d'honneur, Anne d'Au-

bourg et mon confesseur, le père Coton. Comme j'avais été complice des amours de cette dernière, elle ne cessa point, pendant la première journée du voyage, de me parler avec grande abondance de son amoureux et des vifs sentiments qu'elle éprouvait pour sa personne. J'eus droit à l'expression de sa reconnaissance, car elle m'avoua que la nuit qu'elle venait de vivre, avait été la plus mémorable qu'elle eût jamais connue jusqu'à ce jour. Tout le temps que dura ce discours, j'éprouvai quelque peine de l'impossibilité où j'étais de raconter à Anne les heures délicieuses que je venais de vivre dans la compagnie du Roi. J'offris à Dieu cette souffrance, comme faisant partie de la tâche qu'Il m'avait assignée sur cette terre, pour mon salut.

Je vous épargne les détails de l'exil, puisqu'ils vous sont déjà connus. Mais ce que vous ne savez pas, c'est que le 15 mars 1591, encore à Pons, je donnai naissance à un enfant qui était des œuvres du Roi. Et cet enfant, mon fils, c'était vous.

Ma vue se trouble en écrivant ces mots. J'aurais tant voulu vous crier la vérité, vous dire que j'étais plus que votre mère adoptive, mais la promesse que j'avais faite à Dieu de ne jamais révéler que j'avais été la maîtresse du Roi, m'en empêchait à tout jamais. Cependant, toute votre vie, vous m'appelâtes «ma mère» et je vous appelai «mon fils». N'est-ce pas ce qui compte?

Je ne vous l'ai pas encore dit mais, à la suite de cette nuit heureuse avec son beau chevalier, Dieu avait voulu qu'Anne fût enceinte des œuvres de ce jeune homme et que nous fissions nos couches à Pons, presque en même temps. Malgré l'intimité qui nous liait Anne et moi, je ne lui confiai jamais le nom du père de mon enfant et, à ma demande, elle ne me posa jamais la question. Ma compagne, hélas, n'eut pas le même bonheur que moi, puisque son fils mourut la nuit même de sa naissance. Ce drame la jeta dans une douleur si grande que, pendant tout le reste du séjour à Pons, sa santé menaça de dépérir tout à fait. Malgré son triste état, elle continua de me servir avec la plus grande dévotion. C'est elle qui, de retour à La Roche-Guyon, vous mit au cou le médaillon en cuivre, représentant un pis de brebis, qui était un cadeau du Roi. C'est elle aussi qui s'en fut vous déposer dans une manne de la lingerie du château, afin qu'on vous y découvrît. Les choses tournèrent de façon telle que je pus vous garder toujours auprès de moi dès les premiers moments de votre existence.

Fort heureusement, de tout ce qui s'était passé pendant mon exil à Pons, seule la grossesse d'Anne d'Aubourg et la naissance de son enfant transpirèrent jusqu'à Paris. Voilà pourquoi tout le monde crut que c'était le fils de ma demoiselle d'honneur qui avait été découvert dans la lingerie et que j'avais par la suite adopté. Vous n'êtes pas sans savoir que le ligueur fanatique qu'était le père d'Anne, aurait mis sa fille à mort sans hésiter s'il avait appris qu'elle avait eu un enfant avec Loménie, un suppôt de la religion réformée.

Comme vous pouvez le constater, Anne, dans cette affaire, fut un ange de patience et fit preuve d'une grandeur d'âme pour laquelle je lui garde une gratitude éternelle. Elle avait instinctivement senti qu'elle me protégeait, puisqu'elle ne protesta que mollement, lorsqu'on l'accusa d'être la mère de l'enfant. La chose était d'autant plus cruelle pour elle, puisqu'elle avait perdu son fils quelques *heures seulement après sa naissance. Par la suite, pas une seule fois ne sortit de sa bouche la moindre parole qui aurait pu laisser percer la vérité à ce sujet.*

Si vous pensez que j'ai mal agi, je vous prie de me pardonner. Dans mon cœur, cependant, je ne sens pas avoir commis de faute. J'ai toujours vécu dans la crainte de Dieu et j'ai toujours fait Sa Volonté. Laissez-Le me juger comme bon Lui semble.

Lorsque j'eus accédé enfin à la demande du Roi, je ne voulus pas que la nouvelle de notre rencontre s'ébruitât. En fait, je désirais même que personne, en dehors de Sa Majesté, de moi-même, du père Coton et de Mme Josephte, ne soupçonnât même que l'événement avait eu lieu. Je savais pouvoir compter sur la discrétion absolue de mon confesseur et de ma gouvernante, mais qu'en était-il de celle du Roi? Pour cela, j'exigeai de Sa Majesté qu'elle n'en soufflât jamais le moindre mot à qui que ce soit de notre rendez-vous. Celui-ci, qui aime tant faire étalage de ses aventures galantes, promit de bonne grâce de se plier à mes exigences, car il voyait bien que je ne céderais jamais sur ce point. Jusqu'à la fin, je n'eus jamais à me plaindre de sa discrétion.

Je vais maintenant vous faire part d'autres événements qui vous touchent de près. Deux semaines seulement avant sa mort, le Roi me fit parvenir le message le plus extraordinaire qui soit. Le voici, attaché à cette lettre:

«À madame Antoinette de Pons, marquise de Guercheville, à Paris, ce premier jour de mai de l'an de grâce 1610.

Madame, lorsque la Reine, ma mère, reçut cette prophétie du sieur Michel de Nostradamus, à l'été de 1566, elle crut que le vieil homme avait perdu la raison, car elle ne trouvait aucun sens aux paroles du sixain qui aurait dû tracer l'avenir du prince de Navarre, le futur Roi de France.

Lorsque nous le rencontrâmes au mois d'octobre de l'an 1564, Nostradamus nous avait paru l'homme le plus sain et le plus naturel du monde. Je n'avais que onze ans à cette époque et le vieillard avait examiné ma personne avec grande attention afin d'y deviner mon avenir.

Près de trente ans plus tard, lorsque je venais d'entrer dans Paris, je relus toutes les prophéties du mage me concernant et je fus obligé de constater que celle qu'il avait envoyée à la Reine ma mère et qui n'avait pas été publiée dans les Centuries, ne paraissait pas m'être destinée.

Pendant plusieurs années, je n'ai plus pensé à cet inexplicable sixain. Un jour, tout récemment, je l'eus entre les mains encore une fois. Après le passage de tant d'années la prophétie, quand je la relus, prit une autre signification. Il m'apparut alors que si le sixain était destiné à Clovis, son sens devenait parfaitement compréhensible. Lisez-le, madame, en pensant à notre fils. Vous y trouverez tracé tout son avenir et celui de sa descendance.

Henry»

Le Roi avait joint à sa lettre la prophétie que, quelques jours seulement avant sa mort, M. de Nostradamus avait fait parvenir à sa mère, la reine Jeanne de Navarre. La voici:

«À l'Illustrissime, Très-puissante Reine Jeanne de Navarre, Michel Nostradamus son très humble, et très obéissant serviteur et subject, victoire et félicité.

Madame, je suis à ce point rendu de mon existence qu'il m'en reste fort peu avant que je ne dusse rendre compte de mes actions au Créateur. Le Seigneur Dieu m'a comblé en ce bas monde des plus grands dons de vision et j'ai déjà exprimé dans mes écrits ce que je voyais de l'avenir de la France et du monde, de celui des Valois, des Bourbons et de votre fils Henri de Navarre.
Lorsque je rencontrai ce prince, le 17 octobre de l'an 1564, je vis à l'instant que j'étais devant une personne extraordinaire. J'eus tout le loisir de l'examiner de la tête aux pieds et dans le plus simple appareil. J'avais déjà, à cette époque, écrit quatrains et sixains concernant le futur Roi de Navarre et ne changeai rien à ce que j'avais déjà dit.
Pourtant, pendant l'examen de cet enfant, je ne pouvais m'empêcher de voir combien sa descendance allait prolonger sa maison non seulement par delà les siècles, mais aussi, par-delà les mers. Il m'est alors venu une vision que j'ai pu écrire, mais que je n'ai jamais, jusqu'à ce jour, ajoutée aux autres visions que j'ai déjà eues concernant votre fils Henri. Je l'ai, jusqu'à aujourd'hui, gardé pour moi seul. Avant qu'il ne soit trop tard, je sens que je dois la faire connaître à Votre Majesté. Je transcris ce qui me fut alors inspiré:

Sicambre né de Vendosme et Ponese
Race à derrain en Arcadie genèse,
Mise en desfaulx, quatre cents ans pasra;
César l'agnat pointera Franc loyal,
Mépris faus voir dans l'engeance royal,
Cap inocent, par le peché Casra.

Michel Nostradamus

Fait à Salon-de-Provence, en ce jour de la
Saint-Jean de l'an de grâce 1566»

Que vous en semble, mon fils? N'est-ce point-là
le message le plus extraordinaire que l'on puisse
recevoir et n'indique-t-il point que vous et votre
descendance êtes destinés aux plus grandes
choses dans ce monde? Cette lettre est aussi le
seul document dans lequel Sa Majesté reconnaît,
par écrit, être votre père. C'est la raison pour
laquelle je ne voulais pas qu'il tombât entre des
mains ennemies, car j'avais toutes les raisons de
craindre que s'il était jamais connu, votre vie
serait en danger.

Je ne me trompais d'ailleurs pas et les événe-
ments qui marquèrent votre enfance, nous donnè-
rent, au Roi et à moi, les plus grandes inquiétudes.

C'est dans le but de préserver notre secret que,
la nuit où nous vous conçûmes, le Roi et moi, nous
jugeâmes plus prudent qu'il m'ordonnât de partir
pour l'exil. Bien nous en prit car, après quelques
mois, il m'apparut que j'étais grosse et qu'il valait
mieux être loin de la cour et de ses intrigues.

C'est pendant ce séjour à Pons, que M. Richard
Hakluyt vint rendre visite à notre hôte, le gouver-

neur de la ville, Pierre du Gua de Monts. Comme il fallait s'y attendre, il lui demanda des nouvelles de ma personne. Car M. Hakluyt était à La Roche-Guyon, le jour où le roi m'envoya en exil. Mon hôte lui répondit que j'étais souffrante et que je le priais de m'excuser de ne pas paraître devant lui. Il ajouta qu'une épidémie de peste, sévissant dans la région, limitait le nombre de visiteurs chez lui. Pendant la journée où M. Hakluyt fut chez le gouverneur, je ne quittai point mes appartements, ainsi que nous l'avions convenu, afin que le visiteur ne vit pas ma condition.

J'étais dans ma chambre lorsque, à ma grande surprise, la porte s'ouvrit brusquement, et M. Hakluyt parut devant moi, qui étais assise dans un large fauteuil, quelques semaines seulement avant votre naissance. J'étais donc fort grosse et l'importun ne manqua pas de voir mon état. Il ne resta pas plus d'une seconde dans l'embrasure de la porte et sortit vivement en balbutiant des excuses; mais cela avait suffi pour lui apprendre toute la vérité. Le mal était fait.

Mon fils, ce petit incident qui ne dura que l'espace d'un moment me fit le plus grand mal à moi et peut-être à vous et au Roi par la suite. Le gouverneur de Monts, à qui j'avais raconté l'intrusion de l'aumônier anglais, était d'avis que M. Hakluyt ferait un rapport détaillé à la cour d'Angleterre, de sa visite à Pons, puisque c'était là le véritable métier de cet homme. Quand il avait été aumônier de l'ambassade d'Angleterre à Paris; sous le règne du Roi Henri III, il avait utilisé son poste pour obtenir toutes sortes de renseignements pour le bénéfice de la cour de Londres. Je ne lui en veux pas pour le fait qu'il serve son pays et sa religion ainsi qu'il l'entend. J'ai appris à estimer cet homme qui m'a fait grand tort, comme vous le verrez par la suite, parce qu'il servait sa reine ainsi qu'il était de son devoir.

Cette indiscrétion m'avait donc placée dans une fort délicate position et je ne le sus que trop bien, quand, un jour, Hakluyt, que je revis à la cour et que je pressai de questions, me révéla qu'il avait transmis cette information à sa souveraine, comme il le faisait pour toutes choses. Il ne savait pas, hélas, dans quelles oreilles était tombé ce renseignement par la suite.

M. Hakluyt me fit voir comme la connaissance qu'il avait acquise de mon secret me rendait vulnérable à tout ennemi qui voudrait vous faire du mal, mon fils. Il m'assura cependant, que telle n'était pas son intention et qu'il ne mettrait jamais à profit, pour lui-même, ce pouvoir qu'il avait maintenant sur moi. Il me prévint cependant que des personnes moins scrupuleuses que lui n'auraient pas sa délicatesse, si elles venaient à connaître la vérité sur votre naissance. Il me fit, à cette occasion, mille excuses pour les grands tracas que l'exercice de son métier me causait. Il ajouta, avec grande magnanimité que, par estime pour ma personne et celle de Sa Majesté, il garderait l'œil et l'oreille ouverts pour saisir tout renseignement qui pourrait me sauver de périls que ses révélations auraient attiré sur moi. Je lui sus fort gré de cette attention et le remerciai à l'avance de toute action qu'il entreprendrait à cette fin.

Malgré ces propos qui étaient faits pour me rassurer, je ne pouvais m'empêcher d'éprouver une grande angoisse. Certaines nuits, je m'éveillais en sursaut, à la fin de cauchemars épouvantables où *je vous voyais occis par quelque terrible engeance. Il fallait alors que la nuit finisse, avant que mes peurs ne s'évanouissent et que je retrouve le calme qui m'apportait le sommeil.*

Je ne sus pas tout de suite comment le secret de votre naissance fut percé ni par quelle personne. Ce n'est que plus tard que j'appris que ce renseignement était parvenu aux oreilles de Mlle d'Estrées, la maîtresse du Roi. Vous devez comprendre que votre existence même était alors le plus grand des obstacles à ses ambitions. Lorsqu'elle la connut, elle s'acharna tant et si bien à votre destruction, qu'elle faillit y parvenir à plusieurs reprises.

La première fois, vous ne pouvez en avoir gardé quelque souvenir, puisque vous n'aviez que trois ans. C'était le jour de mon mariage à M. de Liancourt. La diablesse, qui était évidemment des invités, avait donné l'ordre que, pendant la fête qui eut lieu à La Roche-Guyon, on vous administrât un poison qui, fort heureusement vous épargna, mais frappa une innocente victime, la jeune Liette Prévost, une servante fort dévouée à votre personne.

Je ne soupçonnai pas tout de suite que la favorite pouvait être à l'origine de ce crime. Ce n'est que quelques jours après cette affaire, que le père Coton me fit part de ses pensées sur le sujet. Il était le seul à ne pas avoir cru que Liette Prévost était morte de la peste. Tout le monde, y compris le Roi, crut que ce terrible mal avait emporté la malheureuse. Je suis certaine que sa rusée de maîtresse avait convaincu le Roi de voir les choses de cette façon.

Lorsque je m'ouvris prudemment à Sa Majesté et lui fis part de mes soupçons, elle prit fort mal mes propos. Elle se mit d'abord en colère, mais se calma peu après et me laissa lui exposer mon raisonnement. Je trouvais qu'il y avait de trop nombreuses coïncidences dans les faits pour ne pas ébranler la foi des plus incrédules.

Je fis voir au Roi que mademoiselle d'Estrées avait pour elle-même les plus grandes ambitions: devenir reine de France et faire reconnaître comme dauphin son fils César de Vendôme. N'avait-elle pas fait le premier pas dans cette direction, en faisant légitimer l'enfant par le Roi et par le Parlement? Quand elle découvrit que la naissance d'un autre enfant mâle du Roi avait précédé celle de son propre fils, son dépit ne connut pas de bornes et son intention fut fermement arrêtée, dès cet instant, de vous éliminer.

Le Roi, comme je m'y attendais, ne voulut rien entendre de mes arguments et me demanda des preuves de ce que j'avançais. Hélas, je n'en avais aucune et je ne pus qu'essuyer les sarcasmes de Sa Majesté qui me fit comprendre qu'on ne peut ainsi, sans preuve, salir la réputation des honnêtes gens et que l'avenir prouverait que j'avais eu tort de m'alarmer ainsi. Je vis que je n'avais aucune aide à attendre de ce côté.

Cependant, malgré ce qu'elle prétendait, j'ai toujours cru que Sa Majesté n'était pas complètement convaincue de l'innocence de la favorite. En effet, le jour après le décès de Liette Prévost, le Roi suggéra, sans que je lui en fasse la demande, de vous éloigner de Paris. Par la même occasion, il remplissait une promesse qu'il m'avait faite à votre baptême, de vous donner, dans le Béarn, la même éducation qu'il avait lui-même reçue à Coarraze, et dont il pensait le plus grand bien.

Je me tournai vers le père Coton pour solliciter son aide et lui rapporter l'indifférence apparente du Roi au sujet de cette affaire. Dans le but de confirmer ou de répudier mes soupçons, il me conseilla de chercher, dans ma propre maison, pour savoir s'il ne s'y cachait pas quelque espion, à la solde de la favorite. Le bon père croyait que Mlle d'Estrées, pour réussir son coup, avait dû avoir un agent au cœur même de mes affaires. Je m'y mis aussitôt, avec l'aide de mademoiselle d'Aubourg. Grâce aux renseignements qu'elle réussit à obtenir, nous apprîmes le nom du complice probable de la diablesse. Il s'agissait d'un domestique à mon service, nommé Antoine Pesquier. Il avait été vu rôdant autour de votre personne, les jours précédant celui où l'empoisonnement avait eu lieu. Anne se chargea, à partir de ce jour, de le surveiller de près. Au début, malgré sa vigilance qui ne se relâcha jamais, elle fut incapable de le prendre en faute. Cet échec apparent, bien sûr, nous fit douter que nous étions sur la bonne voie. Nos efforts, au bout d'un an, eurent enfin quelque résultat. Mme Josephte, qui n'était pas dans le secret, surprit Pesquier à voler la nourriture de mes cuisines, qu'il me revendait par la suite à prix fort. C'était là l'occasion toute rêvée de me débarrasser d'une pareille canaille, ce que je fis le jour même. Malgré la logique de ma décision, j'eus à m'en repentir plus tard, comme les faits vont vous le démontrer.

Pendant les deux années qui suivirent la tentative de la favorite de vous faire empoisonner, il ne se passa plus rien, au point que je commençais à penser que le Roi avait eu raison et que mon jugement sur Mlle d'Estrées avait peut-être été hâtif. Je n'avais pas pour autant annulé les consignes pour votre protection que j'avais données à Christopher Semple, votre gouverneur.

Grand bien m'en prit, car au printemps de l'année 1599, je reçus ce petit billet de monsieur d'Hakluyt que je vous transcris ici:

«Madame, hier, dans une taverne de Londres, un Français ivre, qui se disait au service de Gabrielle d'Estrées, s'est vanté de détenir un secret qui valait une grande fortune. Des truands, témoins de sa hâblerie, le battirent pour le faire parler, mais il était tellement ivre, qu'ils n'en avaient rien pu tirer et le malheureux succomba à leurs coups. Sur sa personne, ils trouvèrent une carte de la région de Coarraze, sur laquelle le château, où réside Clovis, est clairement indiqué.

Votre fidèle et dévoué serviteur,

Richard Hakluyt»

Je fus plus alarmée encore, lorsque ma chère Anne m'apprit que notre fameux Antoine Pesquier, qui depuis son renvoi était passé à l'emploi de Mlle d'Estrées, se préparait à partir pour le Béarn. Elle l'avait su par un domestique de monsieur de Loménie dont la fiancée travaillait aussi chez la favorite. Ces faits me jetèrent aussitôt dans une grande inquiétude et je craignis que vous ne courussiez un mortel danger. Ce que voyant, je résolus d'envoyer à votre gouverneur une personne de confiance. Je choisis Anne d'Aubourg pour cette importante mission. Elle partit aussitôt pour le Béarn, avec une lettre à l'intention de Christopher Semple, le prévenant du danger qui vous menaçait.

Vous connaissez la fin tragique de la randonnée que fit la malheureuse jusqu'à Coarraze. Vous vous souvenez du jour où son cadavre fut découvert sur les talus du château. L'héroïque femme avait eu la gorge tranchée en tentant de rejoindre votre gouverneur pour l'avertir du péril qui vous menaçait.

Je fus fort choquée par cet odieux crime. Mlle d'Aubourg était mon amie et ma confidente et elle avait l'estime de Sa Majesté. Comme j'étais toujours sans preuves du rôle de la favorite, je me gardai bien de faire part au Roi du fait que j'avais enrôlé la jeune femme dans ma cause contre Mlle d'Estrées.

Vous vous souvenez aussi des événements du lendemain, lorsqu'un félon faillit vous tuer au cours d'un jeu qu'avait organisé votre gouverneur. Dieu voulut que celui qui cherchait à vous occire, périt lui-même, victime de son propre complot.

Votre gouverneur, M. Semple, agit avec une rapidité qui sauva peut-être votre vie, car notre homme avait sans doute des complices. Après cette tentative contre vous, il trouva donc votre protection fort difficile à assurer et il vous ramena lui-même à Paris, sous lourde escorte, jusque dans mes appartements du Louvre. Le Roi et moi fûmes fort heureux de votre retour. Pour vous protéger mieux, deux gardes furent placés à notre porte, avec la consigne de ne laisser pénétrer chez nous que des personnes de notre connaissance. Malgré cette assurance, je vécus dans une peur constante, craignant pour votre vie. La seule vue de la favorite me mettait dans un état tel que je dus m'aliter, si sévère était l'émotion qui m'étreignait. Mon confesseur, craignant maintenant pour ma vie, m'arracha la vérité sur les angoisses qui m'habitaient.

Le père Coton et moi-même, eûmes de longues conversations au sujet de Mlle d'Estrées, qu'il disait être un suppôt de Satan. Il m'apparut tout à coup combien il serait bienfaisant, si la misérable venait soudainement à disparaître, d'autant plus que le Roi allait maintenant l'épouser, alors qu'il n'avait pas encore rompu les liens avec la reine Marguerite. Mlle d'Estrées faisait marcher vivement les préparatifs de son mariage qui devait avoir lieu le 18 avril, dimanche de Quasimodo.

Il me sembla que, dorénavant, votre présence devenait une menace grandissante à ses ambitions débridées. Si la favorite épousait le Roi, elle ferait déclarer dauphin le jeune duc de Vendôme. Il devenait donc impérieux pour elle, que vous disparussiez, puisque vous étiez l'aîné des enfants mâles du Roi. Je me mis en prières, avec mon confesseur, pour demander à Notre Seigneur de vous protéger et que si telle était Sa Volonté, il empêchât le Roi d'épouser cette femme qui ne pouvait qu'attirer des malheurs sur le royaume de France.

Si nos vœux allaient être exaucés, il fallait qu'ils le fussent avant le jour du mariage. Nous étions déjà le vendredi, 5 avril, le lendemain de votre retour de Coarraze, lorsque le père Coton vint chez moi, en compagnie des sieurs Christopher Semple et Richard d'Hakluyt que les circonstances de sa besogne avaient amené à Paris. Je ne leur cachai pas que l'état des choses me faisait envisager le pire. Là-dessus, monsieur d'Hakluyt me dit qu'il comprenait fort bien mes

inquiétudes et qu'il allait joindre ses prières aux
nôtres, m'assurant que nous priions le même
Dieu. Il me recommanda d'avoir foi en lui, m'assurant que le Seigneur allait apporter le remède à
nos maux. Après ces apaisantes paroles de mon
visiteur, ils prirent congé. Au moment de partir, le
sieur Semple, que j'ai toujours tenu en fort haute
estime, me prit à part et me dit: «Madame, Dieu
entendra vos prières.» Sur ces mots, ils sortirent
tous les trois.

Le lendemain, j'assistai à la messe, priant Dieu
d'avoir miséricorde et d'épargner d'autres malheurs à la France. Ce jour-là, j'eus la conviction
que j'avais été entendue, car je n'eus plus à
attendre longtemps avant d'être exaucée. Mlle
d'Estrées tomba malade le jeudi saint au soir,
après avoir soupé rue de la Cerisaie, chez le
banquier Sébastien Zamet. Elle mourut dans
d'atroces souffrances, le samedi saint à six heures
du matin, après une agonie qui avait duré trente-
six heures. La nouvelle de sa mort déclencha
aussitôt dans Paris une joie macabre. Au sujet de
cette mort, le Roi m'a dit: «Ceci est de Dieu...»

Après les premiers jours qui suivirent le décès
de Mlle d'Estrées, j'appris qu'elle était morte de
la même façon qu'elle avait fait périr Liette Prévost. Elle avait éprouvé les mêmes souffrances
qu'elle et les mêmes signes de détérioration physique avaient accompagnés les deux agonies.
Était-ce la main de Dieu, ou bien celle du diable?
Je ne le sus jamais, car elle avait dû offenser les
deux également.

Je dois vous dire, mon enfant, que la mort de
Mlle d'Estrées ne produisit pas chez moi de joie,
mais plutôt un grand soulagement, car la crainte

que j'avais au sujet de votre sécurité, cessa tout à fait de m'habiter pendant plusieurs années. J'étais de nouveau tranquille à votre sujet, lorsque cette paix, si chèrement acquise, prit fin brusquement avec votre départ pour le Nouveau Monde.

Si je ne l'ai jamais laissé paraître en votre présence, je n'avais pourtant aucun attrait pour ces terres lointaines. Je n'ai pas compris la fascination du Roi Henri pour ce continent froid, inhospitalier et presque entièrement dépeuplé. Il est évident que vous lui trouvez, tout comme Sa Majesté, des vertus qui m'échappent tout à fait. Je revois avec un serrement de cœur l'exaltation qui vous habite, chaque fois que vous parlez du Nouveau Monde. J'avoue, à ma grande honte, éprouver de la jalousie quand vous chantez les louanges de l'Acadie, car voilà bien un de vos sentiments que je ne comprends ni ne partage. Je vous sens encore plus étranger, lorsque vous l'appelez la Nouvelle-France. Comme si notre pays n'était pas assez grand pour contenir toutes les ambitions, et qu'il en fallût implanter ailleurs, sur des rives hostiles, les graines de notre sagesse et de notre puissance.

Comprendrez-vous mes sentiments, si je vous dis que pour ne pas vous perdre tout à fait, car le Nouveau Monde semblait bien vous avoir avalé tout rond, je me suis intéressée, comme je le pus, à ce qui vous était le plus cher? C'est par le biais de ses misérables populations indigènes que j'ai acquis un grand intérêt dans l'Acadie. Je conçus l'idée, guidée en cela par le père Coton, de convertir à la foi catholique les infidèles de ces contrées.

Il y a maintenant sept années que vous avez quitté la France, mon fils, et jusqu'ici, chacune de vos lettres a chanté le contentement que vous *avez d'être parmi ces gens, les Souriquois, comme vous les appelez. Depuis deux ans, je n'ai plus rien reçu, plus un mot de vous, qui me dise que vous êtes vivant et que vous vous souvenez de vos parents. Si ce n'étaient les rapports que me font régulièrement les missionnaires sur ce que vous faites, je pourrais penser que vous avez succombé aux coups de vos ennemis.*

Après la mort de Gabrielle d'Estrées, j'avais tout lieu de croire que le péril qui vous avait menacé depuis votre naissance, avait été pour toujours éliminé. Or, j'ai découvert, il y a bientôt trois ans, qu'il n'en était rien. Quelqu'un d'autre avait repris à son compte la mission de la favorite défunte. J'étais dans un affolement total qui me fit craindre les pires conséquences pour ma santé. Une fois rétablie, je me mis à la recherche de votre nouvel ennemi. Je crus que les La Tour, père ou fils, étaient peut-être ses agents, mais vous me dites qu'ils sont tous les deux gens de bien et je vous crois. Je soupçonnai tour à tour chaque personne qui partait pour l'Acadie.

Finalement, encore une fois, grâce aux bons offices de Richard Hakluyt, je finis par apprendre le nom de celui dont il faut maintenant se méfier. Il s'agit de nul autre que du propre fils de Mlle d'Estrées, monseigneur César de Vendôme lui-même, qui est aussi ambitieux que sa mère. J'ai appris qu'il préside à des complots dans le but d'éliminer le jeune Louis et son frère Gaston, afin de se faire déclarer l'héritier de la couronne, supporté en cela par quelques Grands Seigneurs qui sont tout prêts à trahir leur Roi. Pour les mêmes raisons que Mlle d'Estrées, votre existence représente un ultime obstacle à ses aspirations.

Voilà pourquoi, il y a trois ans, j'ai fait accepter par le Roi, quelques mois seulement avant sa mort, d'envoyer des missionnaires en Acadie. En cela, mon but était double: d'abord de placer auprès de vous quelqu'un qui veillerait sur la sécurité de votre personne, et ensuite de convertir à la foi chrétienne les Sauvages de l'Acadie. Sa Majesté n'avait accepté qu'en partie ma proposition et s'était objectée au départ des jésuites, leur préférant un certain abbé Fléché que j'appris à connaître et estimer et dont je fus bien heureuse de m'accommoder. L'année suivante, la reine régente, voyant les choses d'un tout autre œil, accepta que les pères Biard et Massé allassent en Acadie, accomplir l'œuvre que j'attendais d'eux.

J'ai voulu, mon fils, que vous preniez connaissance de tous ces faits, afin que vous puissiez assurer vous-même votre propre sécurité.

Toute ma vie, je vous ai aimé profondément et toutes mes actions ont été guidées par le désir que j'avais de vous voir heureux dans ce monde et dans l'autre.

Je prie Dieu de vous bénir, ainsi que votre descendance.

Antoinette de Pons, marquise de Guercheville.

Fait sous mon seing, à Paris, ce dix-huitième jour de février de l'an de grâce 1613.

Après avoir terminé la lecture des documents, Claude-Saint-Esprit se tait et regarde son beau-père qui continue de reposer, les yeux fermés, les mains croisées devant lui. Seule une légère respiration, qui soulève régulièrement sa poitrine, laisse deviner qu'il vit encore. Après plusieurs minutes, des larmes apparaissent au coin des paupières et lentement, elles roulent sur les joues du mourant. Spontanément et avec simplicité, Claude prend doucement dans les siennes les mains du seigneur d'Adjimsek. Ce simple geste, ce contact humain avec sa belle-fille, provoque aussitôt chez celui-ci des torrents de larmes, ainsi qu'un barrage qui se brise soudainement dans la tempête. Depuis la mort de Sésip, il a été incapable d'exprimer par des pleurs les émotions qui l'ont assailli. Libéré enfin du joug oppressif du souvenir, le frêle squelette du moribond est secoué longuement par les sanglots. Peu à peu, comme le soir qui descend lentement sur la terre, les tremblements cessent, les yeux s'assèchent et la paix revient occuper l'âme de Clovis d'Adjimsek.

Dans la chapelle improvisée, le père Ronsard se retourne vers les fidèles agenouillés, étend les deux bras en croix.

— *Ite, Missa est.*

Claude-Saint-Esprit prend son fils dans ses bras et le présente à son grand-père. Le jeune enfant, qui n'a pas encore trois ans, est intimidé par la solennité du moment. Les yeux de l'aïeul et de l'enfant se rencontrent pour la dernière fois. Le regard innocent d'Onéméchin se perd dans la profondeur des beaux yeux bleus du vieiilard.

— Mon fils, lui dit celui-ci au bord de l'éternité, voyez où je m'en vais. Voyez comme il est profond cet univers de Dieu. Faites sa volonté, observez ses préceptes et vous serez béni jusqu'à la centième génération de vos enfants.

Puis, Clovis serre faiblement la main de son petit-fils. Le regard du moribond, comme la flamme d'une lampe, vacille en tremblotant, puis enfin s'éteint paisiblement. En même temps, son corps se relâche tout à fait et devient affreusement immobile. Antoine-Henri-Clovis de Pons et d'Adjimsek a vécu.

Claude-Saint-Esprit se penche vers son beau-père et lui ferme les yeux, pendant que le prêtre qui vient de comprendre que Clovis n'est plus, vient vers la couche funèbre et la bénit. À tour de rôle, les domestiques d'Adjimsek s'approchent, trempent le buis dans l'eau bénite et aspergent la dépouille de celui qui a été leur Seigneur et Maître pendant plus de trente ans.

Le lendemain matin, après que le cadavre de Clovis a été enveloppé dans un linceul, il est transporté dans le petit cimetière, au sommet du Mont-Louis, où Aakadé a été enterré la veille. Après avoir récité le *De Profundis,* le père Ronsard bénit une dernière fois la tombe, creusée au pied d'un grand chêne, où le corps est ensuite descendu sans plus de cérémonies. La terre d'Acadie, qu'il a tant aimée, accueille le premier seigneur d'Adjimsek dans son dernier sommeil.

Épilogue

À la suite des tragiques événements du printemps, 1645, Charles de La Tour, ne trouve plus où
se réfugier, ni en Acadie ni en France. Ce que
voyant, le gouverneur Huault de Montmagny l'invite à
s'installer à Québec, au château Saint-Louis, avec
toute sa famille. À son arrivée, il l'accueille comme le
gouverneur légitime de l'Acadie. Peu après, La Tour
fait venir d'Adjimsek, par la voie fluviale de la rivière
Saint-Jean, sa fille adoptive Claude-Saint-Esprit avec
son fils Onéméchin.

En 1650, la nouvelle parvient à Québec du décès de Charles de Menou d'Aulnay, mort noyé
dans la baie de Port-Royal. Aussitôt, Charles de La
Tour passe en France où il réussit, au bout de trois
ans, à obtenir justice du gouvernement de la reine
régente, Anne d'Autriche. Il est rétabli dans son titre
de gouverneur de l'Acadie et dans ses possessions
du Cap-de-Sable et du fort Sainte-Marie. Revenu à
Port-Royal, en 1653, il se présente devant Jeanne
Motin, la veuve et héritière de son ancien ennemi, dans le but de lui faire connaître les ordres du
Roi.

À bout de ressources, elle accepte non seulement le nouvel état de choses, mais encore la proposition de mariage que lui fait La Tour dans le but de mettre fin à la sanglante querelle qui a secoué l'Acadie pendant près de vingt ans. Les familles de La Tour et d'Aulnay s'unissent par le mariage à l'été de 1653. Bien que La Tour ait déjà soixante ans, cinq enfants lui naissent de sa troisième femme.

Le gouverneur maintenant incontesté de toute l'Acadie et sa nouvelle épouse vivent tantôt au Cap-de-Sable, tantôt à Port-Royal. Ses dernières années ne sont pas sans difficultés et il a encore à se battre pour conserver l'intégrité de ses possessions. Un certain Emmanuel Le Borgne, créancier de Charles de Menou d'Aulnay, exigeant le remboursement d'une dette de plus de deux cent mille livres, tente de s'emparer du fort Sainte-Marie, mais sans succès.

Enfin, à l'âge vénérable de soixante-dix ans, Charles de La Tour rend l'âme à Port-Royal en 1663. Sa fille adoptive, Claude-Saint-Esprit, la veuve d'Aakadé, s'étant remariée à Québec en 1649, elle y vit jusqu'à sa mort en 1672.